W9-BMK-167

DU MÊME AUTEUR

Aux Éditions Julliard

L'ALLÉE DU ROI, *roman*, 1981. Repris en Pocket, n° 2227.

Aux Éditions de Fallois

LEÇONS DE TÉNÈBRES, *roman* :

LA SANS PAREILLE, 1988. Repris en Livre de Poche, n° 6791.

L'ARCHANGE DE VIENNE, 1989. Repris en Livre de Poche, n° 6984.

L'ENFANT AUX LOUPS, 1990. Repris en Livre de Poche, n° 7387.

L'OMBRE DU SOLEIL, *théâtre*, en collaboration avec Jean-Claude Idée, 1994.

L'ENFANT DES LUMIÈRES, *roman*, 1995. Repris en Livre de Poche, n° 14104.

LA PREMIÈRE ÉPOUSE, *roman*, 1998. Repris en Livre de Poche, n° 14686.

Aux Éditions Norma

MAINTENON, en collaboration avec Georges Poisson, 2001.

LA CHAMBRE

FRANÇOISE CHANDERNAGOR
de l'Académie Goncourt

LA CHAMBRE

roman

nrf

GALLIMARD

Il a été tiré de l'édition originale de cet ouvrage
trente-cinq exemplaires sur vélin pur fil des papeteries Malmenayde
numérotés de 1 *à* 35.

« Ce monde est inhabitable. C'est pourquoi il faut fuir dans l'autre. Mais la porte est fermée. »

Simone Weil, *Cahiers*

« Ce monde est inhabitable. C'est pourquoi il faut fuir dans l'autre. Mais la porte est fermée. »

Simone Weil, *Cahiers*

1

Le tour de l'île : vingt-quatre pas. Six du nord au sud et d'est en ouest, depuis la porte d'entrée jusqu'à la fenêtre. Les cloisons de planches, la cheminée de marbre et, comme un lac suspendu, le grand miroir — la géographie de la chambre, ses rivages, ses déserts, sa faune, j'en sais tout. Mais le décor, cet étrange décor, acajou et pavé, brocart et chaises dépaillées, qui l'a composé ? Qui, surtout, a donné l'ordre de condamner les portes, puis la fenêtre, la cheminée, de poser des serrures, des verrous, je l'ignore... Et l'enfant ? Lorsqu'on a détaché sa chambre du continent, pourquoi n'a-t-il pas crié ? Pourquoi s'est-il laissé couler ?

À l'origine du crime, qu'y avait-il ?

Quand la foi soulève des montagnes, elle écrase des enfants. Est-ce la foi qu'on trouve au commencement de cette histoire ? Ou bien la peur, la bêtise, le hasard ? Qu'y avait-il « au commencement » ?

2

Au commencement, le refus : celui qui dit non. Un trait de plume, presque une blessure : sabrés, les chiffres en belle ronde du comptable ! Le rond-de-cuir qui biffe la page est un agent quelconque d'une administration indéterminée : je l'imagine employé à la Trésorerie ou au Comité des finances. Indéterminée mais puissante, l'administration, et son employé anonyme, proche du Sommet — ce Sommet qui n'accordera pas de rallonge à une maison mal gérée : sept cent mille de subventions l'an passé ! Et cette année, dès janvier, un million cinq cent mille livres d'arriérés ? C'est fini ! Le gouvernement manque d'argent ; d'ailleurs il ne craint plus les factions, les partis, les menaces de « l'Organisation » : un jour prochain, il reprendra tout en main, la maison et le reste — une main de fer... En attendant, que ceux d'en bas, les grandes gueules, se débrouillent comme ils voudront ! Sans lever la plume, le fonctionnaire inconnu supprime un chapitre entier du budget.

Au commencement était la négation. Un éclair noir. Ni chair ni visage : une abstraction.

3

Le lendemain du commencement, deux hommes discutent dans un bureau surchauffé. Ceux-là n'ont rien d'abstrait, je les vois très bien : bonnets en peau de lapin, pipes en terre, semelles de bois, ceintures de flanelle. Deux hommes parfaitement identifiables : Coru, ancien marchand de grains promu économe ; et Firino, marchand de poêles, fournisseur du service dont Coru tient les comptes.

Vert des cartonniers. Rouge des cires à cacheter. Bleu d'un haut fauteuil en velours de Gênes où Coru vit perché. Et, par la fenêtre aux carreaux sales, le jaune-brun d'un soleil d'hiver qui se racornit comme un vieux cuir. On croirait sa lumière passée à travers une décoction de gentiane : les affiches au mur, les liasses de factures, les encriers, les dossiers, Coru, Firino, les deux verres pleins et la bouteille de vin, tout baigne dans cette tisane tiède.

« Les vieux d'en face, ceux du deuxième, déménagent après-demain », dit l'économe jaune à son fournisseur jaunâtre (il dit « les vieux » bien qu'il ait lui-même atteint la soixantaine, mais il éprouve un appétit juvénile pour le velours de Gênes, le papier à en-tête, les visas, les tampons et le commandement). « Les vieux s'en vont, et ils seront pas remplacés : faut diminuer la dépense, ordre d'en haut ! On nous ôte seize postes.... Ça fait que le fils au gros Colas, à Défunt-Cocu, il va se retrouver seul...

— Et alors ?

— Alors il a huit ans, et je veux pas qu'il foute le feu à la baraque ! Article premier : plus question qu'on lui allume ses cheminées.

— Ben, il a un poêle...

— Justement, le poêle ! Je veux pas non plus qu'il touche au poêle ! Suppose qu'il ouvre la porte du fourneau, qu'il farfouille dans les braises, joue avec le cendrier, démanche les tuyaux... Un incendie dans une bâtisse comme celle-ci, maintenant que les trois quarts des fenêtres sont bouchées, t'imagines le branle-bas ? Faudra que je les laisse tous sortir, Firino, ou tous rôtir ! Et d'un côté comme de l'autre c'est pour moi que ça chauffera ! Faut que tu me trouves un moyen.

— Un moyen de quoi ? Dans ce logement-là, Coru, y a pas de moyen. T'as qu'à le laisser sans feu, ton foutriquet...

— J'ai reçu mission de le nourrir, pas de le faire crever !

— En ce cas, change-le de logement, parce que personne peut chauffer quatre pièces sans poêle ni cheminée !

— Mais qui c'est qui t'a parlé de quatre pièces ? Du moment qu'il reste seul, l'animal, lui suffit d'une chambre... »

Une seule chambre ? Fermée à clé ? Firino retrouva l'inspiration. On pourrait, par exemple, remplacer le vieux poêle par un poêle plus large, qu'on placerait à cheval entre la chambre et l'antichambre : foyer accessible uniquement par l'antichambre, mais chaleur des deux côtés. Rien de sorcier. Le prix irait chercher quoi, dans les quatre-vingts, quatre-vingt-dix livres au plus... Tope là !

Les deux hommes trinquèrent ; mais à peine avaient-ils bu trois gorgées de jaune : « Bourrique ! s'exclama Coru, t'as oublié qu'entre la chambre et l'antichambre on a doublé la cloison : pour la traverser aucun poêle sera assez profond ! Sans compter, bougre d'âne, que ces parois-là sont en planches... Alors, toi, couillon, pour éviter l'incendie tu me fiches ton poêle dans une cloison de bois ! Mieux que ça : dans une double cloison de bois !

— Mais mon idée, Coru, c'est justement de les démonter, ces charpentes. Tu commandes au père Santot une belle séparation tout en moellons, après quoi je...

— Tant que t'auras des idées de ce tonneau-là, garde-les pour toi ! Ceux du deuxième, c'est après-demain qu'ils s'en vont, après-demain, tu m'entends ? D'ici là, faut que "l'oiseau rare" soit en sécurité dans le perchoir ! »

L'économe ne précisait pas que lui aussi était partant. À brève échéance. Voilà pourquoi il s'énervait, pourquoi, dans le jaune ambiant, son teint virait à l'orange... Démissionnaire avant d'être démissionné. Pour la même raison que « les vieux du deuxième » : la jalousie. La place des permanents, les bénévoles la trouvaient trop bonne : un train de chanoine — pâtés de lièvre, lits douillets, et une paye à plusieurs zéros. Au point que le mois dernier, avant même la réduction de budget, les chefs de l'Organisation avaient invité chacun à choisir entre siéger au Conseil et travailler dans les services : plus de cumul. Faisant de bonne grâce ce que les autres auraient fini par leur imposer, les politiques de la maison avaient d'un même élan, sans exception, renoncé à leur emploi, et applaudi la mesure par-dessus le marché ! Mais l'économe pouvait bien applaudir plus fort que tout le monde, il entendait ses rivaux rire sous cape, « retour à tes semences, père Coru ! Grain-grain-grain ! », ah, les charognes, il leur revaudrait ce tour-là !

N'importe, les fournisseurs n'avaient pas à soupçonner ces conflits internes. Les fournisseurs avaient à fournir, c'est tout. Et pour ce qui est de fournir, Firino était à court, visiblement. Coru décida d'employer la manière forte : « Firino, mon ami, tu voudrais pas que j'aille raconter à ceux qui nous commandent que t'es plus aussi dévoué que tu l'as été ? Que ça se pourrait bien que ces temps-ci tu te sentes, disons, plus modéré ? »

Modérantisme ? L'accusation était terrible. Le poêlier jaune avala son verre de soufre d'un trait. Le cerveau lui bouillait : « Peut-être que... Sans ôter les cloisons de bois... Oui, supprimer la porte. Entre la chambre et l'antichambre. Elle a bien deux battants ? Dans l'embrasure j'ai la largeur... Pas de fonte : un poêle à l'allemande. Avec, de chaque côté, des murets de briques pour isoler...

— Tu penses vite quand tu t'y mets !

— Attends ! En remontant ma brique au-dessus du poêle faut pas que j'écrase le fourneau ! Un poêle en faïence, ça s'épargne. Parce que là on rentre dans le coûteux : deux cents, deux cent cinquante... Dame, c'est qu'on se chauffe pas sans "braise" ! »

La plaisanterie tomba à plat, Coru n'aimait pas rire. C'était un homme de parti — sectaire, fanatique, « vacciné »... Volte-face de Firino, retour au concret : « Abîmer une marchandise pareille, ça me ferait pitié : faut que je pose une traverse pour reporter le poids de ma maçonnerie sur les murets. Après-demain c'est fête : donne-moi trois jours, le temps que je trouve une barre en fer... T'as pas un essieu de charrette qui ferait l'affaire ? »

Coru jeta un regard vague vers la grande cour jaune, encombrée de gravats qu'on n'avait jamais enlevés : « Y a de tout dans ce chantier ! Et peut-être un essieu de charrette, mais de là à le trouver... » De nouveau il emplit les verres, sortit sa tabatière : allons, les choses avançaient, et dans le bon sens ; quand il quitterait son poste, son successeur ne trouverait rien à lui reprocher, même en cherchant bien — et il chercherait, évidemment. « On peut dire que dans ta partie, Firino, t'es un maître ! Santé ! T'en fais pas pour la barre : je la commande au serrurier. Et les briques ?

— Pour condamner une porte, en faut jamais que deux ou trois hottées : mon gars les hissera. Remarque, ce qu'on entreprend là, Santot dirait que c'est pas de la bonne besogne : un rebouchage de porte, pour ce qui est de la solidité...

— Mon pensionnaire, il a huit ans. Alors, même s'il attaquait ton ouvrage à coups de bélier...

— À propos du pensionnaire, une fois que je l'aurai muré là-dedans, ça va pas trop vous compliquer le service ?

— Attention : "muré", on peut pas dire qu'il sera "muré", cet enfant. Faut être précis, il deviendra seulement, comment qu'il disait son docteur ? "difficile d'accès"... Sûr que, depuis l'escalier, ça va nous allonger le parcours : la deuxième chambre à traverser, le petit couloir à longer — trois portes en plus, et qui s'ouvrent pas en soufflant dessus ! Les garçons d'office encore, si je leur flanque mon pied au cul je les ferai marcher ; mais les "visiteurs", ça m'étonnerait qu'ils s'amusent à faire le grand tour pour contempler l'oiseau ! Même moi, je sens que ça va me rendre moins curieux. Et le manque de curiosité, dans une maison comme celle-ci, c'est déjà un défaut de sûreté...

— Mais Firino est là, l'ami, et Firino connaît le remède ! S'agit que de lui débrouiller la langue ! Ressers-moi un peu de muscat. »

Dans le jaune qui tournait bistre à mesure que le soleil de janvier se recroquevillait, le poêlier rapprocha son front du visage terreux de l'économe ; le crépuscule les plombait de son ombre, accentuant les méplats, creusant les orbites — deux spectres. Cernés de jaune. « Ton souhait, reprit Firino, c'est de contrôler le petit depuis l'antichambre, mon souhait, c'est d'alléger ma cloison. Je vais nous exaucer tous les deux : une fenêtre, Coru ! Au-dessus de ma traverse... Pas un judas, hein ? Une vraie fenêtre. Tout en largeur. Et juste à hauteur d'yeux !

— Sauf que ton tuyau passe au milieu...

— Mon tuyau, l'ami, il fait combien ? une main de large... Dans l'embrasure d'une porte à deux battants j'ai toute la place pour découper une ouverture sur le côté. Les feignants pourront contempler le marmot de l'extérieur : aucune fatigue ! Chauffage sans peine et surveillance sans souci ! Comme je le dis toujours : la vie, c'est jamais qu'une affaire de mécanique et d'outillage. Pas vrai ? »

Plus de sottise que de cruauté... Au commencement un trait noir, une rature. Puis la bêtise. Crasse, jaune. Débordement de jaune. Un problème d'intendance mal réglé. Des bureaux, des petits-chefs, un marchandage de boutiquiers, un bricolage hâtif : au commencement était la stupidité.

Facture de Firino, fumiste-poêlier, pour avoir, le 18 janvier, *« au deuxième étage, dans la première pièce, fourni un grand poêle à carreaux mosaïques de trois pieds de hauteur, briques, terre et main-d'œuvre, et l'avoir posé en place »*. Facture de Durand, serrurier, pour avoir, le 20 janvier, *« fait et fourni une barre de languette, et trois barreaux pour le jour au-dessus du poêle. Fourni au maçon quatre livres de clous déliés, employés à la niche du poêle »*.

4

Lorsque l'enfant s'éveilla, la nuit lui parut vieille. Grise déjà, et tout usée : on voyait le jour au travers. Couché sur le côté, il distinguait parfaitement le motif du papier peint. Alors il attendit. Attendit le bruit.

Le matin, au moins, il avait le temps de s'y préparer. Tout commençait par un crépitement léger, au plafond : les talons des femmes dans l'appartement du troisième (combien étaient-elles là-haut ? Deux ? Trois ?). Puis des appels rauques dans la cour, le pas des hommes dans l'escalier, le grincement des portes ; et soudain, comme un aboiement, une morsure, le claquement sec des verrous ! Il avait beau prévoir, se boucher les oreilles, se cacher sous la couverture, chaque fois il sursautait, son cœur s'affolait. « Voyons, grondait Marie-Jeanne, un grand gars comme toi, trembler pour un verrou qu'on tire ! T'as pas honte ? »

Honte ? Sûrement pas. Il savait qu'il avait raison d'avoir peur. C'est pourquoi, maintenant qu'il grandissait, il sentait ses peurs grandir avec lui. Elles pullulaient, grouillaient dans son ventre, elles le dévoraient, le débordaient. Il allait souvent aux cabinets, pour se vider. Mais les peurs continuaient à lui manger les entrailles : peur du noir dans sa chambre et des cris au loin, dans la rue ; peur des cauchemars qu'il connaissait déjà et des visages qu'il ne connaissait pas ; peur des hommes et des enfants, ces « charmants zenfants » qu'il voyait autrefois juchés sur les épaules de leurs pères, perchés sur le rebord des fenêtres, le socle des statues, les branches des arbres ; peur des loups aussi, des dragons, des rhinocéros, des rats, des chiens, et des lapins, même des lapins : tiens, à quatre ans il avait voulu embrasser un lapin sur le museau et « voilà, regarde, disait-il à Marie-Jeanne pour se justifier, il m'a mordu à la lèvre, je le caressais et il m'a mordu ! Mais regarde : j'ai encore la marque ! ».

Pour le désapeurer, Marie-Jeanne lui avait donné un chien, Coco. Coco était marron ; pas marron café ni chocolat : marron-roux avec une oreille coupée et le poil pelé. Un chien de gouttière. D'ailleurs inoffensif : quand il aboyait, on aurait cru qu'il miaulait ; et jamais il ne montrait les crocs ; à se demander s'il en avait. L'enfant, qui se sentait pousser des incisives toutes neuves, des canines de carnassier depuis que ses dents de lait tombaient, avait tout de suite aimé ce vieil édenté ; il le pinçait, l'injuriait (« Sale engeance ! Race de tigres ! »), il le battait aussi, à coups de poing, à coups de pied, tant qu'il pouvait ; après quoi ils couraient ensemble dans l'appartement, se roulaient sur les lits en se léchant ; aux visiteurs il présentait Coco comme son « petit frère ».

« Ah ton petit frère ? ricanait l'Antoine, je croyais plutôt que t'étais d'une famille de cochons ! Ton père, le cocu content, c'est bien le "gros cochon" qu'on l'appelait, pas vrai ? » D'après Marie-Jeanne il ne fallait pas prendre au sérieux les bêtises de son mari quand il venait d'« étouffer » une série de chopines avec ses amis d'en dessous. On les avait entendus chanter tout l'après-midi ; le Toine avait sa « pille », quoi, sa ronflée. Dans ces cas-là, mieux valait ne pas le contredire, ne plus bouger, s'asseoir dans l'ombre, s'effacer.

« Menteur ! cria pourtant l'enfant, foutu menteur ! Cocu toi-même ! » Et il se mit à tourner autour de la table de la salle à manger pour empêcher le vieux de l'attraper.

« Je vas te mater, moi, mon cochon ! » hurlait « l'instituteur ». Il avait la main lourde mais la jambe molle. L'enfant lui échappait, osait encore le défier : « Tu t'es trop arrosé le gosier, sac à vin ! » Et sautant, virevoltant, tournoyant entre les chaises, petit Poucet qui nargue son ogre familier, il riait enfin, riait « pour une fois », riait à gorge déployée — ses poumons, ses jambes, tout ce que la peur avait noué se dépliait d'un coup : il riait, courait, toussait, le chien courait avec lui, grognait, s'enrouait, miaulait, Toine gueulait, et Marie-Jeanne, effarée, levait les bras au ciel.

« Dis-lui, Coco, dis-lui qu'on n'est pas des cochons ! Hé, sac à vin, nous on est des chiens ! Tous les deux ! Des frères-chiens ! »

Il avait eu un chien. Pendant combien de temps ? Trois mois ? Un an ? Il ne savait pas, ne savait plus. Ce qu'il savait, c'est que son frère-chien était parti en même temps qu'Antoine et Marie-Jeanne. Un jour ou l'autre les gens le quittaient ; ou bien c'était lui qu'on emmenait...

Quand le couple avait commencé, quinze jours plus tôt, à déménager des meubles et faire ses paquets, l'enfant n'avait rien dit. Pas demandé pourquoi, pas supplié qu'ils restent, pas pleuré. D'ailleurs, Marie-Jeanne avait tout de suite parlé de quelqu'un qui viendrait les remplacer, « quelqu'un de sûr » que l'Organisation (elle disait « notre bonne Commune, nos amis ») était en train de chercher, quelqu'un qui ne serait pas aussi important que Toine, évidemment, pas membre du Grand Conseil comme lui, « mais très capable quand même, et tu t'habitueras ! ». Oui. Il était habitué à s'habituer. C'est presque sans tristesse qu'il avait vu emporter les pigeons de sa volière et sa cage à serins. Demain plus de chien, aujourd'hui plus d'oiseaux, tant pis ! D'un pas ferme il était allé jeter lui-même l'orge et le chènevis dans les cabinets : son prochain maître lui apporterait un chat, il le sentait. Il décida pourtant de n'en rien dire à Marie-Jeanne parce qu'on ne devait pas dire tout ce qu'on pensait ; d'autant que pour le chat le « nouveau » voudrait sans doute lui faire une surprise en l'apportant caché dans un panier — un beau chat d'Angora, au pelage doux comme une forêt.

Vers neuf heures du soir, le dernier jour, quatre hommes étaient montés. Quatre inconnus auxquels l'enfant n'avait pas trouvé l'air méchant : est-ce qu'un des quatre était celui dont Marie-Jeanne avait parlé ? Non, aucun n'avait de chat sous le bras. Les plus vieux ne lui avaient même pas jeté un coup d'œil ; quant au jeune (sans doute un médecin, comme le docteur Thierry, puisqu'il avait demandé à Toine combien « le petit » mesurait), il ne l'avait regardé que de loin et conservait son chapeau sur la tête comme un qui va ressortir. Tous les quatre avaient signé des papiers ; puis Toine avait coiffé son bonnet, et Toine avait appelé Coco, et Toine avait pris le petit passage, par-derrière, suivi des trois vieux et du chien. On avait entendu s'éloigner deux sabots, six souliers ferrés, quatre pattes...

L'appartement était à moitié vide ; les derniers balluchons traînaient dans l'antichambre, derrière le muret neuf, encore inachevé. Adossé à la porte basse que les autres avaient laissée entrouverte, le médecin sifflotait. Comme d'ordinaire, Marie-Jeanne avait préparé le lit du garçon ; puis elle l'avait déshabillé, l'avait couché (déjà elle avait passé ses vêtements du dehors, ses mitaines, sa grosse cape de laine, et ses gestes s'en trouvaient ralentis, embarrassés) ; elle avait bordé (mal bordé) la couverture, n'avait pas embrassé la joue pâle, elle n'embrassait jamais — juste une tape sur les fesses quand elle était contente —, s'était relevée en se tenant les reins, avait fourré dans sa poche des pièces et des billets qui traînaient sur la tablette du secrétaire, et sans un mot elle avait rabattu son capuchon.

Jusque-là l'enfant avait attendu. Inquiet mais soumis, assoupli par la vie, hésitant entre la figure de la victime résignée et l'air blasé du garnement qui en a vu d'autres, dans tous les cas peu dérangeant. Il attendait (espérait ? craignait ?) l'arrivée du « nouveau », l'homme au chat, celui qui s'installerait dans le grand lit : est-ce qu'il sentirait le tabac, le cuir, la sueur, le vin ? Est-ce qu'il saurait jouer aux dames ? Est-ce qu'il ronflerait ? Obligé de répondre lui-même aux questions qu'il ne devait pas poser, il tentait de fixer ses angoisses sur des riens, d'attacher sa peur à des broutilles. Mais brusquement, en voyant Marie-Jeanne coiffer son capuchon, en entendant le médecin dire « Pressons-nous », il comprit : elle avait menti, il s'était menti, personne ne viendrait. Demain peut-être, mais ce soir personne !

Lui qui, d'aussi loin qu'il se souvenait, n'était jamais resté sans compagnie, pas une heure, pas une minute, on ne pouvait quand même pas, on n'allait pas le, enfin quoi, l'abandonner ? Un malheur qui n'arrive qu'aux enfants pauvres ! Ou dans les contes... Abandonné ! Il aurait voulu — d'une voix douce, très douce — implorer la vieille femme d'attendre juste l'aube pour s'en aller, juste l'aube... Mais il savait ce qu'elle aurait répondu : « Seul dans ta chambre ? En v'là une affaire, à huit ans passés ! » Inutile de crier, de pleurer, de protester, de promettre ou de s'humilier. Mais quand la cape de laine atteignit la porte du couloir, il ne put s'empêcher de murmurer : « Tu me laisses la lumière ? »

Haussement d'épaules sous la cape, et sans se retourner : « Sois sage ! » Là-dessus, elle avait pris la lampe, tiré le battant et — non ! non, ça c'était pire que tout ce qu'il pouvait imaginer ! — ils avaient fermé à clé. Ils l'avaient enfermé dans le noir, et à double tour ! Les serrures des autres portes, il s'y était habitué : à heures fixes, il courbait la tête, rentrait les épaules, tendait le dos. Mais la porte de sa chambre jamais il... Dressé dans son lit, le cœur battant, il avait encore aperçu — par-dessus le poêle neuf et le muret de briques à demi monté — la lueur dansante du quinquet quand les deux silhouettes avaient traversé l'antichambre. Porte en fer du couloir voûté, quatre verrous, porte en bois sur l'escalier, verrous, puis... Plus rien. Un trou béant. Plus un bruit, plus un être. Il aurait voulu crier, mais pas un son ne sortait. Cette nuit-là, pour la première fois, il avait pissé au lit.

Eh bien, pisser au lit, on s'y habitue aussi ! Surtout quand, finalement, on a deux lits : lorsqu'il en avait mouillé un, il pouvait finir sa nuit dans l'autre... À condition, bien sûr, d'oser franchir le gouffre qui les séparait. Ce courage, l'enfant qui fanfaronne comme s'il avait encore un public sait très bien, en vérité, qu'il ne l'a pas eu souvent : il a préféré grelotter dans des draps mouillés.

Pour l'heure, son pantalon est sec, il s'en réjouit ; en attendant le précepteur ou la servante qu'on finira par lui envoyer (puisqu'il n'est pas un fils de pauvre), il dort tout habillé, c'est plus facile. « Feignant ! » aurait dit l'Antoine ; mais l'Antoine n'est plus là pour le gronder, alors...

Il regarde le papier peint : des petites fleurs blanches sur fond jaune (un joli jaune, soit dit en passant ; pas celui, sinistre, du bureau de Coru ; tout le contraire : une couleur éclatante, bouton d'or). Sur ce fond si riant, il compte quinze motifs en diagonale. Donc il fait clair. Donc c'est le matin. Mais il n'entend rien ; ni les petits talons d'en haut ni, en bas, le piétinement des bottes et des sabots, toute cette agitation qui, du rez-de-chaussée jusqu'au quatrième, accompagne, en hiver, le lever du soleil : les grilles des poêles qu'on écendre, les bûches qui roulent sur le dallage... Lentement, avec des prudences de grand blessé, il se relève sur un coude pour voir la chambre en entier : une chambre bien trop grande pour lui, avec des loups et des assassins dans tous les coins... Très loin, à l'autre bout, creusée dans la muraille, il y a la fenêtre.

Et derrière cette fenêtre, comme c'est drôle, on a suspendu

un drap blanc ! Car il ne fait pas jour, finalement : c'est ce drap qui filtre la nuit. Il sépare l'ombre de la lumière, retient la noirceur au-dehors pour ne laisser entrer dans la chambre qu'une clarté épurée, si limpide que l'enfant distingue les aiguilles de l'horloge sur la cheminée : existe-t-il des draps magiques ? Des draps de lune, étendus par les fées ? Petit à petit, sans faire de bruit, il se glisse jusqu'à l'extrémité du traversin, et là, parce que la tête du lit a cessé de lui dissimuler le mur de chevet, il s'aperçoit qu'il s'est trompé, que la lumière ne vient pas d'en face, de la fenêtre ; elle vient de plus près, juste derrière lui : l'antichambre. D'ailleurs elle n'est pas blanche, cette lumière, pas vraiment, elle est rosée : hier soir, après avoir, comme chaque soir depuis le départ de Marie-Jeanne, remporté les assiettes sales dans un panier, l'homme aux clés et le garçon de cuisine ont dû oublier d'éteindre l'applique de la première pièce, cette grande lanterne en fer qu'ils appellent « le réverbère » ; la lumière passe par l'ouverture rectangulaire que le maçon a laissée au-dessus du poêle quand il est venu boucher la porte.

Ce maçon, l'enfant le connaissait déjà : quand il était petit et qu'il vivait là avec son père — avant d'aller habiter chez sa mère, juste au-dessus —, il avait vu cet homme maigre et basané travailler dans le couloir voûté, près du palier : on devait recreuser la pierre pour fixer les gonds d'une nouvelle porte, la porte en fer. Quand le maçon, tirant de sa poche son déjeuner, avait posé ses outils dans le passage, l'enfant s'en était emparé pour jouer. Doucement, son père les lui avait ôtés des mains, lui en avait montré l'usage : « Ceci, mon fils, est un maillet ; là, c'est un ciseau », puis, rendant les outils à leur propriétaire, il avait bavardé avec cet homme qui venait du Limousin, à pied : « Giraud François, dit "Francœur". Domicilié rue de la Vieille-Monnaie, avec mon frère et douze de chez nous dans la même chambrée. Au pays, une femme et quatre enfants — cinq bouches à nourrir, et qui mangent guère à leur faim ! Les maîtres maçons s'engraissent de notre substance, voyez-vous, ils prennent toute la farine et nous laissent que le son ! »... L'histoire de « Francœur » semble aujourd'hui au garçon de huit ans une très vieille histoire, d'avant ses vraies dents : il s'est passé tant de choses depuis — graves ou légères, confuses, chaotiques, floues, des larmes, des chansons, des jeux, des cris.

Cependant, c'était ce même Francœur resurgi du passé qui était venu, il y a peu, avec le fumiste pour poser le nouveau poêle ; ils avaient enlevé l'ancien et raccordé ses tuyaux à ceux du poêle neuf, un poêle en faïence, énorme, qu'ils avaient placé dans l'embrasure de la grande porte, à cheval entre la chambre et l'antichambre. Le maçon avait travaillé deux jours : montant autour de ce grand fourneau, contre le chambranle, deux piliers en briques ; puis, après le départ de Marie-Jeanne, revenant murer le haut et y ménager une lucarne. Mais l'enfant n'avait pas eu besoin de le voir deux fois pour le reconnaître. Le premier jour, il jouait aux quilles avec Coco dans l'ancienne chambre du valet (le chien courait derrière la boule et renversait les pièces de bois, « Tu nous casses les oreilles, avec tes quilles ! Arrête-moi ce charivari ! » se plaignait Marie-Jeanne qui tricotait dans la salle à manger), brusquement, il était rentré dans la grande chambre et s'était planté devant l'ouvrier. Fier de faire valoir ce qui lui restait de mémoire, penchant gracieusement sa tête de côté (il aimait séduire ces « gens-là » — c'était le mot de sa tante lorsqu'elle parlait d'eux derrière leur dos : « ces gens-là »), il avait dit : « Toi, je te connais. Avant, tu travaillais pour le père Santot qui te mangeait ta farine. Et tu t'appelles Francœur... »

Gagné ! Le maçon lui avait souri : « Et moi aussi je te connais : t'es le p'tit Colas. — Non, dit l'enfant fâché, je ne suis pas le petit Colas ! — Si, oh si ! fit le maçon qui aimait taquiner les enfants (il en avait quatre là-bas, au village, et aucun n'était aussi joli que celui-là avec sa frange blonde et son tablier bleu), t'es forcément le p'tit Colas puisque t'es le fils au gros Colas... — Non ! », l'enfant tapa du pied (mais c'était pur cabotinage, destiné à prolonger le jeu), « je ne suis pas le fils au gros Colas ! » Arrivé à ce point de la conversation, le maçon avait failli lâcher « Alors comme ça, galapiat, si t'es pas le fils au gros Colas, t'es le fils à qui donc ? », mais il s'arrêta court. Il venait de heurter la barrière sans verrous ni clé qui séparait à jamais cet enfant-là des autres enfants : Francœur-cinq-bouches-à-nourrir avait parlé à un fantôme... Et si maintenant, sans y être invité, le galopin, inconscient du danger, s'entêtait à chercher un nom ? Et s'il en sortait un mauvais, de ceux qu'il ne fallait plus prononcer ?

La femme, sa pelote de laine sous le bras, ne perdait pas une miette de ce qui se disait. Et son mari ? Ce grand diable hirsute, affalé dans un fauteuil broché — le cul dans la pâte ! —, ce propre à rien qui faisait semblant de lire son journal, il guettait ; en catimini il guettait ! À l'affût, le père velu ! Écoutant pour rapporter, dénoncer...

Le maçon avait jeté sa truelle, il s'était précipité sur son équerre, son ciseau, son marteau, et, feignant d'avoir mal pris les mesures de ses piliers, il faisait sauter deux rangs de briques. Pour faire du bruit, le plus de bruit possible, empêcher le petit bougre d'avancer d'un seul pas, d'un seul mot (pourvu qu'il se taise, ce sapajou ! Race infernale ! Fous le camp, vermine !). Et il ajustait si mal ses coups qu'il manquait à chaque instant de s'écraser un doigt : cinq bouches à nourrir, et cette peur... Mais il avait tort d'avoir peur, car l'enfant avait plus peur que lui. Comme François Giraud, dit « Francœur », le petit venait de buter sur le seuil invisible qui bornait ses élans, arrêtait ses pensées : retenu in extremis, il contemplait un puits sans fond. Le maçon craignait la réponse ; l'enfant craignait la question ; un pas de plus, et il tombait dans son propre vide. Rien à quoi se raccrocher. « Ton nom ? » Il n'en avait pas. Pas de nom sûr du moins, et aucun qui pût plaire à tout le monde à la fois.

Des noms pourtant, il n'en manquait pas ! Il lui semblait en avoir trop porté — trois ou quatre selon les époques, les lieux, les personnes qu'il rencontrait... Même les « petits noms » (que, dans sa famille, on appelait des « noms de baptême » ou des « saints patrons »), même ces petits noms, il s'en connaissait au moins cinq : Charles ; Louis ; Normandie ; Chou ; et Aglaé, un nom de fille celui-là ! Une idée de Tourzel, sa gouvernante ! Un soir, alors qu'il dormait tranquille dans sa chambre fraîchement repeinte, au premier étage d'une autre maison, juste au-dessus d'un parterre de tulipes roses, Tourzel l'avait tiré du lit pour lui passer une robe de toile et l'affubler d'un bonnet. Elle lui avait dit : « N'oubliez pas, mon enfant, que vous vous nommez Aglaé. » Sa sœur riait, il voyait bien qu'on se moquait de lui ; mais bêtement, c'est vrai, il avait cru qu'ils allaient jouer la comédie, être applaudis.

Erreur : la robe était un costume de voyage. Curieux costume pour un curieux voyage : ils n'avaient fait qu'aller et revenir. Départ pour Nulle-Part (sa mère ne voulait pas lui révéler leur destination, elle le croyait « indiscret », *« il répète aisément ce qu'il a entendu dire* »). On avait donc roulé pendant une nuit et un jour en direction de Nulle-Part, puis on avait fait demi-tour pour rentrer à la maison. Sans un seul applaudissement ! Au début, c'était normal : on se cachait comme si on se sauvait. Est-ce qu'on se sauvait ? Mais au retour, en plein jour, plein soleil, pas la moindre fanfare non plus, pas un vivat ni un bravo. Au contraire : des crachats, des injures. Partout des bouches, des bouches ouvertes, hurlantes, bouches sans têtes, têtes sans visages... Jusqu'à la fin il avait eu peur, et chaud, trop chaud. Surtout à Châlons (il se souvient du nom), à Châlons on devait être tout près de l'Afrique. Avec ça, au milieu de tant d'ennemis, pas moyen d'arrêter la voiture, même pour faire pipi. À force, il ne pouvait plus se retenir, il pleurnichait (il était si petit !) ; son père, alors, n'avait rien trouvé de mieux à lui proposer qu'une timbale en argent tirée de son nécessaire : debout dans la voiture qui roulait toujours, il avait dû pisser dans cette timbale en retroussant ses jupes ; les deux mains prises, il ne pouvait diriger son jet, et, avant que son père ait eu le temps de l'aider, il avait tout arrosé, même les souliers de sa tante. Mauvais souvenir. Il ne voulait plus qu'on l'appelle Aglaé... Ni autrement. Il ne voulait plus qu'on l'appelle. Ni être appelé. Pas même d'un nom de voyage. Et il avait peur de signer : comment faut-il signer ? De quel nom ? Si on se trompe on meurt, si on se trompe on tue...

En s'acharnant sur ses murets, le maçon s'était trouvé une contenance. L'enfant, arrêté au bord de son passé, restait pétrifié. Silencieux, les yeux baissés. Interdit. Interdit, c'est le mot : Francœur avait eu devant lui un enfant interdit... Tournant enfin les talons, « l'innommable » s'était enfui dans la tourelle aux pigeons. « Laisse la porte ouverte ! » avait hurlé son maître. « Et traîne pas dans ton poulailler, cria à son tour Marie-Jeanne du fond de la salle à manger. Tu mets Toine dans le courant d'air ! »

En hiver il faisait froid dans la volière ; la petite pièce ronde n'était plus chauffée ; il y faisait déjà froid quand, avant d'être abandonnée aux pigeons, elle servait de refuge à son père — de cette époque il ne restait qu'un petit bureau couvert de fientes. Grâce à Marie-Jeanne qui l'obligeait à les nourrir, l'enfant n'avait plus peur des canaris qu'Antoine avait installés dans une cage d'argent, ni des oiseaux de basse-cour, poules naines et tourterelles qui couraient sur le pavé. Accroupi près d'une fenêtre, il saisit par-derrière un pigeon qui picorait, et, le serrant bien fort entre ses doigts écartés pour l'empêcher d'ouvrir les ailes, il commença à le bercer ; il chantonnait « Martin Cocu, Martin Cocu, Martin Cocu ». Accroupi, il berçait l'oiseau et se berçait en même temps ; il se balançait d'avant en arrière tout en fredonnant « Tu t'appelles Colas Foutu, Colas Foutu, Colas Foutu ». Tandis que là-bas, dans l'antichambre, le maçon démolissait, tapait, raclait à tour de bras, lui, dans la tourelle, secouait l'oiseau, se secouait aussi, de plus en plus vite, de plus en plus fort, « Foutu Cocu, Foutu Cocu », et il serrait l'oiseau bleu entre ses mains, entre ses genoux rapprochés, pour l'empêcher de se débattre, de s'échapper.

Soudain, la voix de Marie-Jeanne dans l'appartement : « T'as pas bientôt fini dans ta glacière ? On se gèle les fesses ! Allez, rentre dans la chambre, ou c'est moi qui vas te chercher ! » Aussitôt il s'était relevé, avait lâché le pigeon, mais « Colas Cocu » n'était pas retombé sur ses pattes ; « Colas Cocu » avait chu sur les dalles comme un sac de son mouillé, et il restait couché sur le côté, la tête inclinée vers le jabot, le cou très mou, et les yeux clos. L'enfant avait eu le temps de songer qu'il n'aimait pas les paupières fermées des oiseaux, épaisses, blanchâtres comme des taies. Les yeux ouverts des hommes massacrés, même s'ils sont pleins d'épouvante, ont des profondeurs vertes de sous-bois, des reflets d'étang gelé... Oh, mon Dieu, il faut chasser cette idée-là, vite vite, sinon ils reviennent, tous ces morts, ils s'approchent de lui la nuit, mêlent leur sang à ses pensées, têtes sans visage, yeux sans regard...

« Marie-Jeanne ! » il avait crié, affolé. Et déjà elle accourait, coupait au plus court en bousculant le maçon entre ses deux piliers, et à son tour elle criait : « Qu'est-ce qu'il y a, mon petit ? T'es malade ? Réponds-moi ! Qu'est-ce qu'il y a ? » Elle traversait tout l'appartement, en courant, en soufflant.

Quand on a fait une grosse bêtise — tué, par exemple, un pigeon qu'on berçait —, pas la peine de dire qu'on ne l'a pas fait exprès, « ils » ne le croient jamais, « ils » ne croient que les mensonges. Il avait tué « Colas Cocu » ? Très bien, il mentirait et c'est lui qu'on plaindrait ! Voix geignarde, visage inquiet : « Y a un de mes pigeons qui ne bouge plus... — Oh, tu m'as fait peur ! J'ai cru... P'tit sot ! » Marie-Jeanne avait poussé le cadavre du pied. « Pour aller mal, sûr qu'il va mal, çui-là ! Il jouera plus à "pigeon vole" ! T'as donc pas vu qu'il était mort, grand bêta ?... Mais qu'est-ce que t'as, mon poulet ? Te v'là tout retourné ! T'es triste ? » Il avait hoché la tête d'un air pénétré, comme s'il retenait ses larmes, retenait ses mots. « Tu vas pas pleurer pour un pigeon, voyons ! Surtout que, de toute façon, ils allaient partir avec nous, tes pigeons ! Pleure pas, mon poussin, je vas te faire demander du bonbon à la cuisine... T'en veux, du bonbon ? Ben, réponds ! Ah, c'est que t'es trop sensible, aussi ! Va bien falloir devenir un homme ! » Qu'est-ce qu'elle avait cru, cette idiote ? Qu'il pouvait pleurer, pleurer sérieusement pour un pigeon, lui qui avait vu des gens coupés en morceaux : des soldats blancs, des soldats rouges, la jambe d'un soldat rouge, rien qu'une jambe portée par un géant à cheveux plats, qui riait. Et des morceaux de dames aussi, de vraies dames, amies de Maman.

Au fait, l'avait-il vraiment vue, cette femme massacrée qu'on promenait sous leurs fenêtres ? Ces intestins au bout d'un « taille-cime », ce mannequin éventré, décapité, ces bras ballants, bras ouverts, prêts à se refermer sur un corps de vivant, petit corps d'enfant, et à l'entraîner dans sa danse, danse obscène, de femme nue écartelée, éviscérée, débondée d'en haut, déballée d'en bas, ouverte de partout... Souvent, il la revoyait en rêve : sans tête, sans bouche et sans dents, elle lui dévorait ses nuits, la sorcière ! Il la revoyait... Pour autant, l'avait-il vue ? À Marie-Jeanne, s'il avait pu parler du passé — le vrai passé, celui qu'il faut taire —, il aurait juré que des gens mis en pièces, oh ça, il en avait vu, et depuis qu'il était tout petit ! Mais aujourd'hui qu'il est seul, qu'il ne peut plus mentir à personne, il est moins certain de ses visions. Peut-être s'agit-il de choses anciennes dont on lui a parlé ?

Le sang, d'ordinaire, on le cache aux enfants ; on met la main devant leurs yeux, on tire les rideaux, on ferme les volets. Mais ce sang qu'ils n'ont pas vu, les innocents l'ont respiré : ce qu'ils savent le mieux, c'est ce qu'on leur a caché... Le petit sait d'instinct ce qu'il devrait ignorer.

Cette nuit, heureusement, sa chambre est claire : il ne craint pas de rencontrer un cannibale, de croiser un assassin, de marcher dans une flaque rouge, de patauger dans ce liquide chaud, épais comme du chocolat, collant, poisseux... Allons, il ne faut plus y penser ! Sans bruit, il se laisse glisser à bas du lit ; et, pieds nus sur le dallage, il court, il fuit vers la fenêtre, le grand drap blanc suspendu à la lisière de la nuit. Un faux drap. Car de même que la lumière ne vient pas du dehors, ce drap, il l'a compris, n'est pas un drap de toile : c'est un drap de neige ; de la neige du haut en bas, accumulée contre le panneau incliné qui, au-dehors, masque la fenêtre ; une neige si neuve qu'elle semble acide. Elle a dû tomber hier soir, s'entasser d'abord sur l'appui en pierre, puis s'amonceler entre la vitre et les planches : la hotte, oblique pour laisser pénétrer un peu de clarté par en haut, est fermée sur les côtés ; elle a retenu la neige comme un panier.

Bientôt six semaines que l'enfant n'a plus d'autre vue que ces panneaux de bois mal rabotés qui transforment sa fenêtre en soupirail : cet « abat-jour », le menuisier était venu le remettre en place alors qu'Antoine et Marie-Jeanne habitaient encore l'appartement. L'enfant qui, depuis quelques mois, avait repris plaisir à la vue sur « le jardin » (même si le jardin est triste maintenant qu'on a coupé les marronniers et creusé des fossés), l'enfant qui passait des heures le nez au carreau pour observer les allées et venues dans la cour en bas, les tonneaux qu'on déchargeait, les fagots qu'on empilait, les soldats qu'on exerçait à la manœuvre, l'enfant qui contemplait avec avidité, au-dessus du grand mur, les tuiles de chaque toit, les cheminées de chaque maison, et le chat qui rejoint sa chatière en suivant une gouttière, la pluie qui glisse sur le châssis d'une tabatière, le soleil qui joue sur la vitre d'une mansarde, l'enfant avait protesté. Oh, pas longtemps... Il avait déjà vécu autrefois (des mois ? des années ?) avec ces grands « abat-jour » de bois ; il était habitué à ne rien voir de la vie du dehors, s'était dressé à la deviner — aux bruits qui montaient de la cour, à la lumière, plus ou moins grise, qui tombait par l'ouverture de « l'entonnoir ».

Tôt ou tard d'ailleurs, le bois des planches travaillait, pourrissait par endroits, il finissait par se fendre ou se percer, et de nouveau, par la faille, par le trou, on voyait. On voyait le monde extérieur comme un voleur : par effraction ; on en dérobait une parcelle, un éclat, on découpait la beauté en lanières, on arrachait des lambeaux à la réalité ; rais de couleurs, brisures, zébrures, trésors abstraits, échantillons bigarrés — rien qui pût permettre de comprendre, mais rien non plus qui fît trembler. On voyait le monde en voleur, on voyait le monde en voyeur : sans être vu. Et c'était cela surtout qui comptait pour l'enfant — échapper à la vue des gens, des inconnus mal intentionnés —, son instituteur le lui avait bien expliqué : des brigands pourraient avoir l'idée de s'emparer de lui, profiter d'une nuit pour l'enlever, et qui sait où ils l'emmèneraient ? Derrière son écran de bois et ses barreaux (car à sa fenêtre il y a aussi des barreaux), le petit se sent en sécurité : « l'abat-jour », qui lui cache les autres, le cache aux autres, il est rassuré.

Ce qui ne l'empêche pas, cette nuit, de courir vers la neige, la neige qui, en dissimulant les planches, en bouchant la fenêtre, lui rouvre soudain l'espace : sous ses yeux un paysage d'hiver, une plaine immense, rêvée, dans laquelle personne, jamais, n'a marché. Il y a si longtemps qu'il n'a pas glissé sur la neige, senti un flocon sur ses lèvres. Il attrape une chaise, y grimpe pour atteindre l'espagnolette, entrouvrir le battant...

Facture du 20 janvier, de Durand, le serrurier : *« Fait et fourni une bride avec sujétion pour fermer l'espagnolette de la croisée du petit ; plus fourni un cadenas de sûreté pour ladite. »* Une bride et un cadenas : l'espagnolette est bloquée depuis trois semaines, comment l'enfant a-t-il pu l'oublier ? La fenêtre restera fermée.

Il est redescendu, a appuyé sa joue tiède au carreau glacé. Il ne sentira pas la neige fondre entre ses doigts... Il pose sa main ouverte sur la vitre, l'y laisse jusqu'à ce qu'elle devienne froide ; lorsqu'il la retire, il distingue, imprimée en creux sur la neige, une feuille de platane à cinq doigts. Alors il colle sa bouche au carreau et souffle, souffle en rond, jusqu'à ce que, de l'autre côté, à son tour, la neige forme un o. Elle lui répond ! Il est ravi. Appuyé contre la croisée, il regarde le ciel (en se plaquant contre la fenêtre, on peut en voir un grand morceau), et ce ciel maintenant est limpide, on y voit des étoiles, il ne neigera plus cette nuit, il gèlera, il gèle sûrement déjà. Demain, à travers la vitre, il pourra jouer toute la journée avec la neige gelée.

Lentement, à reculons, à regret, il s'écarte de la fenêtre. Il frissonne. À cette heure-là, dans la niche de briques, le poêle s'est éteint depuis longtemps. Mais l'enfant n'a pas envie de s'éloigner du mur de neige dont il a tiré ce soir, dont il escompte encore demain, des plaisirs si vifs. Il songe aux huttes de glace que construisent, paraît-il, les Lapons, les Esquimaux. Il se souvient même d'un mot lumineux : « boréal », un mot qu'employait son père...

Boréal, Lapons, Arctique, flibuste, complot, conspiration, oppression, et même « im-pres-crip-tibles », « droits imprescriptibles », cet enfant a, pour son âge, un vocabulaire étonnant. Il sait à peine écrire (il ne sait plus écrire), mais il parle comme un livre (il parlait comme un livre). Sans doute parce qu'il n'a vécu qu'avec des adultes. Même « avant ». À part sa sœur (mais elle a sept ans de plus que lui), aucun enfant ne lui tenait compagnie : tous des spectateurs, pas des amis. Ah si, tout de même : il y avait Francine qu'il croisait parfois quand Toine l'emmenait dans la salle de billard, Francine Clouet, la fille de la blanchisseuse, encore plus intimidée que lui... Mais il ne faut plus y penser, plus penser à un seul enfant gentil, ce serait trop triste.

Il va se bâtir, rien que pour lui, une hutte esquimaude au pied d'un mur boréal. Vite, il tire du grand lit traversin, oreillers, édredon, et en silence, avec des gestes bâillonnés, marchant sur la pointe des pieds, il s'installe une couchette sous la fenêtre. Mais une fois étendu, satisfait, l'angoisse le rattrape ; il lui revient en mémoire une histoire que racontait sa sœur lorsqu'ils étaient deux à s'amuser dans la tourelle glacée : les voyageurs qui s'endorment dans la neige par grand froid ne se réveillent jamais... Il se demande si cette histoire est vraie ; il ne se rappelle pas avoir entendu son père mentionner ce danger. Pourtant, son père savait tout des voyages et des voyageurs ; il lui lisait chaque jour des récits de navigateurs. « Mais vous, Papa, avez-vous voyagé ? — Non, mon fils, jamais dans les pays étrangers. » Le père ne connaissait personnellement aucun sauvage — ce que le petit garçon trouvait regrettable — mais il avait tout de même traversé une partie de son propre pays pour aller jusqu'à Cherbourg, où il y a la mer — ce que le petit garçon trouvait exaltant : « Doit-on fuir quand la mer avance ? », « A-t-on peur lorsqu'elle recule ? ».

Par sécurité, car il ne veut pas mourir en dormant, l'enfant se relève, enfile deux vestes l'une sur l'autre, et tire sur ses oreilles son bonnet de nuit en coton blanc. Recouché entre coussins et édredon, sous les étoiles, il voudrait, maintenant qu'il est réchauffé, retrouver le sommeil, oublier ; mais son père, que « boréal », Cherbourg, et les Lapons lui ont ramené, occupe désormais toutes ses pensées ; il n'arrive plus à l'effacer ; un jour, Antoine a dit : « Tu sais ce qu'on y a fait, à ton père, le gros cochon ? On y a taillé des jambons dans le lard ! »

L'enfant essaie de revoir le visage, la forme, l'ombre de son père ; il ne retrouve plus la couleur de ses yeux, mais, pour ce qui est de la silhouette, il lui semble, en effet, qu'il était un peu gros sous sa veste... Il se demande si l'on a très mal quand on vous « taille des jambons dans le lard ». Il se palpe le ventre. Est-ce qu'on meurt tout de suite ? Et qui les mange, ces jambons-là ? Non, pour l'instant ça va, lui n'a pas de graisse, il peut compter ses côtes. À moins que, ce lard à jambons, on ne le découpe dans les cuisses, autour de l'os ? Est-ce que ses cuisses...

Il connaissait un conte dans lequel on expliquait aux enfants que, pour ne pas être mangé, il suffisait de bien choisir son couvre-chef : quand le petit Poucet passe la nuit chez l'Ogre avec ses frères, dans le lit voisin de celui des jeunes ogresses, il profite du sommeil des filles pour intervertir leurs chapeaux avec ceux des garçons ; l'Ogre, cherchant dans l'obscurité quels marmots dévorer, tâte les têtes, se trompe, et coupe avec son grand coutelas le cou de ses sept petites ogresses tandis que Poucet s'enfuit, content de sa plaisanterie... En matière de survie, tout est affaire de chapeau — dans le conte, on parle plutôt de couronnes et de bonnets : pour sauver sa vie il faut les échanger. Mais dans quel sens ? Il ne sait plus. Il a vu son père mettre un bonnet. Un bonnet rouge, trop petit pour lui, ridicule... Et après, on l'a tué. Tué quand même. Que faire pour ne pas mourir ?

Dans sa chambre, chaque fois que la nuit tombe, que la lumière s'en va, il y a un ogre qui vient, il s'installe derrière la porte de la tourelle, affûte son couteau. Des ogres, il y en a aussi plein l'appartement du premier et dans la grande salle du rez-de-chaussée, des ogres qu'on entend parfois monter l'escalier, jouer avec les verrous, se racler la gorge pour cracher. Et dehors, il y en a partout, des ogres, des ogres qui fusillent, poignardent, mettent « dans le sac ». Il a peur. Il ne doit plus faire d'erreur. Personne pour le conseiller, lui redire exactement cette histoire qu'il commence à embrouiller : la couronne, le bonnet, dans quel sens, dans quel ordre ? Le gros Colas, le petit Poucet...

Il a peur, et s'il a peur il aura la courante (ou « la colique » : il parle deux langues, celle de Toine et celle de ses parents). Il a peur, peur de sa peur : les « hommes de la grande salle » ont beau, maintenant que la double porte est murée, lui avoir rendu l'accès au petit passage des cabinets, la nuit il n'ose pas y aller — trop loin, trop noir... Alors, vite, il doit trancher, raisonner, se raisonner, calmer la douleur qui l'empoigne, la nausée qui le plie en deux. Dans le doute, il opte pour un moyen terme : pas de chapeau ; du tout ! Il ne gardera que ses cheveux. Il aime encore mieux mourir gelé qu'égorgé ! Il arrache son bonnet de coton blanc, il le cache sous l'oreiller...

Allongé près de la grande fenêtre, tout contre le mur de neige, il va mourir tête nue sous les étoiles. S'il s'endort maintenant, il va mourir sous les étoiles. Est-ce que son père est au ciel ? « Foutaises ! » disait Antoine. Non, on a dû le suspendre au croc d'un charcutier pour le débiter en quartiers... L'enfant sans bonnet ne veut plus penser au charcutier. Les étoiles, si belles, descendent dans ses yeux, des étoiles épanouies, ouvertes comme des fleurs. Ce soir, le ciel entre les planches a l'air d'une jonchée de corolles, d'un semis de pétales. Il y a si longtemps que le petit n'a pas vu de fleurs des bois et des jardins, si longtemps qu'il n'a plus rien planté, rien cueilli. Même la caisse de géraniums qu'Antoine lui avait donnée l'été dernier, la caisse a été remportée avant les premières gelées ; de toute façon, les géraniums étaient « passés » ; on ne les a pas remplacés ; « y a plus assez de lumière », avait expliqué Marie-Jeanne en montrant, aux fenêtres, les grands abat-jour de bois qu'on venait de remonter.

Les étoiles sont les seules fleurs qui lui restent. Des fleurs coupées. Sans queue ni feuilles. Des têtes de fleurs. On ne peut pas garder des fleurs sans tige : plus d'eau, plus de sève, plus de sang. Des têtes sans tige, on ne peut pas les sauver.

Alors, pour sauver ses dernières fleurs, celles qui brillent là-haut au-dessus de « l'abat-jour » et des barreaux, l'enfant, avant de s'endormir, s'applique à imaginer des herbes folles, des racines grimpantes, à tracer dans l'espace des hampes aériennes, à lancer de longues tiges vers les étoiles pour qu'elles ne meurent jamais...

Pour ne pas mourir, dans un effort désespéré, l'enfant accroche des tiges aux étoiles.

5

Discours : « *C'est sur la physionomie que vous reconnaîtrez les conspirateurs : ces hommes ont l'œil hagard, l'air consterné, des mines basses et patibulaires — saisissez ces traîtres et arrêtez-les !* »
Procès-verbal : « *Un membre du Conseil fait des inculpations très graves contre Crescend, proposé pour aller en service à la Grande Tour : il dit que Crescend s'est permis de plaindre le sort du petit. Après discussion, le Conseil général arrête que Crescend est exclu de son sein et qu'il sera envoyé à la police sur-le-champ.* »
Lettre aux administrateurs : « *Après les exécutions publiques, le sang des suppliciés demeure sur la place où il a été versé. Des chiens viennent s'en abreuver ; une foule d'hommes repaissent leurs regards de ce spectacle. Des hommes d'un naturel plus doux, mais dont la vue est faible, se plaignent d'être exposés à marcher, sans le vouloir, dans le sang humain. Je vous prie de faire en sorte qu'après l'exécution il ne reste aucune trace du sang qui aura été versé.* »

La bêtise, « au commencement », la paresse, la négligence ? Le jaune, le beige, le fadasse ? Allons donc ! Le rouge, oui. Le sang. Au commencement était le sang. La haine. La violence, la guerre, le crime ; puis la revanche de la défaite, le châtiment de l'assassinat ; et la revanche de la revanche, le châtiment du châtiment...

Tuer était bon, les hommes s'aperçurent que c'était bon — agréable, facile : il n'y fallait que du sentiment... Tous les lieux, tous les outils faisaient l'affaire ; quant aux prétextes, on n'en manquait jamais : race, religion, parti, nation, pour être « l'ennemi » il suffisait que l'autre fût autre. Les hommes savaient pourquoi ils tuaient ; ils comprenaient aussi, même quand ils le regrettaient, pourquoi ils mouraient : chacun était l'autre d'un autre.

Mais leurs enfants, qu'est-ce qu'ils comprenaient, les enfants ? Des enfants qui ignoraient jusqu'à leur nom, et ne distinguaient pas leur corps du corps qui les avait portés, et ne séparaient pas encore le dedans du dehors, et ne démêlaient pas l'amour de soi de l'amour du prochain, et se fondaient dans l'univers comme un sucre fond dans l'eau, les enfants ne comprenaient rien. Ils ouvraient des yeux étonnés. De grands yeux d'ombre. Fixaient le ciel, ou les murs. Fuyaient dans le ciel, rentraient dans le mur. Et c'était le ciel qu'on fusillait, le mur qu'on étranglait.

Ainsi périrait un jour la chambre fermée. Lentement, très lentement, elle disparaîtrait au fond des yeux d'un enfant. Lentement, avec l'enfant étouffé, la chambre asphyxiée.

6

De cette chambre condamnée, aujourd'hui nous savons tout. Plans, factures, inventaires. J'ai tout lu. Tout vu : la fenêtre close, le papier à fleurs, le grand lit vert. Dans la chambre « où l'on n'entrait jamais », je suis entrée.

Je peux vous la faire visiter. À condition qu'au début vous gardiez les yeux bandés : il n'est pas temps encore de vous montrer le pays, la ville, la rue, le jardin, le bâtiment. Pourquoi d'ailleurs vous les montrer puisque l'enfant ne les verra plus ? La chambre, rien que la chambre. Sa chambre.

Prenez ma main. Sentez-vous sous vos pieds la pierre inégale du vieil escalier ? On perçoit mieux ces détails-là les yeux fermés... Essoufflé ? Déjà ? Ne me dites pas que vous vous attendiez à l'une de ces cités radieuses où les « niveaux habitables », identiquement arrêtés à deux mètres cinquante, sont partout desservis par le même escalier — seize marches, pas une de plus ? Pour me suivre au pays où je vais, il faut rapprendre à respirer, oublier un monde où les lois de l'architecture ont épousé celles du marché. À lui seul, le bâtiment dans lequel vous venez d'entrer est un défi aux règles et aux moyennes, un monument de subversion : cinquante mètres de haut, dix mètres sous plafond ! Voilà pourquoi il vous semble dur à gravir, cet escalier, pourquoi il reste difficile à chauffer, le quatre-pièces de Marie-Jeanne. La vérité est que jamais ce piton n'avait été destiné à l'habitation. C'était d'abord un mirador. Puis un coffre-fort. On y entassait des lingots, des archives... Mais, à l'époque où l'enfant est né, ce n'était déjà plus qu'un phare sans fanal, une falaise rongée par les siècles.

Tout à l'heure, dans la chambre, vous verrez comment Santot, l'entrepreneur auquel on a passé commande des logements, a tenté de s'en tirer. En attendant, ne lâchez pas ma main : l'escalier à vis n'était pas bien large, la porte en bois est étroite ; et le corridor taillé dans l'épaisseur du mur, exigu et voûté. Courbez la tête, la porte en fer est très basse. Courage, nous y sommes presque : entendez-vous résonner le bruit de vos pas, le son de nos voix ? C'est l'antichambre, et elle est vide — à l'exception du poêle, encastré dans le fond, et d'une affiche pendue au mur. Mais autrefois elle a été meublée : bureau, trictrac en noyer, chaises de velours, et peut-être une imprimerie d'enfant, un jouet de riche. Peu importe : pour l'enfant, l'imprimerie comme l'antichambre appartiennent maintenant au passé — un pays étranger... Son présent, son avenir, c'est la chambre.

Pour y accéder, depuis que la grande porte est supprimée, il faut se dérouter, prendre la porte à gauche (serrure, loquet) et traverser en diagonale l'ancienne chambre du valet, un réduit sans cheminée. Presque vide lui aussi — à part un lit à piliers et une baignoire sur roulettes. Au fond, encore une porte (targette, serrure) et c'est le couloir des « commodités » : un boyau de six mètres de long ; dalles glissantes, humidité. Une dernière porte (« trois portes en plus », a dit Coru, le compte y est) : nous voici parvenus au seuil du royaume, je pousse le battant, dénoue votre bandeau...

Ah, vous aviez craint d'être aveuglé ? J'aurais pu vous rassurer : même en plein jour, cette pièce-là n'est pas inondée de clarté ! D'abord elle regarde vers l'ouest : soleil de fin d'après-midi. Et, avec tout ce qu'on a placé devant la fenêtre (barreaux, grillage et planches), le soleil, même mourant, aurait du mal à s'y coucher ! Jamais un rayon, un vrai rayon. Néanmoins, dans la journée, on voit. On ne peut pas dire qu'on voit « clair », mais on voit. Une lumière pauvre, égale, tranquille : aube de janvier à longueur d'année...

En tout cas, il ne s'agit pas d'un cachot, mais d'une chambre — une chambre qu'on a eu le souci d'égayer en la tendant de jaune vif. Papier joyeux (des petites fleurs), meubles nombreux, et dimensions généreuses : presque un studio, cinq mètres de côté ; et je vous fais grâce des annexes ; nous y viendrons plus tard, en faisant le tour du propriétaire. Car de tout cela, n'est-ce pas, nous sommes propriétaires, vous et moi : c'est notre Histoire. La petite Histoire ? Peut-être. Très petite Histoire ? Sans doute. Mais elle est à la taille de l'enfant. Et la taille d'un enfant, c'est la juste mesure de la « taille humaine ».

Nous commencerons donc par le poêle. Il est au cœur du sujet : si l'instituteur et sa femme étaient partis en été, on aurait eu le temps de se retourner ; pas besoin de chauffer ; inutile de murer la chambre, d'enfermer l'enfant ; malgré la haine, le sang, la peur, il serait resté « en contact », avec les uns, avec les autres ; tandis que maintenant... Au milieu du mur continu qui sépare la chambre de l'antichambre, dans l'ancien renfoncement de la porte à deux battants, l'arme du crime : le poêle et son alcôve de brique. De la brique partout, au fond, au-dessus, autour : Firino a bien fait les choses, pour éviter les risques d'incendie il a monté des jambages dans l'épaisseur de la double cloison. D'où, depuis la chambre, cet effet de niche qu'on n'a pas de l'antichambre, une niche rose avec lucarne incorporée. Au centre de cette alcôve, si vivant qu'on croirait qu'il va ronfler, le gros poêle blanc et vert « à carreaux mosaïques » engagé dans la cloison : de ce fourneau « à l'allemande », on ne voit que l'arrière puisque tuyaux, grille et cendrier sont restés de l'autre côté. Quant à savoir si ce demi-poêle, enfoncé dans une cavité, suffit à chauffer une chambre de vingt-cinq mètres carrés et dix mètres sous plafond, c'est une autre affaire...

« Mais il n'y a pas dix mètres sous plafond ! Quatre au plus ! » Vous vous trompez : le plafond blanc que vous voyez est un faux plafond, très faux même — une simple toile, tendue par l'entrepreneur pour donner, à peu de frais, l'illusion du bien-être. Une tente, hâtivement dressée à l'intérieur d'un espace plus vaste... Oui, moi aussi, chaque fois que je lève les yeux, j'ai envie d'en avoir le cœur net, de monter sur un escabeau : tendre le bras, tâter. Mais l'Histoire est un monde virtuel. On peut voir, parfois. Toucher, jamais.

Même chose pour les cloisons. Ce grand logement dont l'enfant n'occupe plus qu'une chambre est, en réalité, une seule et même pièce, immense, dont les voûtes reposent sur un unique pilier. Entre la chambre et l'antichambre ce pilier a été coffré : deux parois de planches sur lesquelles on a étendu une couche de plâtre ; un camouflage, là encore. Vite fait, mal fait : tout ici est bricolé. Le papier peint qui revêt ces minces cloisons de bois comme les deux autres murs (des murailles plutôt, quatre mètres d'épaisseur), ce papier jaune (« clair et printanier, choisi en respectant un budget serré », etc.), ce papier à fleurs n'est qu'un cache-misère.

Sur ce fond uniformément gai, remarquez, à l'opposé de la fenêtre, le « lit matrimonial » — un de ces lits anciens à colonnes qui, une fois les rideaux clos, forment une petite chambre tiède à l'intérieur de la grande. Mais l'enfant n'a pas la force de tirer les courtines de satin vert, lourdes à manier : lorsqu'il dort là, il doit laisser les rideaux ouverts des deux côtés les plus exposés, ceux qui donnent sur le froid sitôt que le poêle s'éteint, et sur les serpents qu'il voit, quand la nuit vient, ramper vers lui du fond des eaux... Car, la nuit, ce grand lit est un vaisseau. De haut bord. Sommier suspendu à près d'un mètre au-dessus des monstres marins ; trois matelas empilés sur ce sommier ; et pêle-mêle le traversin, les oreillers et la courtepointe entassés pour monter encore plus haut et dormir dans les huniers, hors de portée...

Comme vous pouvez le constater, ce lit « amiral » est séparé par un paravent du second lit, celui que le petit devrait occuper : une couchette pliante à peine plus longue qu'un berceau — sommier de sangles, housse de taffetas blanc. Ce lit de camp que l'enfant trouve trop bas, trop proche du sol et des serpents, ce lit va beaucoup voyager ; sans jamais quitter la chambre évidemment : il ira du paravent jusqu'à la cheminée, et occupera un temps le milieu de la pièce, face au regard à barreaux — une précaution...

Poursuivons l'examen du mobilier. Un secrétaire en bois de rose dont l'abattant ne se relève plus. Une grande bergère de damas vert et deux fauteuils assortis. Quatre chaises rouges. Une commode en acajou qui contient le linge de l'enfant. Deux tabourets de paille. Une table un peu bancale, couverte d'un vieux maroquin vert, genre bureau ministre, avec plusieurs tiroirs. Mais dans ces tiroirs, ni plume ni papier ; et sur le maroquin, notez-le, pas un dossier, pas un livre. À dire vrai, dans toute la pièce, il n'y a pas un seul volume. Pas même un missel ou un livre d'images...

En revanche, on y trouve des baromètres — comme s'il importait à l'occupant des lieux de connaître le temps qu'il fait dehors ! —, deux baromètres, ronds, dorés, strictement semblables (ils ont dû être achetés en gros, il paraît qu'on en vend chez les merciers).

Au fond, contre la muraille, face au poêle neuf dans sa niche de briques roses, admirez la grande cheminée de marbre blanc, surmontée de sa glace à trumeau et d'une pendule en bronze doré ; de part et d'autre, deux chandeliers d'argent. Bien sûr, cette cheminée n'accueillera plus aucune flambée, la pendule ne sera pas remontée, les chandeliers ne seront plus allumés... Bien sûr.

Un regard, s'il vous plaît, sur les deux portes, percées l'une dans la cloison de bois, l'autre dans le « rempart » : la première est celle par laquelle nous sommes entrés, elle dessert aussi la « garde-robe à l'anglaise », autrement dit les cabinets, appendice de la chambre jaune, extension du « royaume », sa colonie la plus lointaine ; l'autre porte, dans la muraille, une porte sans serrure ni poignée, donne accès au second fleuron de l'empire, la tourelle aux pigeons — vide désormais, à l'exception d'un placard où sont pendus une robe de chambre en piqué blanc et trois costumes noirs : habits de deuil en taille « six ans ».

Pour l'instant, la chambre et ses deux « annexes » sont propres ; certes, les lits sont défaits, et le vase de nuit, au pied du paravent, menace de déborder. Mais, au matin de la chute de neige, il n'y a de fouillis nulle part : pas de jetons de loto éparpillés, de soldats de plomb cachés sous les couvertures, de quilles renversées sur le dallage, de ballon à ramasser, de poupée à rhabiller, d'osselets à ranger... Pour une raison simple : le petit n'a plus de jouets.

Ah, j'attire encore votre attention sur l'étagère en fer fixée par des vis neuves à droite de la porte d'entrée. Une étagère « ininflammable », placée à un mètre soixante du sol. Dans leur sagesse les tuteurs de l'enfant ont pensé à tout : lorsqu'on lui apporte son repas du soir, on est obligé de l'éclairer ; la chandelle qu'on lui allume reste posée sur cette console ; impossible qu'il s'en empare ; et si par accident le bougeoir se renversait, rien ne brûlerait.

Issues cadenassées, poêle inaccessible, étagère incombustible : a-t-on jamais vu pareil souci de la sécurité d'un petit garçon ? On sent que, si on l'avait pu, on l'aurait mis nu comme un ver dans une cellule capitonnée, sans fenêtre et sans objets.

Protégé par des gardiens vigilants qu'anime une sollicitude vétilleuse, l'enfant caché ne risque rien. Que la folie.

Bon, sans préjuger du sort de son occupant, que pensez-vous de la chambre ? Qui a bien pu, à votre avis, rassembler dans la même pièce un secrétaire en bois de rose et des tabourets de paille, la bergère confortable d'un notaire aisé et une table bancroche ramassée à la brocante ? Qui a choisi pour ces murs jaunes des chaises cramoisies et des rideaux vert cru ? Personne, sans doute. Les tuteurs, quels qu'ils soient, ont dû déléguer la tâche à une administration ; nombreuse et changeante : l'un décide des cloisons, un deuxième des peintures, un troisième des sécurités, un quatrième des meubles, prélevés ici ou là, au hasard, sans qu'on cherche à les accorder. Je soupçonne même la plupart de ces « administrateurs » de n'avoir vu la chambre que comme je la vois : sur le papier...

De la chambre, son étrangeté, ses élégances et son dénuement, je sais tout, tout et rien, je ne sais rien. Rien, ou presque, de ceux qui l'ont conçue, et, tour à tour, modifiée, cadenassée, abandonnée. Rien non plus de l'état réel des lieux : la fumée a-t-elle déjà sali le plafond blanc ? L'humidité qui suinte a-t-elle taché le papier jaune ? De la chambre, j'ignore ce qu'elle sent : le salpêtre ou la suie, le moisi ou le linge frais ; et j'ignore ce qu'on y sent. J'y voyage sans mon corps : un spectacle derrière une vitre.

N'est-ce pas ainsi d'ailleurs que la plupart des « étrangers » qui visiteront l'enfant la verront désormais ? À travers un carreau : le morceau de verre de soixante sur trente posé le 16 février par Destrumel, le vitrier, pour assurer l'étanchéité du « regard » pratiqué, trois semaines plus tôt, par Firino. On surveille le petit, sans toutefois respirer le même air que lui — comme un contagieux dont on ne peut partager la vie. On le cache, mais nombreux sont ceux qui viendront l'observer. On ne l'a pas mis au secret, pas au cabinet noir. Au contraire : il habite un vaste aquarium (mal éclairé), une cage de zoo (bien fermée), on le « visite ». Et moi, de l'aquarium, de la vie du poisson dans l'aquarium, de celle du lionceau dans sa cage, je ne sais rien.

Prenez les murs, ils sont jaune vif, mais à part les baromètres qu'y a-t-il dessus ? Qu'y a-t-il que l'enfant (le poisson, le lionceau) puisse regarder ? Dans un appartement qu'occupait auparavant la famille de ce garçon, le père avait fait ôter, par décence, toutes les gravures galantes. C'était un homme à principes. Pas sot d'ailleurs, et cultivé ; mais rigide. Rigide et indécis : une conjonction rare. Incapable de s'adapter. Suicidaire, à sa manière. Dépressif, décalé. Trop de sang allemand, polonais. Un étranger...

Sur les murs de cette chambre qui fut la sienne autrefois, qu'avait-il bien pu accepter ? Que pourrions-nous lui offrir ? Des estampes édifiantes ? *La fête de la Grand-Maman « dédié aux Mères de famille »* ou *La matinée du jour de l'an « dédié aux Pères de famille »* ? Des petites gravures bon marché, monochromes, rien que du bleu. L'enfant, privé d'images et privé de parents, prendrait beaucoup de plaisir à les regarder. Figures bleu vif sur fond bleu passé — pas vraiment en harmonie, il est vrai, avec les sièges rouges et le damas vert... Tant pis ! Au point où nous en sommes ! J'opte pour ce camaïeu de bleus : deux estampes à trois sous qu'on accrochera de part et d'autre de la cheminée. Ne pourrait-on aussi enlever un des baromètres de série pour lui substituer un petit tableau — des fleurs, des animaux ? Ce serait plus gai. Mais les administrateurs ne se soucient guère d'agrémenter les lieux, et moi, « l'historienne », je dois me brider. Car, de détails en ornements et de retouches en compléments — pour mieux sentir la chambre, la peindre avec clarté malgré la fumée qui obscurcit peu à peu le « regard » vitré —, je finirais par l'inventer...

7

« Le bon emploi du temps est une des choses qui contribuent le plus au bonheur de la vie » : cette phrase qui lui servait de modèle d'écriture à cinq ans, le petit l'a recopiée si souvent qu'il s'en est imprégné. Ce matin, comme la neige le met de bonne humeur, il se décide à suivre la recommandation du vieil abbé qui fut son premier maître : en attendant « l'homme sûr » — celui qu'on va placer près de lui et qui apportera, c'est juré, un chat blanc et un damier — il va se donner un emploi du temps.

Pour ça, mieux vaudrait avoir l'heure, c'est un fait. D'autant qu'il se croit capable de remonter la pendule sur la cheminée ; cent fois, il l'a vu faire par son père, puis par Toine Simon. Malheureusement, on ne lui a pas laissé la clé du remontoir ; d'ailleurs, il ne lit pas les chiffres romains... Pour commencer l'emploi du temps, il va changer de linge. Hier ou avant-hier quelqu'un l'a grondé parce que la blanchisseuse était passée et que le « deuxième étage » n'avait pas fourni son paquet de linge sale habituel : « Ah, petit cochon, t'es bien le fils au gros Cochon ! Quand c'est que tu changes de chemise, mon goret ? » Il va leur faire une surprise. Pas seulement changer de chemise. Changer de tout : bas, pantalon, mouchoir, gilet ; il mettra même un tablier — pour jouer sans se tacher, comme Marie-Jeanne le lui a bien expliqué (mais jouer à quoi, mon bonhomme ? Te tacher où ?). N'importe : des tiroirs de la commode il sort un tablier bleu.

Enfiler les manches d'une chemise (un exercice difficile quand on a passé le bras dans l'encolure), attacher les boutons d'un gilet (on a toujours des boutons en trop, et il faut recommencer), l'enfant sent, et il en est ravi, que ces affaires-là vont l'occuper très longtemps. Car, de même qu'il n'a jamais dormi sans compagnie, jamais encore, à huit ans, il ne s'est habillé seul. À l'époque de sa splendeur, des domestiques se chargeaient de l'ouvrage ; puis ce fut sa mère, heureuse de lui faire sa toilette, de se distraire en pouponnant ce garçon déjà grand ; enfin Marie-Jeanne, qui était payée, bien payée, pour le laver et attacher ses boutons. Jusqu'au départ du vieux couple il s'est laissé vêtir et dévêtir comme une poupée. Il aime jouer les bébés. On le lui a rarement reproché : personne n'avait intérêt à ce qu'il grandisse. Ni ses valets ni ses ennemis. Même pas ses parents. Encore moins ses oncles — pour cause de succession...

Personne n'avait intérêt à ce qu'il grandisse, personne n'a plus intérêt à ce qu'il vive... Pour autant, on ne va pas le tuer ! Ni le laisser mourir de faim : au petit déjeuner, un grand bol de lait avec des croissants ou une demi-flûte ; à deux heures, un poisson en sauce ou une viande rôtie, un légume sec, un légume frais, un fruit ; le soir, une soupe, du bouilli, une demi-bouteille de vin et, selon la saison, une assiette de compote, une gelée d'amandes, un fromage à la crème ou des châtaignes. Il se peut que l'enfant se souvienne d'avoir connu des mets plus raffinés : même au deuxième étage il fut un temps — celui de ses parents, puis de l'instituteur — où on lui servait des dindons au beurre d'écrevisse, des perdrix farcies, des terrines de lièvre, des cailles en crépine, et des gâteaux, des gâteaux : tourte au chocolat, flan à l'anis, beignets de pistache, choux à la confiture, tartelettes aux fraises... Depuis quelques jours (ou quelques semaines, il ne sait plus), les volailles, le gibier et les pâtisseries, trop coûteux, ont été rayés de son ordinaire — qui n'en reste pas moins généreux. Fait-il honneur à ces repas copieux ? Difficile à savoir : il n'y a pas un être sur terre qui se soucie de son appétit. Il n'est nourri que par habitude, en application du règlement, n'a plus d'existence que comptable, il survit « administrativement » : on le gère, on le conserve, on le vérifie. Les assiettes, apportées à heures fixes dans de grands paniers, sont remportées, vides ou pleines, par des « muets » qui ne communiquent jamais avec le donneur d'ordres et rarement avec le cuisinier. La machine fonctionne — comme une machine : sans s'inquiéter de ce qu'elle produit.

Cet enfant qui fut au centre d'un monde, et s'est cru le centre du monde, cet enfant qu'on a tant aimé et tant haï, a cessé d'intéresser. Il n'est même plus un pion sur l'échiquier ; la partie qui se poursuit se jouera sans lui. Si on le garde encore, c'est comme on garde les vieux clous et les ficelles usées : par esprit d'économie ; « on ne sait jamais »... Sur la route de l'enfant gâté, l'Histoire est passée ; ils n'allaient pas dans le même sens, ils se sont croisés ; la grande Histoire est passée, le petit garçon est resté. Débris, déchet... Débris qui se prend pour un trésor parce qu'on l'a mis sous clé, qui se croit précieux parce qu'il est caché, et qui espère qu'on va lui donner un « instituteur » auquel — enfin — il saura plaire.

Depuis des mois l'enfant tente de se faire aimer par ses bourreaux, d'être admis dans la société de ses ennemis. Ils ont voulu qu'il oublie ce qu'il était, change de nom (c'est une manie), renie son père et sa mère, s'attache à de nouveaux parents ? Il a renié, il s'est attaché. Qu'il apprenne à blasphémer, chanter des chansons gaillardes, dire des gros mots ? Il jure comme un charretier. Qu'il livre ceux qui l'avaient protégé, rapporte tout ce qu'il a vu et entendu depuis qu'il est né ? Il a rapporté, mouchardé, donné — une flopée de noms, des détails à tire-larigot, des conspirations en veux-tu en voilà ! A dénoncé ceux qui tentaient d'aider sa famille, Lepitre, Bruniau, Vincent, Beugnot. Et Toulan qui soudoyait un crieur de journaux pour leur faire parvenir des nouvelles. Et Jobert qui passait à sa mère des messages secrets. Il a raconté les manèges des femmes pour communiquer avec l'extérieur, au moyen *« d'un morceau de bois garni d'une épingle crochue et d'un long ruban »* ; expliqué comment elles écartaient les enfants lorsqu'elles voulaient conspirer. A accusé de trahison sa mère et sa tante, mais sa tante plus que sa mère car il ne veut pas déplaire à Maman ; et puis sa tante, cette putain (un mot de Toine qui veut dire « méchante »), cette putain l'a traité de « monstre » un jour, et souvent elle disait « ces gens-là » pour parler des braves nationaux du premier : *« avant de signer, le petit a dit que sa mère craignait sa tante, et que sa tante était celle qui exécutait le mieux les complots »*. Voilà. Il a déballé tout ce qu'il pouvait. Ce qu'il savait et ce qu'il ne savait pas, ce qui lui nuisait ou lui profitait, ce qu'il croyait et ce qu'on lui suggérait, espérant toujours séduire le parti d'en face, entrer, coûte que coûte, dans la communauté de ceux qui le haïssent. Péchés perdus ! Comment être accepté d'un groupe qui n'existe qu'autant qu'il vous refuse ? C'est l'exclusion qui fait le lien, le rejet qui fonde l'adhésion... Et lui, l'imbécile, qui s'entête à croire que, pour être aimé, il suffit d'obéir, d'imiter, de persévérer, en dénonçant encore, en signant mieux ! La prochaine fois, il le jure, il s'appliquera ; pas comme le mois passé, quand, devant des hommes importants, il a sauté une lettre du petit nom qu'ils lui ont donné, une autre encore dans son grand nom, et qu'il a dû les rajouter en écrabouillant sa plume sur le papier, et Toine disait « Voilà bien le foutu pâté d'un foutu cochon ! Bougre d'animal ! ».

Il ne sera plus un bougre d'animal, une foutue bête, gros cochon comme son père, chienne chaude comme sa mère (pourquoi « chaude », au fait ?), petit poisson, requin, sapajou, crapaud, marcassin, louveteau. Il sera un vrai petit garçon, très mignon, qui s'habille seul avec du linge propre. « L'homme sûr » le complimentera, et comme il se montrera encore plus causant qu'avant, et très soigneux, on n'osera plus jamais, jamais le quitter...

Ce matin, dès qu'il a entendu le claquement du premier verrou dans la tour du Nord, celle de l'escalier, au lieu de se cacher sous les draps il a sauté sur ses pieds : derrière la fenêtre, une muraille de neige l'attendait — un rêve d'Esquimau... Il a couru remettre sur le grand lit l'édredon de sa hutte boréale (personne, heureusement, n'avait regardé par la petite lucarne !), et sur-le-champ a entrepris de s'habiller. Si le père Monier, qui promène les clés, voit combien il est sage depuis le départ de Marie-Jeanne, s'il comprend qu'il s'est donné un « bon emploi du temps », il va le dire à ses chefs qui se dépêcheront d'envoyer un instituteur. Il est fier de son idée : « Toi, mon gars filou, tu sauras y faire ! » lui avait dit Marie-Jeanne un jour qu'à la saison des feuilles mortes il avait enjôlé par ses sourires et ses manières un commissaire que Toine détestait. Ce commissaire, là-haut, sur la plate-forme du bâtiment, cette terrasse fermée de planches d'où l'on ne voit rien, ce commissaire ému, embarrassé, le prenant dans ses bras, avait fini par murmurer : « Ah, mon pauvre petit, j'aimerais bien pouvoir vous faire sortir d'ici. Dans ma poche, tiens ! Vous descendre jusqu'au jardin... » Alors lui, le « galapiat » haut comme trois pommes, osant prendre le ton de la remontrance : « Tu n'es donc plus au pas, l'ami, que tu me vouvoies ? » Après quoi, montrant qu'il savait y faire, il avait dénoncé ce commissaire « indulgent » à un autre commissaire (pas indulgent pour deux sous), et Toine, ravi, lui avait permis de trinquer avec le concierge, Mathey, et avec Jérôme, l'homme aux clés, le confrère à Monier. Jérôme aimait lever le coude. Cette fois-là, en causant avec eux, il s'était oublié, ce pochard, et il avait donné du « Monsieur » (Monsieur !) à l'enfant. Le petit l'avait repris sur le ton de la plaisanterie : « Gros père, si tu m'appelles encore une fois Monsieur, tu seras puni ! Pour ta peine, nom d'un foutre, je te ferai boire un grand verre d'eau ! » Et Toine de rire, et le concierge d'applaudir ! Avec ces « bougres à poil » il sait s'y prendre : se faire aimer, voilà le secret. Nationalement aimer...

Encore l'influence d'un de ses modèles d'écriture : autrefois il a rempli des pages entières de « nationalement aimé » avec des pleins et des déliés ; on ne lui donnait à copier que des mots compliqués — par exemple « zélateur patriotique », qu'il écrivait « zéélateur ppatriotique » —, et s'il ne prête pas beaucoup plus de sens à « nationalement » qu'à « patriotique », il se doute que « nationalement » voit grand. Nationalement aimé : aimé de toute la maisonnée, des voisins, et même des étrangers. Aimé de tous ceux qui ne s'aiment pas entre eux. Il va y arriver, il le sent : c'est Marie-Jeanne et Maman qui seront contentes de leur enfant !

En somme, il ne s'agit que d'avoir de la « complaisance » (un mot de Maman, complaisance), toujours plus de complaisance, et dans cette intention de commencer par revêtir du linge propre et nouer le sale en paquet : un jeu d'enfant ! Seulement, apprendre un jeu d'enfant quand on n'a personne pour vous le montrer, ça prend du temps. La preuve : on a déjà rallumé son poêle dans l'antichambre, et apporté dans la chambre son bol de lait, qu'il n'a pas encore réussi à venir à bout du pantalon et du gilet !... Oh, tant qu'il s'agit de se déshabiller, le moins dégourdi peut y arriver ! Il suffit de tirer par-ci, de déchirer par-là, on finit toujours par déboucher. Mais enfiler des vêtements propres, c'est une autre affaire ! Pour la chemise, il est satisfait : il a découvert les trois passages plus facilement qu'il n'espérait... À dire vrai, cette chemise, il l'a mise devant derrière, mais c'est sans importance : la veste la cachera. La veste en nankin jaune que Marie-Jeanne lui a fait tailler : elle n'aimait pas les habits noirs que sa maman lui faisait porter ; lui non plus ne les aimait pas : des habits de larmes.

Pour passer son pantalon (une grande entrée et deux sorties, on ne peut pas se tromper), il s'est assis par terre, les jambes allongées, et, machinalement, fait jouer ses orteils : tonnerre de Dieu, il a oublié ses bas ! D'ordinaire, on les met avant le pantalon, bougre de sot ! Vite, il déplie la paire... Un bruit de sabots au loin, dans l'escalier ; verrous, serrures, porte en bois, porte en fer ; loquet, targette, antichambre, chambre du valet, couloir des cabinets : avant qu'il ait eu le temps de se chausser, Monier est devant lui, accompagné d'un inconnu qui grommelle dans sa moustache « T'as de la visite, animal ! » — « animal » encore ? alors qu'il ne lui restait qu'une paire de bas à enfiler !

La visite, c'est Durand, le serrurier.

Il connaît déjà l'enfant, ne lui prête plus attention, enfin plus tellement. C'est qu'il a ses petites entrées dans la maison, Durand, et qu'il tient à les garder. Une bonne maison, où l'ouvrage ne manque jamais : ici ou là, dans les étages, il a changé des crémones, des clés, réparé des gâches, posé des barreaux, des grillages, des châssis. Bien sûr, il ne détesterait pas y travailler davantage, avoir, dans sa partie, le monopole des chantiers, comme Santot et Palloy pour la maçonnerie ou Firino côté poêlerie. Mais arroser les uns, graisser la patte aux autres (et dans une organisation comme celle-ci, mieux vaut ne pas se tromper de patte !), lui n'est pas assez instruit pour s'y risquer. Il préfère partager le gâteau et travailler sans souci, en gagne-petit... Gagne-pas-trop-petit quand même : l'an dernier, pour ce qui est des fournitures de bâtiment, du « total à régler », il s'est trouvé au deuxième rang derrière Santot, le maître maçon, qui emploie vingt compagnons. Alors que lui, Durand, ne travaille qu'avec deux apprentis. Et pourquoi choisit-on si souvent ce modeste artisan ? Parce qu'il fait son ouvrage d'une traite ? Sans doute, mais d'abord parce qu'il est discret. Il ne voit rien, n'entend rien, ne se mêle pas des affaires des autres. Pensez-vous par exemple qu'il ne le sait pas que ce petit bâtard ferait mieux de mettre ses bas au lieu de s'asseoir dans la bergère et de rester immobile, nu-pieds, à le regarder travailler sur la porte de la tourelle ? En veste d'été par-dessus le marché ! Du nankin, je vous jure ! Oui, croyez-vous que si ce marmot était à lui, Durand ne l'enverrait pas se chausser et se rhabiller ? Il passe un vent de cimetière par cette porte !... Seulement, Durand n'est pas nourrice, il est serrurier. Et serrurier prudent. Ce n'est pas lui qui dirait un mot à l'enfant, même pour répondre à ses questions ! Et pourtant, des questions, il en tombe, avec ce ouistiti !

La dernière fois, quand après avoir condamné la fenêtre il a fallu fixer — à la place du dernier carreau, tout en haut — un vasistas doublé de treillage, l'avorton (*« fœtus maudit »*, comme on dit dans les journaux) n'a pas arrêté de le harceler : « Ce que tu cloues, ça sert à quoi ? » À quoi ça sert, un vasistas, quand la fenêtre est bloquée par un cadenas, hein, je te le demande, couillon ? À donner de l'air, pardi ! Te donner de l'air, oui, à toi, couillon, si tu viens à en manquer... Mais on n'a pas le droit de lui parler, à l'asticot, de lui mettre les points sur les i ! Au dixième « c'est pour quoi faire ? » Durand avait quand même osé lâcher, excédé : « C'est pour faire causer les bavards ! » Attrape qui peut ! En tout cas, le galopin se l'est tenu pour dit : aujourd'hui il ne demande rien... Mais il regarde encore. Durand sent ses yeux fixés sur son dos pendant qu'il entaille le chambranle de la tourelle pour poser sa gâche.

« Une serrure d'un tour et demi, garnie de gâche, vis et entrée » : une heure de travail — il ne s'agit que de remplacer le petit crochet (intérieur) par une vraie serrure (extérieure). « Pour quoi faire ? » Voilà une question que le marmot, Dieu merci, n'ose plus poser et que lui, Durand Jean, ne se pose jamais. Il exécute : si demain il prend envie à un particulier de lui commander des chaînes de forçat ou un carcan, il livrera l'ouvrage sans s'émouvoir — où irions-nous si les serruriers s'inquiétaient du destin des clés !... Pour la tourelle d'ailleurs, Durand n'a pas besoin d'explication. Il a compris : il s'agit de la condamner. Un travail en rapport avec celui que Coru lui a commandé, quelques jours plus tôt, pour le regard de l'antichambre : puisqu'on veut, sans avoir à pénétrer dans la chambre, garder à tout instant le petit sous les yeux, pas question qu'il disparaisse dans la tourelle ; les hommes ont mieux à faire que de jouer à cache-cache avec un garçon de huit ans ! Il devine si bien, Durand, les intentions des donneurs d'ordres

qu'une fois la serrure posée il ferme lui-même la porte à clé et tend la clé au père Monier. Voilà la tourelle aux pigeons, protectorat du royaume, brusquement sortie de son histoire et de sa géographie ! Première étape d'une plus vaste opération de décolonisation...

Sur l'amputation de son empire, la perte de sa colonie, l'enfant n'a pas pleuré. Au contraire : il est content que la porte de la tourelle soit bien fermée. Non qu'il craigne les courants d'air, mais il craint les ogres. Il en venait toutes les nuits par cette porte entrouverte, il entendait grincer les gonds quand ils se faufilaient dans la chambre. Les ogres sont comme les génies : ils peuvent se faire tout petits, pas plus épais qu'une feuille de papier pour se glisser par une entrebâillure, mais, sitôt rentrés, ils gonflent, gonflent, gonflent, comme des montgolfières ! Ils prennent tout l'air de la pièce et lui, couché dans son lit, n'arrive plus à respirer... Il a été heureux aussi de voir travailler le serrurier : excellent emploi du temps, très instructif. On pourra l'interroger pour vérifier : il saura, s'il le faut, tout rapporter des gestes de l'ouvrier, tout dénoncer, « déclarer » et « déposer ». D'autant mieux que, grâce à son père, il connaît les mots du métier : dans l'atelier de Papa, autrefois, on lui avait montré à se servir d'une lime, d'une meule, d'un étau... Non, pas l'atelier ! Ne plus penser à l'atelier ni à Papa, Papa-Capet, Papa-Capon, Papa-Coupé, arrêter sa mémoire, arrêter !

Il attrape son bonnet de nuit (bien se couvrir les oreilles, recommandation de, oh non, de plus personne, oublier !), et il court vers le présent, court vers le bonheur. Le vrai bonheur, celui qu'on n'a ni conquis ni mérité : la neige. La neige, ramassée dans l'abat-jour, et qui tient encore. S'il gèle cette nuit, elle restera. Perspective inouïe : deux jours de bonheur !...

Joie blanche, radieuse, presque aveugle, lorsqu'il met ses mains en cornet, souffle à travers le carreau et qu'apparaît, de l'autre côté, une minuscule alvéole. Il souffle encore et l'alvéole se creuse, c'est un tunnel, bientôt un souterrain. Pour aller plus vite, il colle sa bouche au carreau, la promène sur toute la vitre, embrasse la neige, lèche le verre, dégage des galeries. Le voilà mineur ou taupe, souverain d'un immense pays ! Il se fond dans la neige, s'évade, se perd. Il est si loin déjà qu'il n'a pas entendu le garçon servant lui apporter son déjeuner, pas entendu les verrous, les loquets. Quand il se retourne, les assiettes sont là, sur le bureau, posées par des mains invisibles — le roi des neiges est servi par les fées ! Les murs s'effacent, les hommes disparaissent, les portes s'ouvrent, des anges passent... Un jour il descendra l'escalier, pieds nus. Il descendra, « calme orphelin », vers des jardins.

8

Le « jardin » ? Une cour sinistre : plus un arbre depuis quinze mois. Le long du rempart neuf (douze mètres de haut), deux grands fossés au nord et à l'est : on projetait d'établir là un second mur pour renforcer l'enceinte, mais, faute d'argent, l'ouvrage vient d'être abandonné. Les terres extraites pendant l'été ont été jetées des deux côtés de la tranchée, en tas énormes. Des décombres partout. Une cour aride, un terrain vague qui cerne les tours accolées : la « Grande » et la « Petite », la citadelle et le castelet, plus sombres l'une que l'autre, et hautes, si hautes. On dirait d'immenses piliers calcinés, les deux dernières arches d'un pont bombardé. Mais les piliers ne soutiennent rien, le pont ne mène nulle part. Pire qu'une ruine : un creux retourné. Un abîme dont on aurait fait un sommet... En bas, entre ce bloc obscur et le mur d'enceinte, de loin en loin le toit pointu d'une guérite ou la structure légère, bois et torchis, d'un corps de garde. L'hiver, le poste du « fond du jardin », côté rue Charlot, est un des plus recherchés : sa porte vitrée permet aux hommes de service de surveiller la cour en restant au chaud. Ils sont là cinq ou six « sectionnaires ». Des gardes nationaux en uniformes de bric et de broc, assis à califourchon sur de mauvaises chaises. Cinq ou six dont les sabres, trop longs, traînent jusqu'à terre : « ... Est-ce que vous connaissez Bernier ? demande un gros rougeaud. Bernier, le limonadier de la section du Pont-Neuf ? Eh ben, ce qu'il aime le mieux, Bernier, c'est manier la pique. Paraît qu'il en a fait de belles y a deux ans, quand on a "élargi" les prisons ! Ces beaux messieurs de la peau-fine, il les faisait pas languir ! Tous les détenus, zou, à la pique !... Il disait qu'après ce travail-là il était plus fatigué qu'un maçon qu'aurait battu le plâtre pendant trois jours !

— Moi, fait un petit vieux, tuer à la pique ça me plairait guère... En cas que des traîtres nous attaqueraient, je préférerais tirer mon sabre.

— Ah, ton sabre, tu saurais même pas t'en servir, gros-cul ! Regarde comment que t'as foutu ton baudrier : c'est plus un baudrier, ça, c'est une sous-ventrière !

— Ho, citoyen, intervient un troisième, il est pas soldat, notre camarade. Dans le civil, il fait des aigrettes, des bouquets en plumes d'autruche — plumassier, quoi. S'il est là, c'est pour le bien public ; ça mérite pas que tu lui parles mal...

— Patriote pour patriote, j'aime mieux les sabreurs que les gros-culs ! Tiens, le mois passé, je me suis trouvé de garde avec un gars de la section de l'Unité, "Tape-Dru". De son vrai nom, Debêche Jean. Joaillier rue de Buci. Eh ben, la joaillerie, ça l'a pas ramolli ! Toujours prêt à se retrousser les manches ! Il a tellement abattu de besogne à la prison de l'Abbaye qu'il a laissé la lame de son sabre dans le ventre d'un prisonnier ! "V'là comment je travaille la marchandise", qu'il nous disait... Mais ce qui me plaît le plus chez ce gaillard-là, c'est qu'il est grand-père et que ses cheveux blancs l'empêchent pas d'embrocher tout ce qui conspire !

— Moi aussi je suis grand-père, lance le petit vieux, ravi. Pas sabreur, mais grand-père. Scipion-Barabbas qu'il s'appelle, mon petit gars : il a mis deux dents avant-hier... Dis-donc, toi, le camarade à Tape-Dru, tu sais pas à qui c'est le bâtard, là-bas ? Ce chien marron, avec une oreille coupée, qui se gèle les pattes dans la cour, devant le guichet au père Mancel ?... Oh, mes enfants, qu'est-ce qu'il a dégringolé comme neige ! Ça va nous en faire, de la gadoue, quand va falloir rentrer chez nous... Tiens, v'là que mon toutou se met à trotter derrière le porte-clés maintenant ! Il craint pas le froid...

— Il est comme nous, dit un quatrième, il craint pas le froid parce qu'il craint la faim ! Il irait jusqu'en Sibérie si on lui promettait de l'aloyau !

— Je vas lui donner un peu de mon pain...

— Holà, le plumassier, s'écrie le rougeaud, le pain est pas fait pour les chiens ! Si t'en as de trop dans ta besace, donne-le-moi. J'ai trois enfants à la maison qui pleurent famine toute la journée...

— Ce pain-là, ils pourront pas le manger, ma miche est plus dure que du bois ! C'est du "pain économique" : sans blé, farine de pois gris... Allez, toutou, approche !

— Referme cette porte, nom de Dieu ! Fait un froid de gueux ! Et puis, ton pain, passe-le-moi, je le ramollirai dans l'eau chaude, ça fera de la bouillie pour mes mioches... Allez, ouste, le chien, décampe ! Décanille !

— Ce toutou, dit l'amateur d'aloyau, faut pas trop lui pleurer dessus : c'était le chien à l'instituteur, enfin à Toine Simon ; Coco, qu'il s'appelle ; on le voyait quand le vieux le descendait de là-haut pour le faire pisser. Un vrai chien d'accapareur, bien nourri, gras comme une loche... Après, je sais pas, son maître est parti : des embrouilles...

— Ils auraient pu emmener leur chien ! Pourquoi qu'ils l'ont pas emmené ?

— Eh, le grand-père à Scipion-Barabbas, tu commences à nous casser les pieds avec ton basset ! » C'est un cinquième qui s'en mêle : « Peut-être que ce galeux était pas vraiment à eux ? Que c'était le chien de la Veuve ou de ses rejetons ? Ils ont bien des canaris là-haut, à ce qu'on dit ! Et de la brioche !... Bougre de race !

— D'ailleurs, grand-père, dit le dernier, Coco qui n'a plus de maître n'est peut-être pas encore un chien libre, vu qu'il ne pourrait pas sortir de la cour sans la permission du guichetier, mais c'est déjà un chien national : il appartient à tout le monde. Sa pitance, il la trouve dans les eaux grasses du réfectoire, les rogatons des employés : la cuisine est municipale, les agents sont publics, la cour est commune — rien que du fraternel, du partagé : l'heureuse bête !...

— Toi le bataillon des Tuileries, gueule le rougeaud, je te conseille de changer de ton, un vrai patriote parle pas avec ironie. Ça se peut que tu marches du côté de la Nation, mais t'y marches comme les écrevisses — à reculons !... À force d'aller de travers, cul de plomb, tu pourrais bien rencontrer mon sabre ! »

Dans le corps de garde passe brusquement un vent glacial qui ne doit rien aux intempéries. Long silence. C'est toute l'époque : une couche de joie, une couche de peur, et personne ne peut jamais dire sur quelle face la « tartine » va tomber ! Maintenant on n'entend plus que les gémissements de Coco contre la porte : dans la neige il n'arrive pas à trouver son bout de gras. Mais les gardes ont raison de ne pas s'inquiéter pour lui ; chien de gouttière qu'on ramasse et puis qu'on jette, il s'en sortira : il est abandonné depuis qu'il est né...

9

Bien que généreusement servi, le petit, là-haut, a peu mangé. À cause de la neige : trop pressé de retourner jouer. Et puis c'était du poisson, une espèce de carpe pleine d'arêtes... Autrefois, il y avait toujours quelqu'un pour lui retirer les arêtes ; lui ne sait pas ; et même s'il savait, il ne pourrait pas : il n'a pas de couteau. On ne lui fournit que cuillère et fourchette, on doit craindre qu'il se blesse. Pas de ciseaux non plus. Rien de pointu. Aurait-on peur aussi, sans l'avouer, que ce petit garçon entreprenne, du bout d'un canif, de s'attaquer à une muraille de quatre mètres d'épaisseur ? Et que, parvenant à la percer, il surgisse à l'air libre pour faire aussitôt, le malheureux, une chute de vingt mètres de haut ? Toujours cet excès de précautions, cette prévenance anxieuse des tuteurs...

Résultat : faute de couteau et par paresse, l'enfant n'a pris que le dessert, et il a picoré le pain, brisé la croûte et creusé la mie comme il voudrait creuser la neige. Maintenant il y a des miettes partout. Il n'essaie pas de les ramasser — avec quoi ? Il faudrait réclamer un balai ; mais il ne réclamera jamais. Rien, pas même ses jouets. Des jouets qu'on ne lui a pas retirés, d'ailleurs ; il s'agit d'une négligence : quand on a muré la chambre, les jouets sont restés de l'autre côté, dans ces contrées lointaines, inaccessibles, que sont le réduit du valet, le bûcher, et la salle à manger. Le petit n'a rien compris, n'ose pas redemander sa balle et son bilboquet, ses petits soldats, ni le joli solitaire en bois des Îles que son père lui avait acheté au « Singe Vert »... « Les autres » finiront bien, n'est-ce pas, par s'apercevoir qu'ils ont oublié de les lui rendre ? Surtout s'il est sage et ne se plaint pas... Quant au balai, il ignore que dans une maison comme celle-ci, où courent les rats et les souris, les miettes peuvent devenir dangereuses. À dire vrai, il n'a même pas remarqué qu'il y avait, sur le dallage, après son déjeuner, des miettes tombées, il ne pensait qu'à la neige et à son jeu sans jouets. Il veut relier entre eux, par des galeries, deux de ses glaciers avant que la nuit soit tombée. En ce moment la nuit tombe vite, peu après son deuxième repas : on a beau ne pas savoir l'heure, on sait ces choses-là quand on passe aussi longtemps dans le noir à attendre le souper. Il doit se hâter. Jouer avant qu'il fasse trop nuit, trop froid, trop peur. Retour au grand mur blanc, à la banquise, à l'insouciance, à la joie...

Mais presque aussitôt, en enfant bien dressé, retour sur soi : un « bon emploi de temps » peut-il ne comporter que des amusements ? Non, il faut réserver des moments pour l'étude, lire. Mais on ne peut pas lire sans livre ! Si, on peut lire les mots écrits dans la chambre, sous les gravures bleues, par exemple. Puisque les dessins représentent une famille avec un petit garçon de son âge, il espère que les histoires imprimées au-dessous valent la peine d'être lues.

Et « peine » s'avère tout de suite le mot juste : l'écriture est petite, et les lettres s'agglutinent comme des mouches en été, elles bourdonnent mais ne lui parlent pas (il y a des mois qu'il n'a rien lu). Le début de la ligne (*Les bouquets, ou La fête de la Grand...*), il ne le comprend pas, glisse dessus, se raccroche au dernier mot : « Maman ». Maman ? Ah non, il préfère s'arrêter là, c'est sûrement une histoire triste... D'ailleurs, il fait déjà trop noir pour continuer la lecture. Il n'est que quatre heures, mais c'est l'hiver, et c'est un autre pays : le passé.

Quand la nuit tombe, l'obscurité envahit d'abord le mur des lits. L'enfant le sait, et, sitôt qu'il voit l'ombre glisser le long des rideaux verts et gagner la courtepointe, il fuit vers le mur opposé, se réfugie contre la fenêtre. Il s'assied par terre, le dos au mur, pour surveiller la progression du nuage sombre dans la chambre. Il le voit grandir, engloutir le secrétaire en bois de rose, la bergère, et même la table-bureau sur laquelle traînent encore les assiettes du déjeuner ; alors la vraie nuit descend, elle commence par s'attacher aux encoignures, près du plafond, puis elle descend, descend, comme un long voile de veuve. Même le blanc — la cheminée blanche — résiste peu : le marbre grisaille, puis disparaît. L'enfant se souvient du feu, il se souvient des lampes, et de la flamme des bougies, des papillons d'or qui semblaient voler au-dessus des grands chandeliers. Il se rappelle le vacillement des clartés, et les livres couleur de miel que son père lisait. Il attend que l'obscurité submerge les bancs de pierre, qu'elle vienne lécher ses pieds ; à ce moment-là, les jours où il n'y a pas de neige, il est inutile de se retourner : la nuit, déjà, colle aux carreaux.

Dès qu'elle atteint ainsi la grande fenêtre, le petit traverse la pièce en sens inverse ; il court vers le lit, grimpe dans son vaisseau-amiral pour se mettre en sûreté : hors d'atteinte des créatures rampantes, des monstres des abîmes. Quelquefois, là-haut, il s'endort ; de toute façon, qu'il ait les yeux ouverts ou fermés, il voit la même chose — rien. Il n'est réveillé que par le jappement des serrures à l'heure du dîner.

D'autres fois, il écoute longuement les bruits du dessus : les femmes. Il les entend, elles aussi, suivre le mouvement du soleil et se rapprocher de leur croisée à mesure que la nuit progresse des cloisons vers la façade. Pourtant elles ne manquent pas de lumière : quand il est adossé à sa fenêtre, au crépuscule, il lui arrive d'apercevoir, par l'ouverture de la hotte, le reflet de leurs lampes. Malgré ce luxe scandaleux — des bougies, un briquet, peut-être même un quinquet —, elles ont pris l'habitude depuis des mois (déjà avant le départ de Toine et Marie-Jeanne) de terminer leur soirée dans le « coin-fenêtre » ; et qu'y font-elles dans ce coin-fenêtre ? Du tricot, de la broderie ? Vous n'y êtes pas : de la fausse monnaie ! Si, si ! Il entend le bruit régulier de leur presse à imprimer, bois contre bois. Elles fabriquent de faux billets, qu'elles passent la nuit à des complices par l'une des fenêtres de derrière, juste au-dessus du corridor qui mène à ses cabinets. S'il a le courage de s'aventurer dans ce couloir à la nuit tombée, il verra, il le sait, tomber des paquets entiers de billets neufs... D'ailleurs, du temps de Toine, il les avait dénoncées, ces bougresses ; des salopes de sa famille il ne voulait pas qu'on le croie complice (c'est un mot qu'il connaît, aussi bien que « complot », « conjuré », ou « suspect »). Donc, il les avait dénoncées, avait raconté leur petit manège à Marie-Jeanne, et Marie-Jeanne avait persuadé Toine d'en parler aux commissaires. Toine hésitait, prétendait qu'il n'entendait rien d'anormal : « Pour sûr, mon pauvre homme, protestait Marie-Jeanne, t'es sourd comme un pot ! » ; enfin, Toine avait cédé.

Un des commissaires était monté et l'avait écouté, lui, l'enfant, « déclarer solennellement ». Une fois de plus, on lui avait demandé de signer ; c'est là qu'il avait fait, plume en main, un très gros, très vilain, pâté. Humiliation dont il n'est pas encore consolé. Honte dont il se persuade lui-même — quand il se sent trop mal — qu'il n'est ni consolé ni consolable. Oui, ce qui l'ennuie le plus, dans cette dénonciation, c'est le pâté...

L'enquête, vite faite, a établi que les bruits signalés provenaient tantôt du bûcher, quand les « voisines » en sortaient des rondins, tantôt d'un jeu de trictrac, placé près de la fenêtre et qu'elles utilisaient entre six et neuf. L'enfant avait confondu le choc des cornets de bois retournés sur le damier avec le bruit d'une presse à bras. Affaire classée... Antoine, ridiculisé, avait gueulé, et même, sans Marie-Jeanne, il l'aurait frappé, « cet avorton, rejeton d'une grue et d'un cochon » ! Puis il était parti : six semaines plus tard, il avait fait ses paquets sans explications.

Le petit se sent coupable. Coupable d'avoir compromis Toine ; coupable d'avoir perdu Coco et Marie-Jeanne. Il reste seul parce qu'il est puni. On punit ceux qui ont menti : « Vous ajoutez trop souvent à la vérité ce que votre imagination vous fait voir », lui reprochait sa mère... Mais elle se trompe, il n'a pas menti ! Chaque soir, depuis que Toine est parti, il entend fonctionner la planche à billets ; et chaque soir, dans le noir, des faux-monnayeurs traversent sa chambre pour gagner le petit corridor et prendre livraison de leurs colis. Ils sont de mèche avec la femme sans tête, et avec les ogres de la tourelle... Il voudrait les dénoncer tous, les tuer, pour qu'on lui rende un instituteur, un livre, une lampe, un jouet !

« V'là ta pitance, lustucru ! » Trois hommes. Ce n'est plus Monier, mais un autre bonhomme qui porte à sa ceinture le trousseau de clés ; le petit croit se souvenir de son nom : Gourlet. Gourlet est accompagné du valet de cuisine et d'un nouvel inconnu. Inconnu vraiment ? Sa tête rappelle quelque chose à l'enfant. Vaguement. Où diable l'a-t-il vu ? Il lui semble qu'il l'a vu flou. À travers des larmes ? Alors c'était il y a longtemps, parce qu'il y a longtemps qu'il ne pleure plus... N'importe, il ne s'agit plus du vilain moustachu de ce matin, mais d'un petit homme avenant, rond, coiffé d'un bonnet de police en laine bleue, revers rouges et pompon assorti : le vrai bonnet du petit Poucet, plus joli que le dernier déguisement de Papa ! D'ailleurs, Papa était trop grand, les bonnets ne lui allaient pas ; tandis qu'à ce bonhomme-là, court sur pattes, le bonnet va à merveille : on dirait un lutin, un gentil joyeux lutin. Il cherche où poser la lanterne ; on lui montre la console de fer : « Je te préviens, lustucru, déclare le lutin, la lumière je la reprends dans une demi-heure. En même temps que la vaisselle sale. T'as pas intérêt à lambiner ! Surtout que le gargotier t'a gâté : de la gelée de groseilles et de la marmelade de prunes ! Du nanan ! Alors, avale-moi ça tout rond ! En avant, soldat ! »

Pour faire vite, l'enfant commence par la compote et la confiture ; ensuite, il boit son potage — à l'écuelle, sans cuillère et sans manières. En empilant précipitamment ses assiettes de la journée, il se rappelle soudain l'affaire du linge à empaqueter pour plaire à la blanchisseuse. Bien qu'il n'en ait aucune envie, il s'oblige à se déshabiller, jette par terre ses habits du jour, ceux qu'il a eu tant de mal à enfiler, y ajoute, pour faire bonne mesure, trois mouchoirs de batiste qu'il n'a même pas dépliés, tente de nouer le tout, et se glisse en chemise dans son petit lit (si le bonnet de police le voyait dans le grand lit — réservé à l'instituteur —, sûr qu'il le gronderait !). Les draps du lit de camp sentent un peu l'urine, l'urine d'enfant, une odeur douceâtre, pas désagréable, qui rappelle le tilleul séché ou la balle d'avoine dans les greniers. À dire vrai, ce petit n'a jamais vu de grenier, il invente et il le sait ! Comme il sait qu'au lieu de se bercer d'idées fausses il devrait se relever pour aller aux cabinets, « prendre ses précautions » ; mais, à cette heure, le couloir aux faux-monnayeurs l'effraie... Il va plutôt dire une prière, voilà. D'ailleurs, dans un bon emploi du temps, il y a toujours une prière à réciter. Un moment, il hésite entre « La fourmi n'est pas prêteuse », *« Pater noster qui es in caelis »* et « La société a pour but le bonheur commun ». Joignant les mains, il choisit la fourmi : il aime les prières d'animaux.

Finalement, c'était une bonne journée. Pas une journée ordinaire. Une journée bien remplie : d'abord le changement de linge, puis le serrurier, les tunnels de neige, la lecture des mots de la chambre, enfin cette jatte de confiture apportée par un lutin, un lutin très amusant qui l'a appelé « soldat » et « lustucru ». Une journée intéressante, mouvementée. Combien en vivra-t-il d'aussi animées ? Dans un méli-mélo de draps froissés et de couvertures débordées, il tâche de s'endormir en songeant qu'il y aura encore de la neige demain...

Dans la « chambre où l'on n'entrait jamais », l'enfant qui s'endort a expérimenté aujourd'hui la première de ses stratégies de survie. En ce mois de février, sa recette c'est l'observation du temps — du temps qu'on emploie, plus ou moins bien, et du temps qu'il fait, plus ou moins beau : la neige, la pluie, la bise sont, à y regarder de près, à y regarder toute la journée, des événements passionnants. Mars, avril, il s'attachera davantage aux sons, développera, presque à l'infini, ses facultés auditives, et se récitera avec méthode ses jurons et ses conjugaisons. Avec l'été ce sera l'apprentissage du partage — avec les insectes, les parasites, les rongeurs, toute une vie naturelle à laquelle de grands esprits n'ont pas craint de s'intéresser. Puis il y aura, à l'automne, le jeu des lumières et des ombres, le mouvement des mains, la danse des mains, les rêves. Ensuite, avec le retour du froid, la peau — épouillage, grattage, caresses, « indécences nuisibles à la santé » — et le sommeil comme une lente descente en apnée. Plus tard, entre deux sommes, deux rêves, la découverte du rythme : tapotement, balancement, bercement. Et après encore, la maladie, la fièvre, la douleur — des sensations dignes, elles aussi, selon les philosophes, d'être analysées...

Pour attendre et vivre encore, malgré le silence et les murs, attendre et se prolonger, durer, durer même sans espérer, il va vraiment tout essayer, l'enfant qui cherche son chemin, « à travers les morts, vers le jour ».

10

Loi : « *Sont réputés suspects tous les prévenus qui seraient acquittés des accusations portées contre eux.* » Journaux : « *Le meilleur moyen de reconnaître un suspect, c'est de regarder ses mains : la finesse de la peau annonce un traître* » ; « *Nous avons besoin, dans les circonstances présentes, que le mot "délation" soit en honneur* » ; « *La dénonciation est la mère des vertus* ». Décret : « *Les dénonciateurs recevront une prime si leur dénonciation est prise en compte.* » Débats : « *L'heure est venue pour les amputations !* » ; « *Que tout ce qui est méchant périsse !* » ; « *On ne peut régénérer une nation que dans un bain de sang !* ». Témoignage : « *Le sang coule, c'est à qui y transportera le bout de son doigt, une plume, un morceau de papier, l'un le goûte et dit "Il est bougrement salé !".* » Pétition : « *Le nombre des cadavres inhumés dans ces fosses hâtives exhale une odeur fétide qui ne tardera pas à devenir pestilentielle si l'on n'emploie des précautions promptes. Nous ne souffrirons pas que nos ennemis nous assassinent après leur mort !* » Rapport : « *Quand les exécutions sont terminées, on se borne à couvrir le trou avec des planches, ce qui est insuffisant pour renfermer l'odeur résultant du sang qui s'y trouve en quantité. Pour supprimer toute exhalaison meurtrière il serait convenable d'établir, sur une petite brouette à deux roues, un coffre doublé d'une feuille de plomb dans lequel tomberait le sang qui serait ensuite versé dans les fosses. Signé : Poyet, architecte de la Commune. »*

Comme le disait Firino au père Coru, « la vie, c'est qu'une affaire de mécanique et d'outillage ». Rien que des problèmes techniques. Donc, des solutions... Mais avant le recours aux hommes de l'art, avant l'entrée en scène de l'architecte en chef ou du fumiste qualifié, qu'y avait-il ? Qu'y avait-il « au commencement » ?

Au commencement, la haine. La haine avec ses flux, ses reflux, ses foules déchaînées d'où l'on voit parfois émerger quelques innocents portés à bout de bras. Bras d'une mère ? Ou d'une de ces femmes inconnues qui se souviennent d'avoir un jour nourri de leur corps un étranger, un « autre » qui fut le meilleur d'elles-mêmes ? Dans la tempête, elles voudraient être des arches de Noé pour abriter au creux de leurs flancs des milliers d'enfants...

Blanche-Rose Fauchery est une de ces passeuses de vie. D'instinct, elle se trouve berceau, caverne, navire, cachette : tous les persécutés, les démunis, sont ses petits, si nombreux dans son cœur qu'ils n'y laissent aucune place pour la haine. Elle a la couleur de son prénom, le nacré d'un coquillage. Bien sûr, elle n'analyse pas ces choses-là. Parce que c'est une femme simple, « femme de peu ». Une laveuse. Laveuse pour la Veuve Clouet, blanchisseuse de fin.

Enfin tout de même, il s'agit de « fin » : comme laveuse on peut trouver moins bien. Chez Clouet, en effet, on ne lessive ni draps, ni nappes, ni torchons ; même pour la lingerie, on trie la pratique sur le volet. La maison que dirigent la veuve et sa sœur est une blanchisserie réputée : une clientèle huppée, et qui se huppe chaque jour un peu plus depuis que les riches, les pompeux, ont dû cesser de faire blanchir en Angleterre.

Voilà un changement dont Rose n'est pas fâchée : ne disait-on pas que les blanchisseuses d'ici déchiraient la guenille pour le plaisir ? Qu'elles râpaient le linge ? Des menteries ! Aussi longtemps du moins qu'on a eu du bon savon... Mais qu'est-ce qu'ils croient, ces mirliflores ? Qu'elle n'aimerait pas mieux caresser la batiste que de manier le battoir à s'en démancher l'épaule ? On ne fait pas de vieux os dans son métier : tout le jour agenouillée sur le bateau-lavoir, en bas du pont, les mains dans l'eau glacée ; tout le jour le dos rompu, à brosser dans la rivière... Heureusement les sœurs Clouet sont de braves femmes : les laveuses usées par les lessives, elles tâchent de les employer comme repasseuses ou raccommodeuses, selon les capacités.

Pour l'instant Rose, malgré ses phalanges gonflées, ses doigts déformés, reste laveuse. Et la meilleure de chez Clouet. Celle qui peut blanchir jusqu'à dix ou douze fois la même chemise sans que les manches deviennent transparentes et que le col soit en charpie. Du coup, c'est à elle qu'on confie les jupons de basin, les fichus de linon, les bas de soie, et tout le linge de la famille Clouet. Sa fierté ? S'occuper des chemises de la patronne et des petites camisoles de sa fille, Francine, une brunette qui va sur ses dix ans.

Sa fierté, et son plaisir. Parce qu'elle aime connaître ceux qu'elle blanchit. Les connaître ou les deviner. À force de traiter toujours les mêmes pratiques, celles qui ont la faveur des Clouet, de lessiver semaine après semaine leur linge de corps, leur linge de nuit et même leur linge de garde-robe, elle finit par tout savoir — si le grand-père s'est oublié dans son lit ou si les femmes ont eu leurs « affaires » : pour une laveuse, pas de secrets. Au point qu'elle finit par s'attacher à ces gens qu'elle n'a jamais vus, qu'elle ne rencontrera jamais. Pendant que les autres cancanent et caquettent (malgré le martèlement du battoir ça cause, une laveuse, et ici, au bord de la rivière, il paraît qu'elles sont plus de deux mille à faire aller leur brosse et leur langue), pendant que ces deux mille-là s'interpellent et jacassent, s'apostrophent, se querellent, jabotent et piaulent, elle rêve. Elle rêve à ceux dont elle efface la trace lorsqu'elle rend à la toile blanche sa pureté, elle rêve à ceux qu'elle croit aimer...

Le vieux savant par exemple. Les sœurs Clouet lui ont recommandé son linge il y a bien longtemps, sept ou huit ans déjà. Elle ne sait plus si c'est un « philosophe » ou un « botaniste ». Mais, grâce aux robes de chambre et aux caleçons de l'homme de science, à la familiarité qui s'établit au fil de l'eau entre leurs deux peaux, peau qui sue et peau qui frotte, il lui semble maintenant qu'il y a entre eux comme de l'amitié : elle connaît les petites manies de son grand homme, répare ses sottises du mieux qu'elle peut ; en échange, le vieux a pour elle du respect, de la gratitude même, pensez, une femme capable de « ravoir » les taches d'encre, de cire, et même de café ; il attend impatiemment le retour de son linge pour savoir ce qu'elle aura pu faire, quel miracle elle aura encore accompli pour qu'il garde, malgré les maladresses de l'âge, son élégance de philosophe, sa dignité de botaniste. Elle ose — faut-il qu'elle soit folle ! — rêver qu'un jour le savant (dont le prestige dépend un peu d'elle, n'est-ce pas ?) viendra lui-même à la blanchisserie pour la remercier, et qu'il demandera : « Que puis-je faire pour vous ? », alors elle lui dira : « Prenez mon petit Pierre comme valet, enfant de cuisine, n'importe quoi... Mais prenez-le pour qu'il apprenne. Ce que vous voudrez : plantes, lettres, recettes, potions, alchimies, étoiles. Ça m'est égal, pourvu qu'il s'instruise ! »

Pierre est son unique enfant. Elle a perdu tous les autres en nourrice, dans le Morvan où elle les envoyait. Celui-là, il aurait autant valu le perdre aussi : quand on le lui a rendu, son mari venait de mourir. Elle se trouvait seule avec l'enfant sur les bras, des bras dont elle avait grand besoin pour gagner leur pain à tous deux. Pauvre Pierrot, c'est rien de dire qu'elle en était encombrée ! Il s'accrochait à ses jupes, elle le traînait jusqu'au bateau, deux fois il a manqué se noyer. Sans parler de toutes les fièvres qu'il s'attrapait. Toujours la goutte au nez ! Mais fièvre ou pas, grelottant dans ses guenilles, fallait marcher, mon Pierre — à la rivière, à la rivière !

À la fin, l'aînée des Clouet les a pris en pitié : elle a offert de garder le petit à la boutique avec sa Francine, qui avait le même âge ou à peu près. Presque trois ans que la veuve l'a gardé, Pierrot : l'hiver au chaud près du poêle, l'été au frais sous les lilas de la cour. Les autres femmes devenaient jalouses, les raccommodeuses disaient qu'il leur perdait des aiguilles, les repasseuses qu'il déplaçait les fers, qu'il brûlait le linge...

À sept ans, il a eu l'âge d'entrer en apprentissage. Mais il voulait rester près de sa mère, il pleurait : « Garde-moi, Maman, je te coûterai pas, je le jure ! » Il avait sa petite idée : monter son commerce. Au lavoir, il avait appris à manier la brosse et, chez Clouet, à manier l'argent — enfin, à rendre la monnaie... Il en savait assez pour débuter dans un métier « qui demande qu'une petite mise, Maman, juste deux brosses et une sellette ». Décrotteur, voilà l'idée qui lui trottait par la tête, décrotteur comme les petits Savoyards et les Lyonnais. Pas de maître dans ce métier-là, c'est vrai, pas de stage, pas de jurande et pas d'impôts : la liberté... Enfin, il avait si bien plaidé qu'elle avait cédé : pour lui acheter son tabouret, sa vergette, son polissoir et sa première boîte de cirage anglais, elle avait mis au Mont-de-Piété sa croix en or et son anneau.

Voilà maintenant trois ans que le petit travaille dans les rues ou sur le nouveau pont, là, juste au-dessus du bateau-lavoir : il nettoie les bas des uns, cire les souliers des autres, et, entre deux clients, il grimpe sur le parapet pour adresser de grands signes à sa mère penchée au bord de la rivière.

Les jalouses qui critiquaient son Pierre (« Vous le gâtez trop, votre Pierrot, vous serez cause qu'il se perdra ! ») doivent convenir que, pour finir (si on oublie les deux ou trois raclées que les Lyonnais lui ont flanquées), son fils se tire d'affaire comme un prince, il ne lui coûte rien, et même il lui rapporte ! Mais décrotteur, ce n'est pas une situation. Encore moins un avenir ! On n'a jamais vu un décrotteur de trente ans ! Voilà pourquoi elle pense au vieux savant, à une place chez le vieux savant. Des fois qu'elle le croiserait à la boutique...

Pourtant elle sait qu'elle ne le croisera pas. Même s'il aime le peuple, cet homme-là : les hommes de science, les gens de lettres, tous aiment le peuple. Ils en raffolent, à ce qu'il paraît. Seulement, où est-ce qu'ils le rencontrent, le peuple, quelquefois elle se le demande : à l'état des bas de son client, on voit bien que les particuliers de sa condition n'ont pas souvent besoin d'un décrotteur, et que jamais ils n'iront reprendre eux-mêmes leur balluchon dans une boutique — les savants ne sortent pas. Aucune moucheture de boue sur les mollets, pas d'usure sous le pied. Par contre, à hauteur des fesses, les caleçons de tricot s'usent à une vitesse ! Toujours assis. Dans des bureaux, des salons. En fauteuil ou en voiture. Le peuple, son philosophe l'adore, mais d'un peu loin, d'un peu haut... À moins qu'il ait cessé de marcher parce qu'il vieillit : impotent ? malade ? Il lui semble, à la réflexion, que ses chemises dégagent une odeur aigre depuis quelque temps...

Au fond, elle s'inquiète pour lui. Comme elle s'inquiète pour ce garçon inconnu, plus jeune que Pierrot (six ou sept ans d'après la taille), dont elle lave le linge depuis des mois, quasiment deux ans. En fait, c'est toute la famille de cet enfant qu'elle blanchit. Sans doute des amis des sœurs Clouet, parce que leur linge (qui n'est pas beau au point de mériter un service de qualité) lui a été spécialement recommandé ; d'ailleurs, d'après ce qu'on lui a dit, la veuve se charge elle-même de livrer ce linge-là sitôt qu'il est repassé : trois fois par mois, elle prend une voiture de louage et emmène avec elle sa petite Francine. Francine qui ne joue plus avec Pierrot (quand par hasard ils se voient encore dans la cour, ils ne s'approchent plus, ils se disent bonjour de loin, Francine a les mains si blanches, et Pierre les mains noires). Francine qui joue sans doute avec cet autre garçon, plus frêle et plus soigné, qui n'a rien d'un polisson, lui — les rues, sûr qu'il ne risque pas d'y traîner ! Elle jurerait même que, comme le savant, il n'y met jamais les pieds. Ni rue ni route, ni cour ni jardin. Ses bas sont usés, et même très usés, ravaudés de tous côtés, mais ce sont les lavages qui les fatiguent ; et s'ils se percent au bout, c'est que l'enfant grandit. Car, pour le reste, on n'y voit jamais de ces accrocs provoqués par une ronce, une clôture, de ces taches brunes, si difficiles à ôter, qu'on attrape sur le pavé ou les fumiers. Ce petit-là vit en enfant sage. Ou en enfant malade.

De toute façon, il vit dans une drôle de famille : une famille de femmes, rien que des femmes, et des femmes qui ont des ennuis — deuils, ruine, tout... Au commencement, par exemple, il y avait des domestiques dans cette maisonnée : on trouvait, dans les paquets, le linge des valets confondu avec celui des maîtres, confondu mais pas confondable ! D'un côté le chanvre, la laine et le gros coton, de l'autre la mousseline, la soie, le satin. Mais le service s'est réduit petit à petit, au point que depuis deux ou trois mois ces dames n'ont plus personne à commander ! Du reste, le manque d'argent se fait sentir aussi sur l'aspect des pièces à laver : les étoffes sont belles, les finitions soignées, mais, comme la quantité laisse à désirer (les femmes n'ont pas assez de chemises, pas assez de jupons, ce sont toujours les mêmes dessous qui lui repassent entre les mains), comme il n'y a pas la quantité, la qualité finit par souffrir — on reprise sur les raccommodages, on rapetasse sur les rapiéçages, une misère !

Depuis qu'elle s'occupe de leur linge, ces bourgeoises ne l'ont renouvelé qu'une fois — au moment de leur deuil. Quand le père est mort ; enfin, « le chef de famille » ; un bel homme, grand, corpulent, solide, qui portait des chemises d'une finesse ! Et des cravates comme elle n'en avait jamais vues ! Ah lui, oui, c'était quelqu'un ! Un seigneur ! Mais dans la gêne déjà, des revers de fortune probablement — du linge de qualité, et plus abondant que celui des femmes, mais trop rare quand même... N'importe ! Le pauvre homme n'a pas eu le temps d'user ses trois douzaines de chemises : il a été emporté d'un coup ! Sans avoir été malade. Parce que la maladie, l'agonie, la laveuse en reconnaît les marques : le pus, le sang, la sueur, l'urine... Là, non : un homme en pleine santé, qu'elle imaginait dans sa quarantaine, balayé ! C'était il y a plus d'un an, en hiver ; un jour elle n'a plus trouvé son linge dans le paquet, et la semaine d'après toute la famille portait le deuil. Le grand deuil, celui d'un mari, d'un père. Jupons noirs, coiffes noires, bas noirs — et neufs, par la force des choses. Même le petit a été rhabillé de noir. Quand elle frottait ces vêtements tristes, elle ne pouvait s'empêcher d'imaginer leur chagrin ; le pire, à son avis, c'est que la mort les avait tous pris par surprise ; ni le défunt ni ses proches n'avaient eu le temps de s'y préparer. Un accident sans doute, ou une apoplexie : l'homme était un peu fort — il aurait été d'un naturel sanguin que ça ne l'étonnerait pas !

À partir de là, tout est allé de mal en pis. Ils n'ont pas dû pouvoir toucher l'héritage — peut-être que le bien était hypothéqué ? La ruine, je vous dis... Ils ont donné congé aux trois domestiques, l'un après l'autre, et les femmes se sont mises à réparer elles-mêmes leurs habits ; à voir leurs grands points maladroits, on sent qu'elles n'y étaient guère habituées ! Le petit est tombé malade ; on ne lavait plus pour lui que du linge de lit. Mais après ça, il a grandi : la mère a bien été obligée de lui faire retailler des chemises. C'est par souci d'économie (à son avis de laveuse) qu'à ce moment la famille a permis au marmot de quitter son deuil ; sans même passer par le demi-deuil, ce qui, entre nous, choque les convenances : peut-être aussi que ça serrait trop le cœur de voir ce pauvre petit plus noir qu'un avocat ou un curé ! Lui, si blond (elle lave ses serre-tête, ses bonnets de nuit), si fragile, si jeune...

Mais croyez-vous que le malheur s'arrête quand cesse le deuil ? Allons donc ! Quand il a fait son trou, le malheur, il faut qu'il l'élargisse ! Il creuse, comme la taupe, et de souterrain en souterrain il va son chemin : à l'automne suivant, l'enfant perd sa mère ! Vrai de vrai ! Croix de bois, croix de fer ! En tout cas la grande femme aux cheveux blancs, mince de taille mais à la poitrine forte, disparaît des paquets !

Pour la laveuse, c'est simple : cette veuve n'a pas su se consoler, elle est morte de chagrin. Mais on ne peut écarter l'hypothèse (la laveuse ne l'écarte pas) que le chagrin ait réveillé une maladie qui sommeillait. Car enfin, depuis la mort de son mari, cette pauvre dame était toujours en hémorragie... D'ailleurs, à y bien songer, il y avait déjà des semaines qu'elle s'affaiblissait : à preuve, elle ne suivait plus de si près qu'avant les affaires de sa maison ; la toilette du petit surtout.

Autrefois le garçon était changé tous les jours et de la tête aux pieds — entre nous, c'était trop, trop de dépense en lavage et trop d'usure pour le linge, mais la famille avait dû garder de son beau temps des habitudes de grand luxe... Toujours est-il que dans le courant de l'été (juillet ? août ?) on renonce soudain pour l'enfant, pour l'enfant seulement, à ces coûteuses habitudes : caleçons, bas, bonnets, voilà qu'on lui fait tout porter jusqu'à la limite de la saleté ! Et — ce qui est nouveau aussi, et « commun » pour des gens qui ont dû vivre si haut et si bien — on lui met des tabliers bleus, histoire d'épargner ses costumes, comme chez des pas-grand-chose et des moins-que-rien !

Bon, elle lave les tabliers, c'est son métier, mais elle aimerait mieux, pardi, les laver avant qu'ils soient aussi tachés ! Et son linge de garde-robe, ses mouchoirs, que par excès de délicatesse on ne lui laissait utiliser qu'une fois, elle les récupère maintenant souillés aux quatre coins ; pour qu'on se décide à les glisser dans un paquet, il faut qu'il n'y reste plus un endroit où se moucher, une place où s'essuyer... Non, n'allez pas croire que ce soient des idées qu'elle se fait : le changement de vie de ce pauvre petit, on peut le mesurer — quatre fois moins de lavage qu'avant ! Tandis que sur le chapitre des lessives ses sœurs continuent à ne pas se priver... Là-dessus, au milieu de l'automne, catastrophe : la mort de la mère !

Elle se représente son Pierrot obligé de vivre sans elle — sans son toit, son lit, son grand corps, le soir, pour le réchauffer. Les larmes lui en montent aux yeux. Pourtant Pierrot est grand, lui, il a dix ans, sans compter qu'il est dégourdi : c'est un pauvre...

Au moins, on n'a pas obligé l'orphelin à reprendre le deuil, ce deuil que ses grandes sœurs n'ont pas eu le temps de quitter. « Ses grandes sœurs » ? À savoir... Pour la plus jeune des deux — une demoiselle fluette, même pas formée, entre douze et quinze ans —, la laveuse est quasi certaine que c'est la fille de la dame et la sœur du petit garçon. Mais l'autre ? Avant d'entrer dans le deuil, cette femme (car c'est une femme : poitrine lourde, fesses rebondies), cette femme portait encore des caracos roses. D'un autre côté, elle paraît trop ronde de hanches pour une fille de dix-huit printemps. Alors quoi ? Vingt-cinq ans ? Vingt-huit ? Et dans ce cas, gouvernante, sœur de Madame, cousine de Monsieur ? Peu importe : sœur, tante ou cousine, cette belle grasse célibataire ne s'occupe guère de l'héritier ! Pourtant elle n'a pas l'air d'une mauvaise femme : propre, modeste (jamais de jupons à rubans), et femme d'intérieur (elle non plus ne sort jamais : ils n'ont plus assez d'argent pour paraître, pardi !). Il n'empêche que, vertueuse ou pas, elle néglige le petit !

Depuis trois ou quatre mois donc, la laveuse se faisait du souci pour « son » blondinet. Mais le pire restait à venir : fin janvier, elle s'aperçoit, en dénouant les balluchons de linge sale, qu'il n'y a plus à laver une seule pièce qui appartienne à l'orphelin ! Rien. Rien.

Elle prend son courage à deux mains, en touche un mot à l'aînée des Clouet, elle y va en tâtonnant, en trébuchant, mais elle y va : « Pour la famille que... la famille qui nous donne du linge... ce linge que vous m'avez recommandé... enfin cette famille, vous savez... Où il n'y a plus que deux femmes et un petit garçon... » La veuve a rougi, et d'un ton sec : « Oui. Eh bien ? — Il a dû y avoir un oubli la dernière fois : je n'ai pas eu le linge du petit... J'espère qu'il ne lui est rien arrivé, je veux dire, rien de mauvais... » Rien de mauvais, oui, elle l'espère, parce que, si elle devait apprendre que son porteur de tabliers, son orphelin, sa petite brindille, sa demi-portion, son fripounet, est mort lui aussi, et mort sans maladie, elle penserait qu'on les empoisonne tous ! Que quelqu'un les assassine, ces malheureux, en toute impunité... Mais pourquoi les assassiner, puisqu'ils n'ont plus rien à léguer ?

La veuve lui a lancé un regard colère, sévère (sévère ? ou effrayé ?), elle a dit seulement : « Je vais voir... J'en parlerai. »

Pour sûr qu'elle en a parlé ! Une ou deux décades plus tard, il y avait dans le paquet un gros tas de vêtements du garçon ! Mais ces vêtements-là n'ont pas rassuré la laveuse : les uns étaient trop sales, les autres trop propres. Il y avait, par exemple, un col de dentelle gris de crasse, taché de sauce au vin, et déchiré ; une chemise et un caleçon jaunis, dans lesquels l'enfant avait pissé ; et des bas de laine si noirs aux pieds et si boulochés qu'il fallait que leur propriétaire eût souvent marché sans souliers... Bref, un linge dégoûtant. Mais le reste indiquait au contraire une exigence de propreté exagérée, quasi folle, ruineuse pour une famille ruinée : des tabliers envoyés à la lessive alors qu'ils étaient immaculés ; des bonnets qui n'avaient été coiffés qu'une fois ; des chemises si peu portées qu'on y retrouvait les traces du pliage, parfois même celles du fer à repasser... Comme si on avait laissé, quinze jours de rang, l'orphelin mariner dans sa saleté ou courir pieds nus dans la poussière, à sa fantaisie, puis, soudain pris d'une frénésie de changement, on s'était mis, sans plus de raison, à le déshabiller cinq ou six fois dans la même journée... On passait d'un extrême à l'autre dans cette famille-là ! Elle y perdait sa science — sa science des taches, des trames, des dessous, des dessus, et de l'entre-deux. À moins que... À moins que l'enfant soit abandonné pour de bon maintenant, livré à lui-même, « sale si tu veux, propre si ça te plaît ». Brusquement, elle avait été frappée par cette évidence : il n'est plus mal tenu, il n'est plus tenu du tout. Et, malgré son gros paquet de linge à battre et à frotter, elle s'inquiétait, s'inquiétait...

Avec raison : à la livraison suivante, dix jours après, de nouveau plus un signe de vie du petit. Pas même un mouchoir ! Il se passait quelque chose de grave... Elle aurait voulu en reparler aux sœurs Clouet. Mais elle n'osait pas. Affronter encore une fois leur ton sec, leur regard noir, elle qui avait été si bien considérée de ses patronnes, si bien et si longtemps, elle ne s'en sentait pas la force. D'ailleurs s'il y avait vraiment un mystère derrière tout ça, elle risquait gros : la curiosité est un vilain défaut, surtout par les temps qui courent.

Elle avait fini par s'ouvrir de ses angoisses à sa voisine de lavoir, lui avait demandé son conseil, et l'autre : « Oh la mèreà-tout-le-monde, occupe-toi plutôt de ton Pierrot ! Si tu perds ta place, et tu finiras bien par la perdre, hein, avec tes questions, où c'est qu'il logera, Pierrot ? T'es pas la maman d'un vieux savant, ni celle d'un petit aristo, t'es la maman d'un crocheteur. Tiens, vois-le donc là-haut, à cheval sur le parapet, et qui t'envoie des baisers... Un de ces quatre, il va se foutre à l'eau, ton marmot ! Je te le dis, ma grande : dans la vie, c'est à chacun ses soucis ! »

La laveuse a retenu la leçon. Mais elle n'en pense pas moins. Les semaines passent, et, de l'enfant, toujours rien. Chaque fois qu'elle ouvre le ballot, le ballot de « là-bas », elle a les mains qui tremblent, elle espère... Puis ses mains retombent, ses espoirs aussi.

La laveuse est rêveuse. Trop. Dans un temps où les événements vont si vite, où tout le monde s'agite et agit, rêver est un luxe ; un très grand luxe, et dangereux ; mais quel autre serait à sa portée, dites un peu ? Alors, au bord de la rivière, tandis que défilent lentement sous ses yeux les chalands et les bois flottés, elle rêve, suppute, échafaude, romance d'après ce qu'elle croit avoir appris de la vie. Mais la vie, elle ne l'a vue que d'en bas et de biais — en laveuse de chez Clouet. On n'est fin limier que dans sa forêt ; voilà pourquoi, observant juste, la laveuse a interprété de travers : la vérité sur ce petit qu'elle a pris en pitié est trop loin de sa propre aventure pour qu'elle puisse l'imaginer. De l'histoire de cet enfant, elle n'a pas compris le commencement... Néanmoins elle pressent la fin ; et cette fin lui déplaît.

Curieux qu'elle soit ainsi la seule à se projeter dans l'avenir d'un autre ! À se représenter l'orphelin, s'inquiéter de son sort, tenter de donner une forme à son destin. Aucun de ceux qui touchent au petit de plus près n'a dépensé tant d'imagination ! Prenez ses voisins. Les femmes du troisième par exemple. Proches, ô combien ! L'une d'elles expliquera plus tard qu'à la mi-janvier elles ont vu déménager le vieux couple, en effet ; beaucoup de bruit et des paquets, énormément de paquets ; mais elles étaient persuadées que l'enfant — cet enfant qu'elles connaissaient mieux que personne et entendaient depuis des mois rire, courir, jurer (il n'était plus très bien élevé), chanter aux fenêtres à tue-tête — était parti avec le couple. D'autant que, par la suite, elles n'ont plus rien entendu à l'étage au-dessous, à part le bruit des serrures et des verrous : elles ont pensé que quelqu'un d'autre avait emménagé dans le quatre-pièces du deuxième — un homme seul, et un étranger, puisqu'elles ne l'entendaient pas parler. Pas même lorsqu'il avait de la visite... Elles en avaient déduit (observation juste, conclusion erronée) que cet homme-là ne connaissait pas le français. Même, elles s'étaient convaincues qu'il était allemand et, en riant, l'avaient surnommé, Dieu sait pourquoi, « Melchissédec » !

L'enfant n'avait donc jamais appelé, jamais crié, jamais pleuré ? Non, jamais. Après coup, la plus jeune s'interrogeait ; les psychiatres aussi s'interrogent : tout enfant normal enfermé dans une pièce ou un placard commence par protester ; il hurle, il tape ; et on ne peut le faire taire qu'après l'avoir beaucoup frappé. Or, on n'a pas frappé l'enfant de la chambre jaune. Parce qu'il ne s'est pas révolté...

Il attendait. Attendait « l'homme sûr ». Il l'attendait puisque Marie-Jeanne avait promis... Le plus drôle, oui, drôle, c'est qu'il avait raison : Marie-Jeanne Simon n'avait pas menti ! Elle aurait pu dire n'importe quoi, elle avait dit la vérité : après la démission de l'instituteur, cette démission si fortement suggérée, les tuteurs de l'enfant lui avaient cherché un remplaçant. Dans les règles : offre d'emploi, candidatures. Seulement, trois semaines plus tard, quand le pouvoir central eut refusé à l'Organisation l'aide financière qu'elle réclamait, le supérieur de Coru et des autres — tuteur des tuteurs en somme, un homme qui voit les choses de haut — s'est avisé, sur dossier, que « cet enfant causait trop de frais » : les deux vieux avaient été grassement payés, on n'allait pas continuer à offrir, sur un plateau d'argent, des « hommes de compagnie » à un garçon de huit ans. Il serait nourri, logé, chauffé : beaucoup, qui valaient mieux que lui, n'en avaient pas autant ! Fin de l'épisode. Et entrée en scène du serrurier, du poêlier, du vitrier...

Mais l'enfant continuait d'attendre. Sans faire plus de bruit qu'une valise oubliée. D'attendre, comme un bagage consigné. Se plaindre, supplier ? Pas la peine, il le savait d'expérience — pour avoir essayé. Essayé de s'opposer quand on était venu chercher son père ; ou quand six hommes l'avaient emmené, lui, arraché à sa mère en pleine nuit. Hurlements, mouvements, évanouissements. Inutile et épuisant. Il craint la violence des sentiments, fuit les émotions vives. Il a peur. Pas d'être battu : d'être « secoué ». Pas de la routine : du changement. Pas du silence : des cris. Désormais il se sent capable d'une patience infinie. D'une grande indifférence.

Déprimé ? Non, réaliste. Quand on ne peut pas agir, à quoi bon crier ? Il attend. Commence même à s'habituer. On l'a posé là, on reviendra le chercher. Ne pas éprouver plus d'inquiétude qu'un objet. Il vit, il se tait. Les dames du troisième n'entendent plus sa voix ? Parce qu'il attend ; en otage rodé, qui économise ses forces et ses élans. Économise même ses pensées. Anesthésié.

Et quand au bout d'un temps qu'il ne peut mesurer il cessera enfin d'attendre, il aura depuis longtemps cessé de souffrir : pierre parmi les pierres, mur au milieu des murs, il sera donjon lui-même, chambre jusque dans ses lézardes et ses moisissures, chambre fermée, oubliée — forteresse vide.

11

Est-ce qu'aujourd'hui est encore hier ? Même lumière rare, même silence. Ronflement régulier du poêle derrière le mur. Ciel gris, immobile, au-dessus de la hotte. Il pleut. Les planches, devant la fenêtre, prennent une couleur sombre ; l'enfant ne se rappelle plus l'odeur du bois mouillé.

Est-ce qu'aujourd'hui est encore hier ? Il ne sait ni le jour ni l'heure. Trop petit pour faire un bon prisonnier : sur la cloison jaune et blanche il n'a pas tracé de bâtonnets, pas mesuré le passage des semaines, des mois, des années. Avec quoi d'ailleurs ? Il n'a pas de crayon. Lumière étale. Il n'a pas de montre. Il dort souvent. N'importe quand. S'il faut manger, les serrures le réveillent. Il n'a pas faim. Ne se souvient plus si l'on est hier ou demain. Novembre ou juillet ? Il a perdu le calendrier. Des calendriers, il en connaissait deux, l'ancien et le nouveau, où les mois, les années, ne concordaient jamais : bien avant d'être abandonné il avait déjà tout embrouillé... Et les jours ? Les jours l'ont quitté. Il n'y a plus de vendredi. Et le dimanche ? Le dimanche aussi est parti, le lundi s'est effacé. La fuite des jours... Les jours l'ont fui, tout file, tout glisse — ne reste que lui.

Il se reconnaît. Parce qu'il porte toujours le même vêtement. Veste et pantalon de drap gris pour dormir comme pour veiller. Il ne fait plus l'effort de se changer. Il l'a fait pendant quinze jours, au tout début du début : on ne l'a pas félicité. Pas grondé non plus quand, de nouveau, il a cessé.

À l'autre bout de la ville, Blanche-Rose, la laveuse, n'avait pas osé reparler à la Veuve Clouet, la Veuve Clouet n'avait donc rien dit à Coru, qui n'a pu mettre au courant le nouveau porte-clés, Gourlet, et voilà pourquoi aucun « visiteur » n'a jamais réclamé le linge sale du deuxième étage...

Un jour, deux semaines après la chute de neige, un garçon d'office a posé sur le marbre blanc de la cheminée les dernières chemises revenues de la blanchisserie. Elles sont restées là : l'enfant n'a pas pensé à ouvrir les tiroirs de la commode pour les ranger ; et la poussière de cendre qui vole partout a recouvert d'un même gris duveteux le marbre et les chemises. Plus rien, dans ce coin mal éclairé, n'attire l'œil des hommes de passage, qui, lorsqu'ils se sont donné la peine de prendre la déviation (trois portes en plus !), ont bien autre chose à regarder : l'état des serrures, des cadenas, des verrous, des loquets.

Le petit, lui, est content de pouvoir garder les mêmes habits. Pas seulement par paresse ou maladresse ; mais parce qu'à chacun de ses réveils, s'il fait clair, il se retrouve sans délai ; il est le garçon au pantalon gris. Jusqu'à quand ce pantalon, cet enfant-là ? Il ne sait pas : « maintenant ». Est-ce que maintenant est toujours ? Il ne sait pas. Il vit à l'intérieur : pas enfermé dans une chambre, enfermé dans « maintenant ». Il n'y a pas d'après, et très peu d'avant. Tout juste lui reste-t-il — malgré ce costume toujours le même, et ce besoin constant de sommeil auquel il cède à tout moment — la conscience d'un « maintenant » de jour, différent du « maintenant » de nuit.

Le maintenant de nuit est celui qu'il redoute le plus : trop riche en émotions — rêves, terreurs, souvenirs — et beaucoup trop long ; il se demande bien pourquoi, en quantité, le noir, ici, l'emporte à ce point sur le gris ! Il n'y a donc pas d'égalité ? La vérité est qu'il se croit enfermé depuis des siècles, il ne l'est encore que depuis quatre mois, les jours rallongent mais l'hiver n'est pas fini ; puis, comme il dort toute la journée, le soir il ne trouve pas le sommeil et reste face à l'obscurité. Scrutant les ténèbres, épiant les ombres, craignant les lueurs inattendues et les craquements imprévus : à cette heure, de l'autre côté du mur, le poêle, éteint, ne ronronne plus ; la chambre se peuple de frôlements et de grignotis, ça lape et clapote de partout. On pourrait croire qu'en effaçant les objets la nuit agrandit l'espace ? Eh bien, non ! Au contraire ! Elle le rétrécit, l'emplit d'armoires et de buffets grinçants, le bourre de tigres et de léopards, et lui, l'enfant, dans cette chambre soudain surpeuplée, trop meublée, il étouffe. Plus de place pour son corps, qu'il colle à la cloison, tasse dans la ruelle du lit ; plus de place pour les sensations, sauf la peur, la peur qui cogne, et envahit sa tête comme le vacarme de la nuit envahit la pièce. Bouche fermée, poumons bloqués, il suffoque comme un oiseau serré dans un poing.

Il suffit pourtant d'un geste réflexe — le dos de sa main qui a heurté le pied du lit — pour qu'il reprenne ses esprits ; du bout des doigts il se met alors à marteler le bois ; puis, doucement, régulièrement, il le frappe de la paume ouverte. Il a fini par comprendre que pour couvrir le tapage de la chambre il faut soi-même faire du bruit.

Bien sûr, il ne s'agit pas de pousser des cris ni de chanter. C'est interdit maintenant ; à cause des hommes du premier ; ils pourraient se plaindre, le dénoncer... Pas question non plus de marmonner. Il y a des gens, il le sait, qui se parlent à eux-mêmes. Mais lui ne se parle pas. Parce qu'il n'a rien à se dire... En revanche il est possible de soupirer, ou de faire claquer sa langue contre son palais comme si l'on imitait le trot d'un cheval. Aussitôt on est rassuré : on se tient compagnie. On peut aussi tousser, renifler ; c'est plus facile quand on est enrhumé ; mais enrhumé, grâce à l'humidité de la chambre il l'est souvent, Dieu merci ; ainsi parvient-il, sans se forcer, à dominer de sa toux l'épouvante des nuits.

Ayant besoin chaque soir de se donner du réconfort, de se prouver son amitié, ne risque-t-il pas d'abuser des râles, des quintes et des hoquets ? Non, car il connaît une autre façon de supprimer le brouhaha des murs, les grouillements du noir : il se bouche les oreilles en appuyant très fort, et n'entend plus que la rumeur de son sang. On dirait la mer au creux d'un coquillage ; ou la respiration d'une maman quand, assis sur ses genoux, on s'assoupit, la joue contre sa poitrine... S'il n'y avait pas, au bout d'un moment, cette fatigue dans les avant-bras, cette douleur de plus en plus cuisante sur le lobe des oreilles, il se perdrait au fond de son propre corps et ne reviendrait jamais.

Les mains plaquées sur les oreilles, tout absorbé en lui-même, au moins a-t-il cessé de se jeter, dès que le jour décline, sur les souvenirs d'un temps où ses nuits étaient partagées. Il n'évoque plus la présence de Toine et Marie-Jeanne dans ce même lit aux rideaux verts ; ni, avant ces deux-là, les ronflements de son père quand il dormait ici avec lui, « entre hommes » ; ni, toujours plus loin dans le temps — au hasard d'autres appartements, d'autres maisons, d'autres villes peut-être —, le salon où on lui avait installé un lit de sangles auprès de sa sœur qui priait, et la chambre de Tourzel où son lit à lui, si petit, logeait tout entier dans l'embrasure d'une fenêtre, et la cellule blanche au sol de briques rouges où il avait dormi, sur un matelas jeté par terre, avec trois dames apeurées... Dans les pérégrinations du malheur — fuites, arrestations, résidences surveillées — on n'avait jamais disposé d'assez de place pour l'isoler, ne serait-ce que le temps d'une sieste : la solitude aux yeux clos, personne ne l'y avait préparé.

Que serait-ce d'ailleurs s'il avait gardé en mémoire les nuits de sa splendeur, quand, dans des chambres d'or et d'ivoire, six femmes et autant de valets veillaient à tour de rôle sur son sommeil ! On l'avait « habillé pour un autre destin », qu'il a oublié, comme il oublie peu à peu ses compagnons d'errance et de chambrée... Il vit à l'intérieur de « maintenant » ; et « maintenant », si le noir l'effraie, si les bruits le menacent et l'assiègent, il sait que le pire n'est plus à craindre : on ne viendra pas l'enlever ; grâce à ses bons gardiens, toutes les issues sont condamnées.

Fermée, la grande fenêtre. Si, le jour, il regrette parfois de ne pouvoir toucher la pluie ou la neige, sentir l'odeur du vent ou écouter le chant des coqs, la nuit il est très satisfait : aucun géant n'entrera par là. Pas plus que les ogres ne peuvent pénétrer dans la chambre depuis qu'on a muré la grande porte et fixé une serrure à la porte de la tourelle. Quant au corridor des faux-monnayeurs, le « père Lustucru » (un commissaire qu'il aime beaucoup) a résolu le problème ; de la même manière que le jeune médecin inconnu qui attendait Marie-Jeanne le premier soir : deux tours de clés, ouste, et la clé accrochée au trousseau du vieux Gourlet. Le royaume venait de perdre sa seconde « colonie », mais jamais souverain ne vit réduire son empire avec tant de bonheur ! Les brigands (à l'enfant on parlait souvent des « Brigands » qui avaient tué le jeune Bara, et qui attaquaient nos troupes en prétendant que lui, le petit, était leur chef, alors ça !), ces brigands menteurs ne passeront plus par sa chambre avec leurs paquets de billets ! Barricadé à double tour, le couloir des voleurs ! Bien fait !

Revers de la médaille : il ne peut plus atteindre les cabinets... Mais le père Lustucru, ce lutin à bonnet bleu et rouge qui paraît droit sorti du journal que Toine lisait à Marie-Jeanne, le père Lustucru a fait vider le pot de chambre (« Y a combien de temps que c'était plein de pisse, ce godet-là ? ») ; et il a rajouté dans la chambre un grand baquet de bois qu'il appelle « une griache », « une tinette » : « Charlot, quand t'auras rempli ton pot, avec du petit ou avec du gros, tu me ficheras le tout dans la tinette, comme à l'"Hôtel des Haricots" ! La tinette, Gourlet la portera chaque semaine jusqu'aux "lieux" avec un homme de quart. Hein, Gourlet ? Ce jour-là, par exception d'extraordinaire, tu déverrouilleras le couloir des commodités. T'as compris, Gourlet Louis, porte-clés de mes deux ! Je vas te fiche le bal, moi, feignant ! Exécution ! Vive la Nation ! Rompez ! Toi, le lustucru, tu peux te rasseoir ! J'ai dit : "Tu peux te rasseoir..." Eh ben, enfant de catin, t'es donc plus un p'tit soldat que tu m'entends pas ? »

Il était drôle, l'homme au bonnet ! Aussi drôle que ce Père Duchesne, « marchand de fourneaux », qui amusait tant l'enfant quand Toine lui lisait ses conversations, pleines de jurons, avec la Marie-Mille langues, le sapeur Rocher, ou la mère Caquet-écailleuse... En plus, l'idée qu'il avait eue, ce petit commissaire coiffé de rouge, avait l'air d'une bonne idée ! Même si elle ne faisait pas rire les deux autres qu'il avait commencé par gronder : « Qu'est-ce que c'est que cette pétaudière, Gourlet ? J'arrive pour surveiller le petit par "le regard" comme de juste, et je fais tintin ! Y a plus de marmot ! Rien dans la chambre ; envolé, le lustucru. "Aie pas peur, que me fait le citoyen Mancel (en faut beaucoup, on dirait, pour remuer un guichetier !), le petit doit être aux cabinets." Aux cabinets ? Où ça, aux cabinets ? Il se promène donc à volonté, cet enfant ? Pour sûr, oui, puisque, du côté du couloir, sa chambre n'est pas bouclée. Et au bout du couloir qu'est-ce qu'on voit ? Une porte, ça je le sais, mais y a beau temps que je la croyais condamnée ! Ah, point du tout : suffit de tourner la poignée ! Et derrière cette foutue porte, y a quoi ? Une tourelle, mes amis, grande comme celle des pigeons, et avec trois fenêtres s'il vous plaît... Petites, les fenêtres ? Oui, petites. Des meurtrières ? Oui. Mais fermées comment, ces meurtrières, je te le demande, Gourlet, gros paour ? D'un côté, un abat-jour pourri, et de l'autre, plus de carreaux — vitres cassées, pas signalées, pas réparées... Bien heureux que je trouve encore mon oiseau au nid, culotte baissée ! Mais c'est fini, cette couillonnade, mes amis, ça va changer ! — T'es dans l'erreur, avait riposté Gourlet vexé, le marmot aurait jamais pu s'enfuir par là à moins que d'être acrobate ! — Fais pas le crâne, Gourlet, ou je vas t'envoyer porter des motions aux Enfers ! Pour grimper c'te tourelle, y a pas besoin d'un acrobate : le premier Savoyard venu entre dans la place en moins de temps qu'il t'en faut pour dire un Ave ! — Il est pas savoyard non plus... » s'entêtait Gourlet.

Par la suite, si la porte était restée fermée à double tour, le père Lustucru, qui n'était revenu en service que deux ou trois fois, n'avait été obéi qu'à moitié : le petit avait eu beau, dans un premier temps, exécuter les instructions à la lettre, vidant le petit récipient dans le grand malgré le dégoût que lui inspiraient ces transvasements, Gourlet, assisté d'un garçon d'office, n'était monté vidanger la griache qu'à deux reprises et en pestant. Quant aux inconnus qui jetaient un coup d'œil depuis l'antichambre par la petite lucarne bien fermée, comment auraient-ils deviné qu'il y avait désormais, caché derrière le paravent redéployé, un baquet plein à ras bord, un pot de chambre idem, et une cuvette de toilette écumante de... enfin...

Le petit, que son éducation n'avait pas préparé à ces encombrements d'immondices, avait alors fait preuve d'une étonnante capacité d'adaptation : se souvenant de la façon de procéder des commissaires dans la salle du Conseil (ils pissaient dans la haute cheminée de pierre, et l'enfant les observait avec intérêt quand il y passait avec Toine pour descendre faire un tour de cour avec Coco ou aller jouer au billard), il s'était planté face à sa cheminée de marbre et, fier comme un homme, avait dirigé son jet droit vers le cadre en bois qui ferme maintenant le foyer désaffecté. Sans songer que c'était dans la cendre qu'urinaient les gens d'en bas, et que cette cendre était balayée matin et soir par le porteur de bûches... Lorsqu'il lui avait fallu peu après, pour satisfaire d'autres besoins, trouver dans la pièce un « endroit retiré » (puisque le coin du paravent était déjà occupé par le baquet, ses annexes et ses débords), il s'était de nouveau, tout naturellement, dirigé vers la cheminée. Cette fois, ôtant la

cale qui bloquait le cache de toile et de bois, il avait exami
posément l'intérieur du foyer. Vaste, le foyer : on n'y aurait p
fait rôtir un bœuf, mais on pouvait y cacher un enfant. Surtou
un enfant accroupi...

Il a tâté le pavage du sol, la brique réfractaire des côtés, examiné le conduit, repoussé les chenets sur le côté. De toute façon la place ne lui manque pas ; c'est le temps, croit-il, qui lui est compté : il ne sait jamais à quel moment des yeux vont apparaître dans la cloison, derrière la vitre à barreaux. Il fait donc sa petite affaire rapidement et, en sortant, replace le panneau derrière lui — comme une porte.

Avant d'agir, il doit seulement veiller à ce qu'il n'y ait personne dans les parages. Les arrivées, depuis qu'on a bouché sa porte, il n'en est plus toujours prévenu par le bruit des bottes et des sabots dans l'escalier : il n'entend distinctement que lorsqu'on passe derrière son lit, le long des planches, dans l'ancienne chambre du valet — et, à ce moment, il est presque trop tard... Quant aux départs, ils sont encore plus trompeurs : il peut advenir qu'on ait refermé à grand fracas les cinq portes qui le séparent de l'escalier et qu'un commissaire soit pourtant resté dans l'antichambre — par acquit de conscience ou par curiosité, pour jeter un coup d'œil à travers la lucarne, surveiller « le précieux dépôt » de plus près... Le petit a déjà été surpris par des initiatives de ce genre-là : il se croyait seul et se trouvait tout à coup face à deux yeux dans le mur. Un œil de chaque côté du barreau de milieu. Deux yeux et trois barreaux. Des yeux sans visage. Ou bien une tête entière, une tête sans corps... Au début il restait comme foudroyé, n'osait plus respirer, plus bouger : le saisissement ; pas la crainte d'être observé, non, puisqu'il sait, savait, bien avant la chambre jaune, qu'il ne doit jamais se cacher, jamais disparaître, qu'il faut qu'il soit vu, et même exhibé — sa mère, quand elle le prenait dans ses bras, le prenait pour le montrer. Contre elle, au-dessus d'elle : comme un ostensoir, une relique, un drapeau... un parapluie ? D'aussi loin qu'il se souvienne, il a vécu pour les autres et sous leurs yeux, il appartient à ceux qui ont envie de le regarder. Il n'a pas de peau. Sans ses habits dorés il est fragile : il n'a pas de peau...

Ce qu'il craint, ce n'est donc pas de déféquer devant des inconnus (son précepteur, l'Abbé, disait « déféquer », Antoine

« chier », il ne sait pas ce qui est le mieux), ce qu'il craint, c'est d'avoir des ennuis à cause de la cheminée, de l'usage qu'il fait de la cheminée. Alors, pour déplacer la cale et le cadre en bois, il attend le moment où le garçon-servant vient juste de le quitter et il vérifie auparavant, en levant la tête vers la lucarne de la niche, qu'aucun œil ne veille dans le rectangle.

Puisque la grande fenêtre est bouchée, que la grande porte est murée, que la petite est fermée, le rectangle de la niche, vu d'en bas, est sa lunette, son télescope, sa seule ouverture sur le monde. Un monde étroit : pas de vues latérales ni plongeantes (il n'y a pas assez de place, entre le poêle et les jambages de brique, pour qu'il y glisse son tabouret). Un univers vide : ni meubles, ni fleurs, ni couleurs. Du cosmos entier savez-vous ce qui lui reste à voir, au bout de son télescope ? Un œil ! Oui, même quand il n'y a personne, un œil ! Un gros œil peint. Inscrit dans un triangle en haut de la vieille affiche encadrée de tricolore qu'on a laissée accrochée au mur d'en face. Il faut s'y résigner, le dehors est plein d'yeux : des yeux peints ou des yeux vivants, des yeux fixes ou des yeux mobiles, sur les murs, dans les murs, yeux posés ou encastrés, isolés ou par paires, sévères ou écarquillés...

Plus bas que ce gros œil colorié, l'enfant se souvient qu'il y avait aussi, sur l'affiche, un ange aux ailes bleues et, à droite, une femme presque nue qui racontait, en caractères imprimés, une histoire que Marie-Jeanne était fière de lui entendre réciter devant les amis d'Antoine : *« Considérant que l'ignorance, l'oubli... dans une déclaration solennelle... droits naturels, inaliénables et sacrés de l'homme »*, etc. Comme prière, c'était plus difficile à retenir que « La raison du plus fort » ! À moins que ce ne soit une conjugaison ?

Son père n'a pas eu le temps de lui apprendre toutes les conjugaisons ; mais il lui dessinait de vastes pays et lui demandait d'en nommer les fleuves et les monts ; si le petit répondait correctement, il gagnait le droit de colorier ces cartes, de les peindre en trempant son pinceau dans l'eau. Du bleu pour la mer, du vert pour les forêts. Des forêts partout : il était maître des forêts. Jusqu'au jour où on leur a confisqué crayons et pinceaux. Son père n'a pas protesté, il ne protestait jamais ; ne se défendait pas ; subissait sans broncher ; comme s'il ne parvenait pas à s'intéresser à sa propre cause, à son destin ; ou

comme s'il trouvait juste, « Gros-Louis », d'être puni, et que son fils le soit aussi...

Mais le fils, lui, voudrait peindre. Apprendre des déclinaisons. Faire de la géographie. Travailler. *« La rose a ses épines, le travail a ses peines »* : encore une phrase que ses maîtres, autrefois, lui faisaient repasser à l'encre ! Mais maintenant qu'il n'a plus de roses, son travail n'aura plus de peines. C'est pourquoi il veut travailler ; ou, plutôt, aurait voulu ; au début ; au début de « maintenant » ; quand il espérait encore qu'on lui enverrait un instituteur ou que sa mère viendrait le rechercher. Un jour, il a même failli tirer la sonnette, ce fil de fer bricolé qui relie la chambre du deuxième à la salle du rez-de-chaussée — une sonnette que son père refusait d'utiliser. Lui a failli la tirer, pour réclamer en urgence une plume, une craie, un fusain, n'importe quoi pour dessiner ; et il avait envie de tirer sur le fil si fort qu'il le casserait ; et de briser un carreau à coups de tabouret ; et de taper du pied en hurlant ; et de tuer un chat, tuer un chien, tuer un pigeon ; mais il n'a fait aucune de ces vilaines choses parce que son père ne réclamait jamais rien, et qu'un enfant bien élevé doit prendre modèle sur son « Papa-Capon », son « gros Cochon », son « Gilles Colas », son « Cocu-Veto ».

Voilà pourquoi, dès le début, le petit s'est tu ; et maintenant — dans le « maintenant » qui dure et où il n'attend plus rien — il a seulement envie de dormir, dormir sans être dérangé par les visites, dormir sans avoir peur. Il aimerait, par exemple, empêcher la cheminée de faire du bruit : dès que le vent s'engouffre dans les conduits, il se réveille en sursaut ; il a beau comprendre que ce vacarme vient de la cheminée, et que c'est le vent, rien que le vent, toute sa chair se hérisse, il tremble jusqu'à la pointe des cheveux. Ce bruit-là, qui le poursuit de nuit en nuit, le terrifie ; plus encore que le grignotement des souris sous la table. Car ce souffle, ces coups de boutoir, lui rappellent quelque chose d'humain ; non pas une voix ni une respiration, mais cette violence des foules qui tient du choc d'éléments et de la catastrophe naturelle : tempête, tonnerre, explosion, raz de marée, digue rompue. Un bruit humain inhumain : clameur de la horde qui vient heurter une porte fermée.

Quand les tuyaux sifflent, que les ferrailles remuent au-dessus du poêle et de la cheminée, que l'écran de bois se met à vibrer, un petit garçon s'éveille en pleurant ; un petit garçon qui ne sait plus qu'il aura bientôt neuf ans, et rêve chaque nuit qu'il en a cinq et qu'il s'éveille en pleurant ; rêve qu'on tape à la porte de sa maison, et que la porte crie si fort qu'il s'éveille en pleurant ; rêve qu'il pleure et qu'il faut fuir, tandis que des hommes invisibles enfoncent la porte à coups d'épaule, coups de bélier, coups de merlin, coups de hache ; fuir, dans la maison envahie, par d'étroits corridors, des escaliers dérobés, un dédale de passages secrets ; fuir, de chambre en chambre, ces panneaux de bois qui craquent, cassent, éclatent l'un après l'autre, volent dans un crépitement d'étincelles ; étincelles qui le poursuivent, sautent sur ses habits : est-ce la meule du serrurier ? non, c'est lui qu'on lime, lui qu'on attaque, au couteau, à la cognée ; marteau d'acier contre métal doré, force brutale contre rouages délicats, les jeux sont faits : jouée la partie, et perdue de toute éternité...

Ce prisonnier-là ne craint pas l'enfermement : il craint l'irruption, l'effraction — celle qui l'arrache à son lit, l'enlève à sa mère. Sous prétexte qu'il ne s'appartenait pas, qu'il était un bien commun, « nationalement aimé » ou nationalement haï, on l'a pillé, visité, violé, écartelé. Aussi trouve-t-il sa chambre encore trop grande : puisqu'il n'a plus personne pour le protéger, il voudrait s'enfermer dans un petit placard, avec une porte minuscule, habiter une tanière, se cacher au fond d'un terrier.

Non, il ne souffre pas d'être sous clé, et très peu d'être dépendant. Pour un si jeune enfant, qui n'a jamais eu le contrôle de sa vie, la conscience de son impuissance n'a rien de dérangeant : les douleurs d'un otage de huit ans ne sont pas celles d'un captif « d'âge légal ». L'équilibre mental du petit prisonnier n'est pas, non plus, menacé par le retour obsédant du passé ou l'illusion périlleuse de l'avenir : éveillé, il a peu de souvenirs, il en a même de moins en moins ; et du futur il n'attend rien, que de « grandir ». Or il va grandir, justement, et beaucoup ; pousser dans l'obscurité comme une endive ; pousser mal (il maigrit, sa poitrine se creuse), mais pousser au point qu'en montant sur la pointe des pieds et en allongeant le bras, il pourra bientôt, du bout de l'index, toucher le rebord de l'étagère ininflammable sur laquelle, pendant le souper, le porte-clés place sa chandelle. Magnifique !... Et inutile : la bordure de la tablette ne sert à rien. Ses jambes ne servent à rien. Autant vivre assis ou couché : c'est ce qu'il fera désormais, laissant ses grandes jambes cachées sous sa chaise ou repliées sous l'édredon.

Plus de mémoire et pas de projet ; jamais de retard ni d'avance sur son sort. « Oiseau du ciel », « lys des champs », il vit à l'intérieur de maintenant. Fluidité du temps, insipide comme une eau claire. Rien à goûter ni à retenir...

Mais son ignorance du calendrier peut-elle empêcher un enfant de progresser ? D'autant que s'il peine à « se situer » dans l'Histoire, ce jeune otage sait au moins qu'il est en France, non ? Il connaît le mot, en effet. Même si, interrogé par son père dix-huit mois plus tôt, il plaçait Nancy en Amérique et Lunéville en Asie... Dans sa-France-à-lui, il ne s'est refusé jusqu'à présent ni aurores boréales ni festins de cannibales. Pendant quelques jours, au début de « maintenant », n'a-t-il pas été, sur son grand lit vert, La Pérouse et Robinson Crusoé, Bougainville et Vendredi ?

Mais il n'y a plus de vendredi : est-ce qu'aujourd'hui est encore hier ? Plus d'île : est-ce qu'ici est ailleurs ? Son grand bateau a sombré. Un lit, quatre murs, et du pavé, la chambre est une chambre, et cette chambre est une prison. Autour de la chambre fermée il y a — il y avait — un appartement ; cet appartement se trouve à l'intérieur d'un bâtiment, le bâtiment à l'intérieur d'une cour, la cour à l'intérieur d'une enceinte, et l'enceinte à l'intérieur d'un enclos. Au-delà ? Au-delà il ne sait pas : il n'y a plus de boîtes... Mais les boîtes sont bien posées sur quelque chose, non ? Il réfléchit : les boîtes peuvent être posées dans une forêt (il est le maître des forêts), ou sur une ville plate (il entend sonner des cloches) ; cette ville peut être Paris, Saint-Cloud, Cherbourg, Châlons, ou « Orléans-Beaugency-Notre-Dame-de-Cléry », ou bien Metz, tiens — sa mère ne lui avait-elle pas promis qu'il y commanderait un régiment ? C'est vrai ! Si ! Il a été colonel un jour, avec un uniforme bleu ; il a porté une armure aussi ; pas seulement la robe d'« Aglaé » : il était Bayard, un chevalier sans peur. Où ? Quand ?

Le temps, l'espace — catégories dont les adultes sont entichés — ne sont peut-être pas essentiels à la survie d'un enfant... Les repères qui lui manquent sont des repères moins matériels — il s'agit de cette ligne idéale qui sépare le réel de l'irréel et le bien du mal. Pas le Bien en soi, ni le Mal absolu ; pour « durer », ce petit garçon n'a pas besoin d'une morale, juste d'un sens, d'une impulsion : il suffirait de lui marquer deux pôles opposés — récompense, sanction — arbitrairement choisis mais stables, stables pendant quelque temps. Au lieu de quoi, dès qu'il veut comprendre et s'appliquer, il ne rencontre qu'incohérence, sautes d'humeur, amnésie, cruauté : non seulement le bien est changeant, mais ce bien n'apporte aucun mieux...

On peut récapituler avec lui, tenez : il est bon de dire la vérité et bon de mentir, bon d'être poli et bon d'être grossier, bon de protéger sa maman, bon de l'accabler, bon de se taire, bon de dénoncer, bon d'aimer Toine, bon de l'oublier, bon de changer de linge, bon de n'en pas changer... Il a même appris, pour plaire au père Lustucru, à vider son pot dans le grand baquet, mais le père Lustucru ne revient plus, personne ne vide le baquet, et pour finir, c'est lui, l'enfant, qui sera puni, à cause de la cheminée ! Au bout de l'obéissance, quel que soit le chemin, jamais de sourire, jamais d'amour, mais toujours les larmes de sa sœur, le mépris de sa tante, la colère d'Antoine, la fureur de l'homme aux clés, « abruti ! », « animal ! », « Oh le monstre ! ». C'était même écrit dans le journal, qu'il est un monstre. Un jour que Toine faisait la lecture à Marie-Jeanne, il avait compris que ce père Duchesne, qu'il aimait tant, parlait de lui, l'enfant, et qu'il en parlait méchamment ; Antoine avait bien dû comprendre aussi que c'était de son « élève » qu'il s'agissait, pourtant il continuait à lire — lentement, en détaillant chaque mot, comme exprès : *« Quant au petit sapajou engendré par le rhinocéros et la tigresse, il fait des sauts et des gambades pour amuser ceux qui l'entourent, mais, foutre, nos bougres à poil ne se laissent pas payer en monnaie de singe : ils savent qu'il est des monstres qu'on n'apprivoise jamais ! »* N'apprivoise jamais... Monstre pour Antoine à cause de sa famille, monstre pour sa famille à cause d'Antoine. Monstre !

Monstre. Il s'effondre de l'intérieur. S'il se voûte en grandissant, c'est parce qu'il n'a plus de charpente... Chaos. Tout en lui se déconstruit : il tombe maintenant de grands morceaux de jour dans ses nuits, et des petits bouts de nuit dans ses jours. Parfois il fait noir et, brusquement, il court dans un grand jardin ensoleillé, cueille des fleurs (des fleurs de « riche », bien sûr : il n'a jamais cueilli d'ombelles ni de coquelicots). Il faisait noir et le voilà soudain, en uniforme de colonel, qui bêche un grand carré à l'ombre des tilleuls ou pousse un palet du pied, zigzague avec son cerceau entre des marronniers, lance un ballon rouge dans une lumière dorée... Il croit qu'on a recommencé à le promener. Il visite quelquefois de grands palais — des palais dont les portes ne sont pas brisées. Il longe des terrasses au bord de l'eau — des terrasses sans soldats ni cadavres. On a recommencé à le promener. Il n'est même plus certain d'être isolé : de temps en temps, il rencontre des gens aux cheveux poudrés, habillés de rose ou de vert tendre, des dames très aimables qui lui offrent des beignets à la pistache... Il lui faut croiser de vrais morts pour supposer qu'il a rêvé. Et encore : à quoi reconnaître un vrai mort ? est-ce que son père est vraiment mort ? On lui a donné des habits noirs pour l'en persuader ; mais il n'a jamais vu son père couché par terre avec des yeux de verre, pas plus qu'il n'a vu les « jambons » qu'on lui aurait, selon Antoine, « taillés dans le lard » : alors ?

À l'inverse, il sait bien que tout ce qu'il voit, voit même lorsqu'il fait grand jour et qu'il reconnaît la forme, la matière, l'odeur de son pantalon gris, tout ce qu'il voit n'est pas vrai : ce jeune homme roux, par exemple, qui est venu trois ou quatre fois avec Gourlet lui apporter son dîner, ce jeune homme qui chique et crache partout dans la chambre, et que les autres appellent « Charlemagne », eh bien ce Charlemagne n'existe pas ! Le vrai Charlemagne, qui est un vieil empereur, a une barbe blanche, tout le monde le sait. Donc le Charlemagne sans barbe qui mâche une chique n'est pas réel ; et le dîner qu'il apporte dans un panier n'est pas vrai non plus, inutile d'y toucher. Quand Charlemagne (Jean-Philippe, vingt-six ans, domicilié 92, rue de Cléry) pousse sa porte, l'enfant comprend qu'il est en train de rêver, il ne bouge pas, ne répond pas...

Les visiteurs, de moins en moins nombreux, qui auront la curiosité de monter jusqu'à lui, et d'entrer dans sa chambre autrement que par les yeux, observeront, sans le comprendre, cet étrange comportement : « Nos mouvements ne semblaient faire aucune impression sur lui », « Pas un mot, et toujours la même fixité », « Il me regardait fixement sans changer de position », « Une fixité étonnante qui exprimait la plus grande indifférence »... Les niais ! Il dort, dort les yeux ouverts, voilà tout !

Enfin, il est à peu près sûr de dormir. À peu près. Ce qu'il lui faudrait pour distinguer sans hésiter le vrai du faux, c'est une pendule. Pas même une horloge-qui-sonne : il lui suffirait d'une horloge-qui-bat, comme un métronome, comme un cœur. Il n'a aucun besoin de savoir l'heure — qui d'ailleurs change sans cesse, l'heure est extrêmement variable —, il a besoin d'un repère fixe : le tic-tac de l'horloge. Dès qu'il entendrait le battement régulier de la pendule tapie sur la cheminée, il saurait qu'il a cessé de rêver. Même la nuit, il le saurait ; car il n'y a pas de tic-tac dans les songes : les pendules sont une exclusivité de la Réalité.

Sans compter qu'aux enfants séquestrés elles fournissent une précieuse amitié : le jour, leur mouvement mécanique meuble le silence, la nuit il couvre les bruits hostiles. Un amour uniforme, assuré, autrement fiable que celui des hommes ou des animaux — lesquels peuvent à tout moment gronder, mordre et s'en aller... Dans le domaine du sentiment, rien de plus fidèle qu'un cœur d'horloge, rien de plus régulier : ne change pas de rythme ; dispense à longueur de journée une tendresse mesurée, cadencée, plus apaisante qu'un bercement. Même lorsqu'on a peur d'aimer, on peut encore tomber amoureux d'une horloge puisque les horloges nous aiment.

Aussi le petit a-t-il tout tenté pour ranimer la sienne : dès la deuxième semaine, après avoir ouvert la porte en verre qui protège le cadran, il avait essayé de remonter le mécanisme avec le seul instrument dont il disposait : sa fourchette... Par la suite, des dizaines de fois il a poussé de la main le balancier ; mais les ressorts endormis dans le ventre de la pendule ne se sont pas réveillés. Alors, se résignant à ne plus jamais l'entendre respirer, il a voulu, au moins, faire chanter son horloge, comme il faisait chanter la serinette d'argent dans la cage qu'Antoine lui avait donnée ou, plus loin dans le temps, le joueur de clavecin que son père lui avait commandé en Suisse : déjà il aimait les rouages, les automates ; et maintenant qu'il connaît mieux les hommes il adore les machines... Donc, l'horloge : debout sur une chaise face au cadran, il tournait rapidement de l'index la grande aiguille, déclenchant un hoquet bref lorsqu'il passait sur le chiffre d'en bas et un long carillon quand, tout en haut, il arrivait sur le « xii » (il lit *xi*). De cette musique monotone il se lassait si peu qu'il était capable, pour l'entendre, de faire parcourir aux engrenages quatre journées de marche en un quart d'heure... Mais bientôt, les notes se sont fatiguées :

en bas plus un son ; en haut un coup, un seul, comme si c'était toujours la demie ; en revanche, dès que le petit garçon effleurait le « v » ou le « iv », il provoquait une avalanche de sonneries grêles — des heures capricieuses, improbables, livrées en vrac ; n'importe quoi n'importe quand : tout s'enrayait. Là-dessus, la grande aiguille s'était décrochée, la petite est restée coincée. Cette fois la pendule était bien morte...

Sans horloge et sans vie, le maintenant de la nuit, c'est la peur, le maintenant du jour l'ennui.

Au début l'enfant savait pourtant que, privé de plume et de crayon, il pouvait encore dessiner : un moment (en février ou mars), il a tracé avec son doigt toutes sortes de choses sur les carreaux. Neuf mois sur douze, à cause de l'humidité, les vitres sont couvertes de buée, il est facile d'y tracer des lettres ou des portraits : ici et là, sur « le mouillé », le petit prisonnier faisait des ronds en forme de visages, avec deux points pour les yeux. Jamais de bouche — dans le monde où il vit la bouche sert rarement : il n'y a plus ni parole ni baiser. Mais des yeux, oui, ça, des yeux il en mettait ! Des yeux partout... Parfois aussi il dessinait dans la poussière des meubles : sur l'abattant du secrétaire en bois de rose ou le marbre de la commode. Comme il n'est pas un grand artiste, il bornait son talent aux figures simples. Des potences par exemple — un petit triangle en bas, deux montants à angle droit, un trait pour la corde, et un pantin au bout de la corde. Bien sûr, ce n'est pas le genre de choses que l'Abbé ou Tourzel lui avaient appris à représenter, mais depuis qu'il habite sans eux la « grande maison » il a bien enrichi sa palette : du temps où ses parents vivaient ensemble, et lui avec ses parents (ou, plus tard, quand on le descendait encore au billard et au jardin), il regardait à la dérobée les graffitis sur les murs et sur les portes de l'escalier — des cochons (« Nous mettrons le gros Cochon au régime ! », « À bas le gros Colas » ou « le gros Gilles », ça dépendait des fois) et des potences (« Il faut étrangler les petits louveteaux ! », « Lanterne pour éclairer nos ennemis », « Calotin prenant un bain d'air »). La potence est d'une structure élémentaire, d'un tracé économique ; c'est pourquoi l'enfant malhabile en a tant dessiné sur ses vitres et sur ses meubles, potences gribouillées machinalement, indéfiniment répétées, et que, jour après jour, la vapeur d'eau, la cendre et la crasse effaçaient... Puis un jour il a cessé. Parce qu'il s'était dégoûté des décorations macabres ? Des motifs perpendiculaires ? Parce qu'il se lasse, l'une après l'autre, de ses minuscules activités ? Non — pour une raison bête : on ne peut rien tracer du bout des doigts quand l'ongle empêche de toucher le support ; or ses ongles que plus personne ne coupe depuis des semaines, ses ongles qu'il ne ronge pas et que, faute de ciseaux, il ne peut tailler, ses ongles sont si longs désormais qu'il ne parvient à appuyer la chair de ses doigts ni sur le verre ni sur le bois.

Plus de dessin donc, et pas d'autre musique que ce bruit de taffetas froissé qu'il produit en frottant l'une contre l'autre, pendant de longues minutes, la paume de ses mains. Jusqu'à ce qu'elles soient rouges, irritées, brûlantes. Il se fait mal. Donc il vit. Il vit.

12

« Ordre du jour : la Société passe à l'épurement de ses membres. » Tous les soirs la société populaire et fraternelle à laquelle appartient Joseph Belin, menuisier, ouvre ses débats par « un scrutin épuratoire ». On examine à la loupe le passé et le présent de tous les membres chargés au-dehors de quelque fonction — les députés, bien sûr, mais aussi les officiers municipaux, les juges, les jurés, chefs de bataillon, commandants en second... Peut-on les garder, doit-on les radier, faut-il les rappeler à l'ordre, les révoquer, les retrancher, les dénoncer ? Lesquels de ces patriotes d'hier sont aujourd'hui des fripons cachés, des malveillants, des traîtres, des oisifs, des agitateurs, des scélérats, des filous ? A-t-on tenu chez eux « des conciliabules », se sont-ils rendu les uns aux autres « des visites nocturnes » ? Comme on ne passe ces membres éminents « au creuset des épreuves » que par séries de dix (afin de laisser à chaque participant le temps de défendre ou d'accuser), on met bien cinq ou six semaines pour faire le tour des responsables et de leurs responsabilités. Du coup, à peine a-t-on fini qu'il est temps de recommencer : le présent a encore bougé.

Ces « scrutins épuratoires », quoique préparés avec soin par des commissions *ad hoc* (qu'il convient périodiquement de purger), occupent une part croissante des séances. Le temps manque pour les idées, les chansons, les élans... Le temps manque.

Joseph Belin, cinquante-deux ans, sergent-major de son bataillon, n'a été qu'une fois sur la sellette. Trop menu fretin. Mais il est las maintenant d'y voir passer les autres. La sensation qui le prend dès qu'il se trouve seul dans son atelier ou seul dans une guérite, « missionné de garde » à la Tour, au Manège, ou aux Invalides, forcé pendant des heures à l'immobilité, cette sensation est la même qui l'empoignait jeune homme quand, entraîné dans une ronde, il cessait brusquement de danser : sitôt qu'on ne tourne plus avec les autres, le vertige vous saisit. Un moment vient toujours, dans la fête, où l'on ne tient plus son équilibre que du mouvement général : on se croit droit parce qu'on penche quand tout le monde penche ; mais on ne va pas droit, plus du tout, on tangue, on se courbe, on s'incline, tous dans le même sens...

Joseph Belin est fatigué, fatigué d'aller en biais : il se sent vieux, cinquante-deux ans ; sa femme est morte il y a dix mois ; il n'a plus envie de tourner ; il voudrait quitter la danse. Mais comment s'arrêter sans tomber ?

Quand, deux ou trois fois par semaine, il entre encore, poussé par « les amis », dans la salle enfumée de la Société, il sait d'avance ce qu'on lui demandera d'applaudir : *« Par le moyen des traîtres qui se sont répandus dans tous les Comités de l'Assemblée, dans toutes les administrations, dans tous les bureaux, les lois les plus sages tournent au désavantage des hommes purs... Les puissances étrangères ont au milieu de nous leurs espions, leurs ministres, leurs trésoriers et leur police ! »* (on s'observe l'un l'autre à la dérobée). *« Paris fourmille d'intrigants... L'armée la plus dangereuse n'est pas aux frontières, elle est au milieu de nous : c'est une armée d'espions, de fripons stipendiés, qui s'introduisent partout, même au sein de nos sociétés populaires ! »* (bravo, bravo, mais chacun dévisage plus attentivement son voisin). *« Croyez qu'il n'existe pas de Société où il ne se rencontre des agents des tyrans coalisés... Il faut purger notre Société des traîtres qu'elle renferme ! »* (« Des noms, des noms », réclame soudain l'assistance oppressée.)

Au fond de sa guérite, dans la deuxième cour d'accès à « l'esplanade » et au donjon carré, Joseph Belin regarde, pensif, les drapeaux qui pendent là-haut, aux tourelles d'angle. Pendent comme de vieux chiffons. Il fut un temps, pourtant, où ils claquaient au vent, un temps où chacun, comme eux, se sentait soulevé — oriflamme et gonfalonier. Quand donc le souffle qui les portait tous est-il retombé ? Quand et comment Joseph Belin, patriote de la première heure, a-t-il senti que l'air lui manquait ? Ce jour peut-être, il y a trois ou quatre mois, où l'on a examiné la situation de Camille, un jeune député que le menuisier aimait comme le fils qu'il n'avait pas eu. Il aimait sa figure, ses discours, ses gilets à fleurs, ses naïvetés, et jusqu'à son bonheur de jeune marié. Et voilà ce héros de trente ans, depuis toujours dévoué au peuple, brusquement sommé de s'expliquer sur les fréquentations que certains jugeaient, a posteriori, compromettantes ; et le jeune homme — ô stupeur ! — de s'excuser, s'accuser même : *« Une fatalité bien marquée a voulu, il est vrai, que des soixante personnes qui ont signé mon contrat de mariage, il ne me reste aujourd'hui que deux amis, ici présents : tous les autres sont émigrés ou ont été exécutés. Pourtant* (et c'est là que Joseph Belin aurait voulu lâcher la ronde), *pourtant chacun sait ici que j'ai toujours été le premier à dénoncer mes amis »*...

Le président de séance, attendri par tant de bonne volonté, s'était borné à sermonner l'imprudent : *« Le fait d'éprouver de l'amitié et de la reconnaissance est une erreur excusable ; néanmoins c'est une erreur car un homme public doit s'attacher aux choses, non aux personnes. J'engage notre jeune camarade à tâcher de ne pas se tromper sur le compte des hommes qui jouent un rôle sur la scène politique. »* Vote à main levée. Pas d'exclusion pour cette fois. Sauvé ! « Le coquin a surnagé au scrutin épuratoire, avait ricané un voisin de travée du père Belin, mais il ne surnagera pas toujours ! » De purge en purge, ils avaient fini par « l'avoir » en effet : il n'avait plus personne à dénoncer. Il était mort...

Lorsqu'il bat la semelle devant sa guérite, au pied de la Tour, le menuisier resonge tantôt à ce fils d'élection, si vite balayé, tantôt à son propre père. Il se souvient de la manière singulière dont le vieux s'était retiré du monde avant que la vie ne se retire de lui : il avait encore toute sa force et toute sa tête ; cependant il ne touchait plus à son rabot et passait la journée entière assis au fond de sa cour à regarder les brins d'herbe ou les oiseaux ; il mangeait peu, ne parlait plus que par monosyllabes et pour l'indispensable. « Êtes-vous malade, notre père ? » s'inquiétaient Joseph et sa femme en lui portant son écuelle. Le vieux haussait les épaules, marmonnait « Jamais été mieux... Mais le temps manque... Un intervalle entre la vie et la mort, faut que je laisse un intervalle... ». On n'en tirait rien de plus. Bientôt même, il ne dit plus que ce seul mot, « intervalle », un mot savant mais qui, dans la bouche du vieux, ne surprenait pas le fils : n'avait-il pas entendu dire par d'autres vieillards du quartier que son père était plus instruit qu'eux, qu'il avait suivi le séminaire « dans le temps » avant de se défroquer ? Cette affaire de séminaire, Joseph n'en avait jamais su le fin fond ; mais du mot « intervalle », il se souvenait parfaitement ; et aujourd'hui, à cinquante-deux ans, il le comprenait enfin : le vieux avait choisi de quitter la danse, de cesser de tourner ; sans bruit et sans éclat, il s'était remis droit avant la chute.

Joseph Belin sent que, pour lui aussi, l'heure est venue de lâcher. Il a le tournis. Des réunions de « la Société » il rentre chaque fois saoulé, sali, troublé. Il ne veut plus danser.

Mais l'intervalle, son intervalle à lui, ne sera pas bien long, il le sait. Personne ne peut démissionner des sociétés populaires sans devenir aussitôt suspect. Pas plus qu'il n'est permis de se retirer d'une fonction publique ou de décliner une responsabilité à laquelle, malgré vous, on vous a élevé : Belin a vu leur Société expédier au « grand Tribunal » en tant qu'accusé un camarade qui venait de refuser l'honneur d'en être le juré...

Combien de temps a-t-il devant lui, le menuisier ? Combien de temps pour « l'intervalle », le bilan, la paix ? Du jour où il cessera d'assister aux réunions, deux ou trois semaines tout au plus. Ensuite, ce sera l'hallali. L'arrestation, puis la mort. La mort, il ne la craint pas, il est bien assez fatigué. C'est la prison, la promiscuité de la prison qu'il redoute. Il y a du monde dans ces endroits-là, et de l'agitation, des intrigues, des espérances, de l'action. La ronde, encore ; toujours cette hâte, ces obliques, ce mouvement infernal. Pour « l'intervalle », si court qu'il soit, il aurait voulu la solitude : une grande chambre vide. Bien fermée.

Au pied de la Tour, Joseph Belin rêve d'une chambre vide.

13

En haut de la Tour, le petit prisonnier contraint d'abandonner le dessin (ongles trop longs) s'est rabattu, faute de mieux, sur la littérature.

Des histoires — des histoires qui ne sont pas la sienne —, il lui suffisait, pour s'en conter, d'entrer dans les gravures. Vous souvenez-vous de ces gravures bleues accrochées sur le mur jaune ? *La fête de la Grand-Maman*, *La matinée du jour de l'an*. Rien de plus facile que de se faire romancier d'estampes : ne trouvait-on pas, dans ces deux-là, un enfant auquel il pouvait s'identifier ? Ainsi est-il devenu, pendant quelques jours, le double d'un garçon de six ou sept ans, comme lui en pantalon gris et collerette plissée ; vivant derrière une vitre, comme lui, et dans une famille pareille à la sienne : un père, une mère, une tante, une sœur, un chien. Sauf que tous étaient bleus — et heureux. Dans l'une des gravures ils s'aimaient l'été (robes de linon, bouquets de fleurs, capelines) ; dans l'autre ils s'aimaient l'hiver (pelisses, chapeaux, manchons).

Il est « Charles » — le seul de ses noms dont il se croit encore à peu près sûr puisque les inconnus qui entrent dans sa chambre l'emploient quelquefois. Il est Charles, l'enfant bleu au pantalon gris, qui habite une famille unie et une chambre de verre. Dans la scène de *La fête* (où, coiffé d'un chapeau rond, il cache un bouquet derrière son dos — c'est une surprise, une surprise qu'il prépare pour la Grand-Maman), il ne regarde que son papa, et le papa ne voit que son petit garçon, se penchant vers lui à l'insu des autres pour lui faire signe de se taire, un doigt sur les lèvres (son vrai père faisait parfois ce geste-là, et lui, le fils, gardait le secret, jamais le fils ne bavardait quand son père lui avait fait ce signe discret, Maman avait beau dire qu'il répétait tout ce qu'il entendait, qu'il fallait se méfier de lui, ce n'était pas vrai quand Papa vivait) ; et la maman, de dos dans cette gravure, est aussi la « maman d'avant », la maman heureuse, celle d'avant la peur, les robes noires et les cheveux blancs, celle qui sentait la praline et fredonnait avec sa pendule à musique « bergère, vi-ite, allons »... Cette maman de papier bleu, qui porte une robe de mousseline bleue, un chapeau de gaze bleue et un fichu piqué d'une rose bleue, tend derrière elle une main bleue pour que son petit garçon s'y accroche (elle ne l'abandonne pas, oh non, elle se souvient qu'il est là, et « Charles », celui de l'image, attrape cette main tendue, le bout de ses doigts agrippé aux doigts de sa mère). Cramponnées si fort, si bien encastrées, ces deux mains, qu'elles sont comme tenon et mortaise, dent et pignon : la chambre jaune peut bien rappeler son petit prisonnier, il restera là-bas, dans les gravures, chez les heureux : « Retiens-moi, Maman, retiens-moi ! »

Mais la maman bleue l'a lâché ; la gravure le repousse à mesure qu'il veut s'y enfoncer. Parce que cette famille n'est pas la sienne, et il le sait : rien, dans le reste du tableau, ne coïncide avec son passé — la sœur surtout, un poupon, alors que sa vraie sœur doit avoir aujourd'hui plus de quinze ans, vingt peut-être ? Et la jeune tante insouciante, aux cheveux frisés, que le graveur a mise dans un coin, ne peut pas, non plus, être sa tante Élisabeth, la comploteuse qui disait, d'un ton pincé, « On voit bien que ces "gens-là" ne marchent pas depuis longtemps sur du parquet ciré ! »...

C'est en étranger que le petit a fait une dernière fois le tour des chambres sous verre, jouant, sans y être invité, avec des jouets aperçus dans un placard entrebâillé. Placard qui, brusquement, lui a donné l'idée de chercher une vraie porte au fond des gravures, une porte par où s'enfuir : sait-on jamais ? Mais aucune des chambres représentées n'avait de porte : des meubles, des lambris, mais pas d'ouverture. Les gravures de sa chambre ne donnent que sur des chambres, et ces chambres n'ont pas de porte...

Sa vie ressemble à ces rêves étranges où, dans une lumière crépusculaire, on suit un haut mur de lierre à demi ruiné, un de ces murs de château comme on en voit au bord des routes de campagne. On le suit au long des ruelles et des sentiers, dans l'espoir de trouver l'entrée du parc, de découvrir la maison ; mais on a beau marcher, puis courir, courir de plus en plus vite, on n'aperçoit ni barrière, ni grille, ni toit, ni cheminée. Et soudain, saisi d'effroi, on comprend, sans pouvoir s'éveiller, qu'il n'y aura ni bâtisse, ni jardin, jamais rien, rien d'autre que ce mur qui se poursuit, s'allonge, s'étire, toujours semblable, toujours fermé, un mur sans fin, rien qu'un mur... Les gravures sont des impasses.

Quand il est sorti des gravures (désormais il ne les verra plus ; pour lui, elles ont cessé d'exister), l'enfant avait renoncé à agrandir son monde. Contrairement à ce que croyait sa mère (« vous ajoutez trop souvent à la vérité ce que votre imagination vous fait voir »), ce petit bonhomme ne s'ajoute guère à la réalité : il n'est pas romancier... Mais explorateur, si ! *« Il aimait à changer de lieu »*, assurera la « voisine » du dessus. Autrefois très remuant en effet, aventureux, indiscret : explorateur-né !... Contraint à l'immobilité, il a cherché dans l'infiniment petit l'échappatoire que les estampes lui refusaient : il a choisi de visiter tous les univers miniatures contenus dans la boîte jaune qu'il habite, de pénétrer par la pensée chacune des planètes minuscules qui traversent son cube : les fruits, par exemple. Des fruits, en cette fin d'hiver on ne lui en donne pas beaucoup, mais il est quand même entré dans une pomme et dans un pruneau. S'est lové dans un pépin, cloîtré dans le noyau...

Il lui faut de moins en moins de place, de toute façon ; il a réduit son rayon d'action. Dort en habit de voyage, mais ne s'aventure même plus jusqu'à la fenêtre : les fenêtres sont des lieux dangereux — quand Toine Simon parlait d'un homme qui avait « passé la tête à la fenêtre », c'est que l'homme était archimort. Lui, Charles, a de la chance : il ne risque pas de « passer la tête » puisque sa fenêtre, bloquée par un cadenas, ne s'ouvre pas ; mais peut-être y a-t-il des fenêtres qui tuent leur homme à distance ? Mieux vaut ne pas s'en approcher — d'autant qu'à travers la vitre de plus en plus sale (traces de pluie, fientes d'oiseaux) il n'y a rien à voir : un bout de ciel au-dessus des planches, toujours le même quand il fait jour ; et le soir, plus jamais ce halo lumineux, ce reflet doré qui venait de l'appartement d'au-dessus — les femmes n'ont-elles plus de chandelles ? Ne restent que les étoiles ; étoiles qu'il craint désormais : des yeux qui le regardent du fond de la nuit, des yeux, toujours ouverts, qui l'épient...

Finalement, ce qu'il préfère, c'est le tabouret de paille près du poêle (il y reste assis des heures entières, à écouter les flammes ronfler), et son grand, son immense lit. Le reste, commode, secrétaire, fauteuils, il ne s'en sert plus, ne s'en soucie plus : il vit, lui, « l'explorateur », entre un tabouret et un lit. Lit-capharnaüm, poubelle et bateau, terrier, bauge, cher-grand-fond : au milieu, dans le creux de la couette, avec les draps sales, les couvertures plissées et le gros édredon, il s'est fait un tout petit nid. Quelle que soit l'heure, il y retourne, s'y couche en rond. Il lui arrive même, de plus en plus souvent, d'y apporter ses provisions, comme un animal : dès que le panier des cuisines a été posé près de la porte basse par le père Gourlet (les commissaires, qui font du zèle, viennent d'interdire aux garçons-servants de monter), l'enfant — qui ne se donne plus la peine de sortir son couvert du panier, ni de l'installer sur le bureau — attrape le pain, le fromage, et quelques morceaux de viande qu'il emporte avec les doigts pour les manger dans « sa caverne », à l'abri. Ensuite, il s'essuie les mains aux rideaux ou au dessus-de-lit (la cuisine, indépendante des commissaires comme de la blanchisserie, continue pourtant de lui fournir, chaque matin, une serviette propre, au fond du panier, mais il ne s'en est pas aperçu) ; après, il repousse avec soin les miettes et les débris jusque dans la ruelle du lit, prend dans ses bras son oreiller familier et se recouche autour, ramassé en chien de fusil. Il dort, dort encore, et redort. À midi comme à minuit. Est-ce qu'aujourd'hui est hier ?

Néanmoins, il a remarqué la fourmi. C'était un jour où, par extraordinaire, il mangeait sur son bureau ministre : on lui avait apporté une jatte de crème anglaise et un compotier de blanc-manger, il avait besoin d'une surface plane et de sa cuillère d'étain pour y goûter. Sur le maroquin vert, il a vu courir une fourmi. Il n'a pas peur des fourmis noires. Elle est redescendue par le pied de la table, où circulaient déjà des congénères, et s'est dirigée vers la tourelle aux pigeons. Accroupi pour mieux la suivre des yeux, l'enfant a vu passer, sous la porte, de minces colonnes qui processionnaient sur les dalles de pierre et dans les rainures du bois ; jusque sur le bureau, où, courant parmi les restes, elles escaladaient des trognons pourris et se chargeaient de fragments de croissants : la fourmilière et ses œufs devaient être dans la tourelle, hors de vue, hors de portée, mais la chambre était leur garde-manger.

Pour jouer avec les fourmis, pendant quelques jours, l'enfant est sorti de sa léthargie. Il multipliait les expériences : soufflant sur une solitaire pour lui faire passer la frontière en aérostat, la porter, à travers les airs, d'un carreau à l'autre ; ou disposant de menus obstacles sur le parcours d'un bataillon pour l'obliger à emprunter des chicanes ou contourner des redoutes ; écrasant même une innocente à seule fin d'admirer son cortège funèbre : il est le dieu des fourmis.

Il est le frère des fourmis : elles montent sur sa fourchette, grimpent sur ses ongles trop longs, transportent avec soin la farine de miettes qu'entre le pouce et l'index il moud pour elles... Ces fourmis qui lui donnent une compagnie, il ne sait pas qu'elles lui apportent aussi des nouvelles du dehors : au-delà des murs la vie explose, essaime, c'est le printemps ! « Jamais, écrit un témoin, je n'ai vu de printemps si beau que celui de cette terrible année, on eût dit que la nature voulait consoler le monde des crimes de la société. Les promenades nous offraient des bocages enchantés, je me souviens de notre chemin tout ombragé de grands poiriers chargés de fleurs... On ne se faisait point d'illusions : en parcourant ces délicieux vallons, nous nous disions qu'avant six mois nous serions tous morts ; cependant, ces fleurs nous charmaient... »

Est-ce qu'aujourd'hui est encore hier ? Mais non, mon enfant, non : au-delà des murailles, des grilles, des planches, des serrures, on avance.

14

Printemps-été 1794 : des odeurs sucrées, de miel, de menthe, des parfums sauvages jusqu'au cœur des villes. En ce temps-là, entre les maisons, les rues, il y avait des friches et des jardins : lilas, glycines, acacias. De l'humus et de l'écorce, du pistil et de la feuille fraîche. Les murs de la chambre sont jaunes comme les boutons-d'or qui envahissent les talus. Mais le locataire de la chambre ne verra plus de boutons-d'or... Les chaises de la chambre sont rouges comme les pivoines des parterres. Mais le locataire de la chambre n'effeuillera plus les pivoines... Les rideaux de la chambre sont verts comme... Mais le locataire... Séquestration ! Et complicité de séquestration : tous — les gens de l'enceinte, des cours, des maisons autour, de la ville, de la nation — coupables ! Tous ! Complicité de séquestration. Non-assistance à personne en danger. Homicide, avec ou sans préméditation. Coupables ! Et nous, leurs descendants, avec eux : « passe à ton voisin ! », « à la prochaine ! », « au suivant ! »...

« Halte ! dit Dieu. Même moi, dit Dieu, à la troisième génération je passe l'éponge. Relisez mes Écritures : "Je suis l'Éternel, qui punis l'iniquité des pères sur les enfants jusqu'à la troisième génération." La troisième, voilà ce que j'ai écrit : pas une de plus ! Après cent ans c'est le terminus, dit Dieu, je débarque mes haines, débarquez les vôtres, tout le monde descend ! »

Trop tard pour la culpabilité collective, le péché congénital (tout ce que, par parenthèse, on avait voulu faire expier à l'enfant : un passé qu'il ignorait, la faute d'une lignée). Sept générations après le crime, l'Éternel nous invite à arrêter nos comptes : seuls accusés désormais, les contemporains du drame et les familiers du lieu — habitants du grand donjon, du coffre-fort, du silo à paperasses, bref du bâtiment. Quatre étages d'éventuels coupables. Quatre étages, rien de plus. Quatre étages, et encore...

Nous pourrions, par exemple, mettre hors de cause les femmes de la famille, oui, les parentes du petit, celles du troisième, qui occupent l'ancien appartement « de la Veuve » comme on dit en bas : la dernière survivante prétendra plus tard qu'elles n'ont rien su. C'est probable ; et si elles avaient su, elles n'auraient rien pu, c'est certain.

Au quatrième, pas de coupable non plus : au moment où l'on mure la chambre, sous les toits de la Tour il n'y a plus d'occupant. C'était le dernier logement du concierge, Mathey, qui faisait fonction d'économe avec Antoine Simon jusqu'à l'arrivée dans le secteur de Jacques Coru. Lequel est apparu très vite comme plus sobre et plus doué pour les écritures. Mathey avait pourtant témoigné contre « la Veuve » comme on l'en priait, Mathey était « toujours prêt à jurer avec ceux qui jurent, foutre ! », mais il avait perdu sa place ; il vient enfin de vider les lieux, au vif plaisir du nouveau, lui-même déjà menacé de démission forcée... Les économes vont maintenant tourner si vite que l'appartement des combles restera désaffecté ; il sert de garde-meuble. Au quatrième, donc, plus une âme à charger de ce crime en quête d'auteur.

Et au premier ? Ah, au premier, la situation n'est pas facile à apprécier. Après tout, les gens ne font qu'y passer ; pour leur travail. Comme dans la cour. Des allées et venues incessantes. D'hommes différents, qui ne connaissent pas l'enfant, ne l'ont ni vu ni entendu, ne le rencontreront jamais. Par conséquent... Acquittés ? Oui. Au bénéfice du doute.

Quant aux matamores des guichets, des guérites, des corps de garde, soyons honnêtes : on ne leur dit rien ; ils ne comprennent pas grand-chose et finissent même par s'en agacer : *« On ne sait plus ce qu'on garde, ici ! Des pierres, ou quoi ? »*

Reste la salle voûtée du rez-de-chaussée, les hommes de la salle voûtée. Non seulement ceux-là savent bien que l'enfant n'est pas parti avec son « mentor » et qu'il vit seul, mais plusieurs fois par jour ils montent l'escalier, ils entrent dans l'antichambre, ils regardent par la lucarne. Et aucun ne s'interroge sur l'état de ce petit, ses chances de survie ? Personne ne note qu'il ne se lave pas, ne se change plus, mange n'importe comment, bouge de moins en moins ? Ils ont le nez dessus (en tout cas, les yeux), ils sont instruits, et ils ne remarquent pas le dixième de ce qui frappe, à l'autre bout de la ville, une pauvre laveuse, une ignorante comme la mère de Pierrot ?

Je serais curieuse de les entendre, moi, ces messieurs ! De savoir ce qu'ils ont à dire pour leur défense : « Accusés, levez-vous ! » Mais ce n'est pas devant un tribunal de vivants que les morts doivent comparaître : épaisseur, opacité de l'Histoire, empâtement, bavochure des couleurs, dérive des sentiments... Et puis étaient-ils vraiment criminels, ces gens du rez-de-chaussée ? Fautifs sans doute — négligents, haineux, lâches, bêtes à pleurer —, mais assassins ? Il est rare que, même sectaires, même bornés, des hommes ordinaires veuillent faire mourir à petit feu un enfant de huit ans...

Il n'empêche : j'aimerais les tenir à la barre, ces « hommes ordinaires » ! Pas dans le box, d'accord. À la barre. Les entendre comme témoins, rien que comme témoins — « Nom, prénom, âge et qualité ? Levez la main droite et dites "je le jure" ». Les écouter raconter ce qu'ils ont vu, comprendre ce qu'ils ont pensé, voulu. Lorinet, par exemple, ce médecin qui faisait partie de l'équipe chargée de prendre livraison de l'enfant le 19 janvier quand « l'instituteur » et sa femme ont décidé de déménager. Lorinet qui a signé la décharge attestant que le petit était en bonne santé. Lorinet qui, dans les mois suivants, a passé dix nuits dans la maison, est entré une vingtaine de fois dans l'antichambre ou dans la chambre. Lorinet, familier des lieux et du personnel au cours de ce premier printemps. Lorinet, médecin et commissaire politique, commissaire politique mais médecin.

« Nom, prénom, âge et qualité ?

— Lorinet Bernard. Trente-deux ans à l'époque des faits. Officier de santé.

— Jurez-vous de parler sans haine et sans crainte ? Levez la main droite et dites "je le jure".

— Sur quoi ? Sur quoi dois-je le jurer ? Pas sur l'Évangile tout de même !... Alors quoi ? La Constitution ? Laquelle ? La tête de mes enfants ? Je n'en ai pas ! Mes neveux ? Ils sont morts depuis longtemps ! Et même les petits-neveux de mes petits-neveux...

— Être un esprit ne vous autorise pas, monsieur Lorinet, à être un “mauvais esprit” ! N’abusez pas de la situation ! Décrivez-nous plutôt l’allure du petit garçon. En utilisant s’il se peut les dates, les mots d’aujourd’hui, et les temps des vivants — le futur, le passé... Comment était cet enfant quand, pour la première fois, vous l’avez vu le 19 janvier ?

— Rectification : le “19 janvier-vieux style” n’était pas la première fois. La première fois, c’était trois ans plus tôt... Il était mieux logé à ce moment-là, le béni des dieux ! Et habillé comme une gravure de mode ! Il jouait au bout du parc des Tuileries, dans son petit jardin au bord de l’eau. Un jardin que ses parents lui avaient donné pour qu’il s’y amuse à bêcher, à planter ce qu’il voulait. Jardiner est un exercice instructif, et qui préserve du lymphatisme. Comme homme de science, j’y suis favorable. Quand je l’ai vu, le petit poussait une brouette. D’après ce que disaient les badauds — il y avait foule derrière la clôture —, il s’apprêtait à repiquer des salades. Faut-il vous préciser qu’il n’avait pas le costume d’un jardinier ? Joli, d’ailleurs. Bien nourri, ça se voyait, et élevé au grand air. Mais vite effrayé : à un moment des imbéciles ont applaudi, il a couru se jeter dans les jupes de sa gouvernante.

— Et le 19 janvier ?

— Holà ! Pas plus vite que la musique, s’il vous plaît ! Entre cette première fois au jardin et le 19 janvier, jour où, sur instructions, j’ai fermé à clé la petite porte de sa chambre, je l’avais revu. À deux ou trois reprises. Depuis son enlèvement, c’est Antoine Simon, un cordonnier, qui l’élevait, celui qu’on appelait “l’instituteur”, même s’il savait à peine écrire, le pauvre homme !... Par rapport à sa petite enfance notre pupille avait changé : son visage s’était un peu gâté — apparition de la seconde dentition — et son teint avait pâli. Mais toujours de beaux cheveux blonds, très épais. Et une espèce de grâce dans les mouvements... Pas bien grand pour son âge, pourtant. J’ai même demandé sa taille aux deux vieux. Il n’avait pas encore déboulé : un petit ventre rond, un corps potelé. Il faut dire que cette pauvre femme, la Marie-Jeanne, le gavait comme une oie ! C’étaient des gens simples — pour eux un seul remède à tout : manger, manger beaucoup. On a beau leur expliquer que leurs enfants ont davantage besoin de bon air que de tourtes et de pâtés, on prêche dans le vide ! Enfin là, je reconnais que, pour ce qui est du “bon air”, la situation était un peu particulière... Ah, j’oubliais : pas toujours souriant, votre protégé. On le disait gai, bavard, mais avec moi bernique ! Est-ce qu’il me reconnaissait d’une fois sur l’autre ? J’en doute : trop de visites. Regardez le registre : rien qu’entre ma garde du 19 janvier et la suivante, au 15 février, il avait vu quatre-vingt-huit commissaires, ce gamin ! Quatre-vingt-huit en trois semaines ! Avec des visages et des noms différents ! Un sacré défilé !

— Les avait-il vraiment vus, ces “municipaux”, ou avait-il été vu par eux ? Savez-vous combien de ces gens avaient fait le grand tour pour entrer dans sa chambre, et combien s’étaient bornés à jeter un coup d’œil par le regard vitré de l’antichambre ?

— Comment le saurais-je ? Il n’empêche qu’il devait au moins voir des employés permanents. Et des artisans : il en circulait du matin au soir, dans ce bâtiment ! En tout cas, le 19 janvier, le mistigri ne m’a pas reconnu. De toute façon, il n’avait pas l’air de bonne humeur. Peut-être inquiet ? N’a pas lâché un seul mot. Il est vrai que nous ne lui avons pas parlé non plus...

— Et les visites suivantes ?

— Je suis revenu chaque mois de “la première année”. Eh bien, je n’ai jamais vu, jamais, vous m’entendez, cet enfant en mauvaise santé ! S’il avait été malade, vous pensez bien que je l’aurais signalé ! Comme je dis toujours, je ne vois pas de patriotisme là où je ne vois pas d’humanité. Et puis, je suis un médecin, bon sang de bois, pas un monstre ! Notre otage avait minci, d’accord, mais ça ne lui allait pas plus mal. À mon sentiment, il...

— “Sentiment” est-il le mot juste, monsieur Lorinet ?

— Qu’est-ce qu’il y a, à la fin des fins ? Vous me cherchez noise ? Vous voulez que je témoigne ? Ou pas ? Si la cause est jugée, je peux m’en aller ! Un fantôme, c’est libre comme l’air ! Un pet sur une toile cirée ! On m’asticote, pfuitt, je disparais ! Suis-je clair ? Bon, je reprends : à mon sentiment, sen-ti-ment, le gosse allait bien et prenait de la taille. Aminci, mais pas amaigri. Enfin c’est l’impression que j’ai eue la seule fois où “Monseigneur” a daigné descendre de son lit : il s’est levé au moment où j’entrais. Il devait être sur les dix heures, il venait de se coucher, il s’est relevé.

— Était-il propre ? Ses vêtements, ses cheveux ?

— Qu'est-ce que j'en sais ? Je ne l'ai vu qu'à la lueur de sa bougie, celle qu'on lui laissait pour dîner, enfin ce que vous appelez le dîner. Elle était posée sur la console, et, comme vous savez, cette console était auprès de la petite porte d'entrée, loin du grand lit... À cette distance je ne pouvais pas voir si son linge était blanc ! Il avait l'air drôlement attifé, c'est vrai, mais puisque c'était sa tenue de nuit... Quant à ses cheveux, je ne les ai pas vus : il portait un bonnet. Ensuite, comme chaque fois, j'ai dormi au rez-de-chaussée ; et le lendemain je ne suis pas remonté ; parce que les marches, dites donc... Cent douze, rien que pour le deuxième ! Ce n'est pas moi qui les ai comptées, c'est un confrère, le docteur Thierry — un vrai médecin, lui, diplômé de la Faculté, qui soignait les maréchaux, pas les pousse-cailloux, et un monsieur du meilleur monde... Malgré ça, bon Français et bon médecin. J'ai vu la lettre qu'il avait jointe à sa dernière note d'honoraires : il ne voulait plus faire de visites, à cause des cent douze marches — pas une de moins, il le soulignait : cent douze, sept étages de votre époque, oui madame, et dans un escalier à vis, encore ! Et je ne parle pas des sept guichets, des verrous par volées de quatre, ni des deux heures de formalités pour entrer et sortir de l'enceinte !... Moi, je montais dans le perchoir dès que je prenais mon service, vers les neuf, dix heures du soir ; je redescendais signer le procès-verbal ; et, le devoir accompli, je laissais mes collègues accompagner Jérôme, une arsouille entre nous, incapable de grimper l'escalier sans trébucher, ou Gourlet, un nouveau — Monier, malade, avait dû démissionner. Une fois le registre paraphé, il n'y avait plus d'obligation à escorter les garçons de cuisine et les porte-clés : montait qui voulait... Mes deux journées, je les passais en bas, jusqu'à la relève. J'avais mes habitudes : l'été, les cent pas dans la cour, un petit tour à la buvette du père Lefebvre pour jauger le moral des soldats, et un banc au soleil, près de la loge du portier ; l'hiver, le coin de la cheminée, avec un petit gobelet d'eau-de-prune — un bon remède contre les flatulences, contre la corruption de l'humeur transpirable, et mon seul vrai bonheur dans ces vingt-quatre heures de corvée... Parce que personne ne venait dans cette bâtisse pour son plaisir, figurez-vous ! Le rez-de-chaussée était d'un inconfort ! Rien que les lits, tenez : il y en avait quatre, occupés nuit après nuit par des gens qui ne se connaissaient pas et qui en principe, je dis bien “en principe”, ne se reverraient jamais : une précaution de nos chefs. Bref, on avait beau garnir nos paillasses de bons draps, moi, après y avoir attrapé la gale, j’y regardais à deux fois avant de m’allonger ! J’ai interrogé l’économe...

— Lequel ? Comme on craignait le coulage et le cumul, on les faisait valser...

— Possible. Normalement, nous, en bas, nous n’avions pas plus affaire aux économes qu’aux cuisiniers ; à part un ou deux garçons d’office qu’on apercevait au moment des repas et les porte-clés, on ne voyait aucun des “permanents” ; ce bonhomme-là — Coru ou Lelièvre, je ne sais plus —, je l’avais déjà vu à l’Hôtel de Ville, mais c’est par hasard que je l’ai recroisé dans une cour de la maison... Les draps, en tout cas, il m’a assuré qu’on en lavait plus de trois cents par mois, sans compter les mille cinq cents serviettes ou torchons ! Les toiles du rez-de-chaussée, on nous les changeait deux fois la semaine. Rien à redire sur le principe. Sauf que, dans nos quatre lits, venaient coucher toutes sortes d’hommes ; même des traîne-misère, si contents d’être nourris qu’ils se portaient volontaires plus souvent qu’à leur tour ! Tous égaux devant la Loi, c’est mon catéchisme ; oui, mais le problème, c’est que, dans un lit, un indigent compte pour plusieurs : ces pauvres diables ne venaient jamais seuls, comprenez-vous, ils amenaient leurs “habitants”, poux, puces, punaises... Et je ne vous parle pas de leurs éruptions miliaires, ni de leurs catarrhes glaireux ! Par la suite, je dormais assis ; assis à la table, la tête dans les bras : dans mon métier on ne badine pas avec l’hygiène.

— Justement. N’avez-vous pas été frappé par l’odeur qui émanait de la chambre ?

— L’odeur ? Quelle odeur ? Des odeurs dans ce bâtiment, il y en avait de toute espèce ! Et pas des meilleures ! D’abord, la fumée. Qui vous prenait à la gorge, sitôt entré. Au rez-de-chaussée et au premier, pour se désennuyer tout le monde pétunait — chacun sa bouffarde et son tabac —, et comme par-dessus le marché les cheminées tiraient mal (les conduits avaient été bricolés à la va-vite par Firino qui s’en mettait plein les poches), on sortait de notre tour de garde plus enfumés que des jambons !... Sans rien dire de l’odeur de moisi qui montait des paillasses et des édredons à cause de l’humidité ! Ah, pour être humide, elle était humide, cette bâtisse : il suffisait de la chauffer pour voir l'eau sortir des murs et se condenser sur les carreaux ! Les gouttes roulaient sur les vitres... Un désastre pour les pulmoniques ! Et les latrines à tous les étages, vous croyez qu'elles sentaient bon, les latrines ? Là encore, faute de temps, les maçons du père Santot n'avaient pas fait du beau travail : des fosses trop petites et des tuyaux trop étroits. Résultat ? Des engorgements, qui remontaient jusqu'aux sièges d'aisance ! Bon, on n'est pas médecin sans avoir le nez aguerri, il n'empêche que, certains jours, l'odeur qui refoulait de la tourelle était si dégoûtante que je craignais de m'en approcher ; le méphitisme n'est pas une légende, certes non ! Des hommes de science en ont apporté la preuve. Moi, j'avais peur de crever asphyxié sur place si je m'enfermais dans ce réduit ! Il faut croire que je n'étais pas le seul à avoir ce genre d'idées : bien des collègues préféraient pisser dans les cheminées plutôt que d'entrer dans les commodités et d'y "rester" ! D'ailleurs, je ne connais rien de meilleur pour la santé que de pisser dans le feu, il communique aux entrailles un principe sulfureux très actif — dépuratif et astringent... La difficulté, c'est de bien viser ; parce qu'on pisse dans la flamme, on pisse dans la cendre, on pisse sur le jambage, et pour finir on pisse sur le carrelage ou sur le parquet ! Alors là, au bout d'un moment, pour ce qui est de l'odeur...

— Revenons aux faits, s'il vous plaît, monsieur Lorinet. Certains visiteurs extérieurs, et même un ou deux de vos collègues du rez-de-chaussée, ont fait état — tardivement, je vous l'accorde — de l'odeur infecte, pénible, que dégageait dès avant l'été la chambre de l'enfant : apparemment, eux ne l'avaient pas confondue avec l'odeur du tabac !

— Oui mais, vous venez de le dire, ils témoignaient vingt ans après ! Les bons apôtres ! Quand la vérité sort enfin du puits, il est facile de prétendre qu'on allait l'en tirer !... Et puis les "visiteurs" comme vous dites, ces citoyens tout emplumés, inspecteurs de ci, directeurs de ça, qui nous ont laissés faire le sale ouvrage au nom de leurs principes, et viennent ensuite s'en laver les mains au nom de l'humanité, moi je leur...

— Odeur ou pas odeur ?

— Je ne sais pas, là ! Vous êtes contente ? Non, honnêtement, je ne sais pas... De toute façon, avant d'empuantir une pièce de dix mètres sous plafond... ! Et puis, les dernières fois, comme j'arrivais tard et que le petit dormait, je ne voulais pas le déranger, je n'ai plus cherché à entrer : juste un coup d'œil par "le jour" au-dessus du poêle. Notre otage était là ? C'est bon, je redescendais signer.

— Pour aller jusqu'au regard il fallait tout de même traverser l'antichambre : deux témoins assurent qu'à l'été l'odeur de la chambre avait envahi l'antichambre et gagné jusqu'au corridor de l'escalier, creusé dans l'épaisseur du mur. Dès qu'on ouvrait la porte en fer, la puanteur prenait à la gorge...

— Je ne sais pas, je ne sais plus !... Après tout, il n'avait qu'à se laver, ce gamin ! Et vider ses ordures et balayer sa chambre ! Il avait huit ans, non ? et il n'était pas manchot !

— Se laver, balayer... Êtes-vous sûr, monsieur Lorinet, qu'on lui en donnait les moyens ?

— Non, je n'en suis pas sûr ! Non ! Et je m'en moque, figurez-vous ! Je faisais mon travail, un point c'est tout, et mon travail c'était de vérifier la présence de l'enfant et de surveiller les entrées. Pour le reste, on ne manquait pas d'employés dans ce bâtiment, trente au début, et encore une bonne quinzaine la deuxième année : porte-clés, garçons de cuisine, économe, est-ce que je sais ?

— Lequel d'entre eux, selon vous, était chargé de veiller sur la propreté et la santé de l'enfant ?

— Qu'est-ce que vous voulez me faire dire ? Je ne suis qu'un médecin de deuxième catégorie, mais je ne suis pas un imbécile ! Ce que vous espérez entendre, hein, c'est que personne n'avait mission de prendre soin de l'otage ? Mission spécifique, explicite ? Eh bien, oui, soyez satisfaite : personne. Voilà. C'est un fait. Personne... Mais à l'époque je ne me suis pas posé la question : comment imaginer que, depuis le départ des Simon, on n'avait pas chargé un seul individu de s'occuper du gamin alors qu'on était si nombreux dans l'enclos ! Plus de deux cents hommes entre l'enceinte, les tours, le corps de garde... Deux cents ! Seulement les tâches étaient divisées. Compartimentées à l'excès : pour l'un le registre à tenir, à l'autre les cartes de sûreté à tamponner, à un troisième les assiettes à laver, au quatrième le bois à rentrer, au cinquième les fusils à graisser, et ainsi de suite... Pour prendre une comparaison médicale, je dirais qu'on fonctionnait comme les organes très efficaces d'un corps hydropique et privé d'encéphale, *adipeus corpus sine conscientia*. Personne n'avait, disons, une vue d'ensemble...

— Pas de responsable ?

— Non... Du moins, pas de responsable présent sur les lieux. Pas d'individu capable de voir et de...

— De sentir, oui... Si je comprends bien, aucun des délégués de passage ni des employés à poste fixe n'aurait osé — hors de sa compétence stricte — remarquer, ou faire remarquer, ce qui crevait les yeux et sautait au nez ?

— Deux ou trois commissaires, à ce qu'il paraît, s'étaient permis de faire des critiques, des réflexions. À propos du petit, justement. Disant qu'il était mal élevé, maltraité. Aussitôt ils avaient eu des ennuis... Je crois même qu'une ou deux fois, c'est l'enfant qui les avait dénoncés. Ça ne poussait pas les autres à se mêler de ce qui ne les regardait pas.

— Entre vous, en bas, vous ne parliez donc jamais de ce qui se passait au-dessus ?

— Ah ça, il valait mieux éviter le sujet ! On n'était pas assez sûr de ce que chacun en pensait !... D'ailleurs, dans la salle du rez-de-chaussée, qu'on appelait aussi la "chambre du Conseil", on ne tenait pas de longs discours : "Encore un verre ?" ou "Y a des clients pour une coinchée ?". Primo, on ne se connaissait pas — c'était la base du système, aussi bien pour les gardes nationaux que pour les commissaires municipaux : on venait tous d'endroits différents, et pour un ou deux jours seulement. Même du côté des professions, des "origines sociales" comme vous diriez, on n'avait pas grand-chose en commun. Pas rare de trouver dans la même fournée un homme de loi, un plâtrier, un chirurgien, et un commis-bonnetier. Alors, pour la conversation... Sans compter qu'il aurait encore fallu distinguer entre les volontaires, les vrais, et les "désignés" : ceux que, faute de candidats, on nommait par ordre alphabétique parmi les deux cent quatre-vingt-huit membres du Conseil. Des zigues qu'on devait, plus d'une fois, ramener entre deux gendarmes ! Secundo, madame la Juge, secundo nous n'avions pas les mêmes idées...

— Pas les mêmes idées ? Vous vous fichez de moi, Lorinet !

— De loin, de très loin, on pouvait considérer que nous étions tous du même bord. Mais, vu de près, ce bord-là avait plus d'une lisière, croyez-moi ! Nous étions de la même Église, pas de la même chapelle ! Entre les “exagérés” et les “indulgents”, il y avait un monde ! Et je ne vous dis rien des “endormeurs” ou des “enragés” ! Quant au centre, il était glissant... Dès que les événements se précipitent, le centre devient fuyant ! D’ailleurs, même ce centre en perpétuel mouvement était divisé en factions ; et d’une tendance à l’autre on ne s’épargnait guère ! Pas de pires ennemis que des amis politiques : c’est vrai en période de paix, alors en période troublée !... Car nous étions en guerre, je vous le rappelle : guerre extérieure, guerre civile, guerre économique, guerre partout. Espionnage, suspicion, corruption, trahison : à l’intérieur même de nos sections, de nos sociétés fraternelles, c’était dénonciation sur dénonciation ! Une épidémie ! J’aurais voulu que vous lisiez les lettres que recevaient les clubs de quartier et les comités de surveillance — des lettres signées, mais très anonymes de style et d’orthographe ! Tenez, voici un échantillon, la lettre d’un épicier de ma rue contre son voisin, un “ami” dont il “partageait les idées” : “... *Alors jé dis à Brutus Lacroix pour quoy a tue fais prendre un arrêté à la samblé général quil y avet de largent de moin puisque voilà trente trois francs qui me reste, Lacroix me repon je le savet mais ces pour partagé entre nous et fère un bon diné. Non celement je nan né pas mangé ma pare pasque en bon citoïen je voulue le déclaré à la samblé général mais Lacroix ma bien fait taire carre il mauré dénonssé incarséré. Je sertify que je nantant inculpé dans cette Déclaration que Lacroix qui doit savoir ou est passé cette sommes après la rendision du compte. Si tu veux deautre ranceignement, Président, tu na qua me faire demandé...*” Vous voyez le genre ? Inévitable dans les grands moments de l’Histoire ! La prose des sommets ! Je parie que, sur la fin, on s’exterminait plus entre nous qu’on ne détruisait d’adversaires ! J’ai moi-même écopé de quatre mois de prison... Bien content encore de m’en tirer à si bon compte ! Les trois autres commissaires qui, le 19 janvier, avaient donné avec moi décharge du “diamant de la Couronne”, dont Lasnier, un homme d’affaires avec qui j’avais déjà pris la garde quatre fois pour cause d’alphabet, tous les trois y sont passés ! Envoyés à la mort par leurs amis de la veille ! Alors l’enfant, au milieu de tout ça...

— Je vois en effet que vous avez été arrêté le 29 juillet, et que, même après votre libération, vous n’avez plus mis les pieds dans la salle du rez-de-chaussée : vous n'y auriez pas été persona grata, je suppose ?

— Pour ça non ! Ma faction avait disparu, nos chefs étaient "expédiés" : en deux jours, ils avaient tous "craché dans le sac" ! Ajoutez que les nouveaux maîtres ont aussitôt changé l'administration de la maison : ils ont nommé un responsable unique qui vivait sur place, une espèce de coordonnateur, exactement ce qui nous manquait.

— Je constate pourtant que cela n'a rien changé au sort de l'otage ; ou pas avant longtemps. Peut-être une question de sensibilité ? Je parle de sensibilité politique, naturellement... Christophe Laurent, le nouveau, était un habile qui avait su prendre le virage, mais il ne semble pas, à la lecture du dossier, qu'on puisse le qualifier de modéré : est-ce qu'il n'avait pas essayé de faire condamner à la déportation un garçon de douze ans pour avoir écrit sur un mur trois mots imprudents ? Je vois par ailleurs que Laurent était célibataire. Âgé de vingt-quatre ans. Du coup, pour ce qui est des enfants, de l'attention aux enfants...

— Ah vous êtes bien femme, quoique vous vous mêliez de juger ! *Tota mulier in utero !* Les Anciens avaient raison ! Toujours des affaires de ventre et de sentiments ! Je vous ai lue : "Au commencement était la haine"... Du délire ! Le rouge, le jaune, le rose... ! "Au commencement", ma chère dame, il n'y avait ni haine ni amour : votre "innocent", je ne le haïssais pas, il ne m'intéressait aucunement mais je ne le haïssais pas. Laurent, qui était un homme prudent, clerc d'avocat, fils de petit commerçant, ne devait pas non plus s'abandonner à la haine trop souvent. C'était un pragmatique, Laurent. Assez malin pour changer son fusil d'épaule, et autant de fois qu'il le faudrait ! En vérité ce qu'il y avait "au commencement", ce n'est pas la haine, c'est le règlement ! Du gris, madame, un style terne, du papier sale, des chiures de mouche : fin juillet, après la chute du Dictateur — oui, c'est comme ça qu'il fallait l'appeler désormais, celui qui avait été l'âme de notre gouvernement ! —, fin juillet on avait changé les hommes, on n'avait pas changé les instructions. Un oubli ? Ça se peut. Les ordres, en tout cas, c'était toujours "défense de parler à l'enfant", "interdiction de le laisser apercevoir, de le changer de chambre, de le réunir avec sa sœur" ; silence, isolement, pas de papier, pas de crayon, pas de ciseaux, et toujours clés, abat-jour, barreaux : *"tenir la chambre bien close et bien grillée"*, *"montrer la plus grande sévérité de manière à prévenir même l'apparence d'une possibilité d'évasion"*, c'étaient les formules qu'on se transmettait de commissaire en commissaire. Avec ça, la marge du nouveau était limitée !... Allez, récrivez vos premiers chapitres : au commencement était l'Indifférence ; et l'Indifférence était le chaos ; alors vint le Règlement — le décret, l'arrêté, la circulaire, le mode d'emploi, la directive, l'instruction, la consigne, le commandement, l'injonction, et pour finir, ah, pour finir, la routine... Ne sous-estimez pas la routine, madame la Juge ; c'est notre cœur, notre poumon, tout ce qui fonctionne sans l'intervention du cerveau, de la volonté, sans même qu'on ait à y songer : *magna vis est machinae*, quel repos ! La force rassurante de l'habitude : "le service sera fait en la manière usitée", tout est dit... Ni négligence ni goût du sang ; rayez votre premier laïus et écrivez, je dicte : "Au commencement était le Règlement." Vous hésitez encore ? Mais, nom d'un petit bonhomme, rappelez-vous : "défense de toucher à l'arbre de la Connaissance", c'est au commencement, ce machin-là, et c'est le règlement ! L'ennui, voyez-vous, avec le règlement, c'est que, quand il est au commencement, on le retrouve à la fin ! Obéi sans discussion : indiscutable, c'est son essence ; indiscutable, donc indestructible, *ergo etiam* é-ter-nel !

— Jolie diversion, monsieur Lorinet, mais revenons au concret : le "règlement" prévoyait-il qu'en hiver l'enfant passerait seize heures par jour dans l'obscurité ? Le "règlement" interdisait-il de lui donner de la lumière ?

— Mais il en avait, de la lumière ! Si je montais sur les neuf heures, avant son dîner, je trouvais souvent son réverbère allumé — vous savez, cette grande lanterne dans l'antichambre... Ceux qui prétendent le contraire mentent comme des arracheurs de dents ! Ils n'ont rien vu par eux-mêmes : moi j'ai vu, et j'ai vu que je voyais !

— Taisez-vous, Lorinet ! Maintenant c'est vous qui mentez ! Vous mentez quand vous prétendez n'avoir rien su de l'odeur parce que, passé mars ou avril, vous n'auriez plus ouvert la porte de la chambre : j'ai la preuve que vous y êtes entré le 27 juillet, enfin le 9-Thermidor si vous préférez ! Et pour la lumière, vous mentez aussi ! C'est en septembre, vous m'entendez, septembre seulement, qu'on a, pour la première fois, fourni une lampe à l'enfant... »

Sur la chambre, « la cage », j'ai tout lu : factures, procès-verbaux, témoignages.

Tardifs, les témoignages, c'est vrai — là-dessus, Lorinet a raison : tardifs et confus, bien entendu. Dans cette affaire, à deux ou trois exceptions près, c'est à la génération suivante que les langues se sont déliées. Trop commode : vingt ans après, plus de crime pénal, de coupable légal, tout juste quelques mauvais rôles — extinction des poursuites, effacement des souvenirs. Oubli, mensonge : quand enfin on a parlé, on n'a parlé que pour tromper, et embellir surtout — amplifier, orner, même l'horreur. Pour se faire pardonner les désinvoltures du passé, certains en ont rajouté dans le mélo, ont fait du roman rose avec du noir — noir bonbon...

Dieu merci, les écritures sont plus fiables. Les gens d'alors n'avaient pas inventé la fausse facture : leurs additions manquaient d'imagination. Année après année, les marchands et leurs comptables, sans états d'âme, souvent sans orthographe mais toujours sans délai, ont dressé la liste de ce qu'ils avaient à vendre et à gagner. Pour eux rien à perdre, donc rien à cacher. Dans ce temps-là, le commerce et l'artisanat étaient la providence de l'historien et du magistrat. Deux et deux faisaient quatre, pas moyen de biaiser.

Prenez par exemple, à l'entrée de l'hiver, le relevé de ce brave Firino : « *Fourni un nouveau poêle à carreaux mosaïques, mis en place les tuyaux dudit poêle dans la traverse...* » Ou bien en février, huit jours après la chute de neige et la pluie d'étoiles, le livre de comptes des sœurs Clouet, qui ont lavé pour l'enfant « *trois bonnets de coton, quatre chemises, trois mouchoirs, une serviette* ». Ou encore, après neuf mois d'obscurité, de terreur, de loups et d'ogres, cette facture soudaine — et ô combien éclairante ! — d'un dénommé Briet, « illuminateur » de son état : « *fourni au petit C. une lumière pendant trente jours, à raison de dix sous par jour* ». Oui, sa première lumière au bout de neuf mois de tunnel ! Dans ce lointain pays qu'est notre passé, le soleil se couchait à quatre heures (almanach de l'année), la nuit d'hiver commençait à tomber deux heures plus tôt ; le moment du dernier repas de l'enfant ayant sans cesse été repoussé (huit heures, puis neuf, puis dix), il attendait pendant six heures, dans le noir total, les quelques minutes au cours desquelles on lui laisserait une chandelle, le temps d'avaler sa soupe et ses châtaignes. Aussitôt après, et pour huit heures encore, l'ombre du tombeau.

« Il mourait de peur » : de toute la prose inspirée a posteriori par le sort du petit, ces trois mots-là sont les plus vrais. Il mourait de peur. Avec la facture de Briet, pas moyen d'en douter. Lorsqu'il s'agit d'approcher la vérité, on peut se fier aux épiciers : « la Maison Briet ne fait pas de crédit », mais moi je fais crédit à la Maison Briet ! Quant aux dénégations de partisans qui n'ont jamais fourni que des « sentiments » et des « idées », deux denrées au cours incertain, je les prends comme il convient : avec des pincettes. Lorinet par exemple, un homme intelligent de son vivant, soi-disant même *« un des patriotes les mieux désabusés sur le compte des hommes »* ; eh bien, ce fanatique déçu fait un fantôme décevant, une âme butée, un revenant qui ne me « revient » pas ! Mais j'en tiens d'autres : « Nom, prénom, âge et qualité ?

— Arnaud. Petit nom : Bertrand. Cinquante-cinq ans à l'époque de... du chambardement. Natif de Tignes, département du Mont-Blanc. Personne connaît : c'est trop haut là-bas, avec trop de neige. J'y suis jamais retourné. Je me rappelle que le blanc. Profession ? Savoyard. Enfin, ramoneur. Chez nous, ceux qui devenaient pas colporteurs ou curés, marchands d'orémus quoi !, ils se faisaient ramoneurs. Mon père remontait chez nous que tous les trois ans, au printemps. Il engrossait ma mère d'un marmot qu'il verrait que trois ans après, et il repartait à la fin de l'été en emmenant celui qu'il avait planté deux voyages plus tôt... J'ai commencé dans la ville de Nantes, avec mon frère Jean-Michel qu'avait douze ans. J'en avais neuf. Un bandeau sur les yeux pour me garantir de la suie. Je me rappelle que le noir... Mais à cinquante-cinq ans, quand on m'a nommé commissaire de la Commune, sûr que je grimpais plus dans les cheminées ! Sitôt que j'ai été trop râblé pour me faufiler dans les conduits, j'ai fait Savoyard-savoyard, enfin coursier comme vous dites maintenant : heureusement que je m'étais appris à lire ! Puis, sur la fin, je me suis mis dans le commerce : les bois et charbons...

— Après avoir décrassé les cheminées, vous les encrassiez ? Passer de l'enlèvement des déchets à leur production est un signe de promotion dans la société d'aujourd'hui. Était-ce la même chose à votre époque ?

— Ben, ça, je peux pas dire... J'ai pas assez étudié.

— Bon, parlons un peu de la vie que vous meniez au moment des faits. Votre affaire marchait bien sans doute, vous aviez du personnel, puisque vous n'éprouviez aucun mal à vous libérer : vous avez laissé sur le registre des signatures qui prouvent que vous veniez régulièrement dans la salle du rez-de-chaussée : deux jours par mois, minimum, et tous les mois depuis un an.

— Oui... Mais c'est pas que mes affaires marchaient tellement. Au contraire : j'avais du temps de reste ! J'étais qu'un petit débitant, j'aurais pas dû me mettre à mon compte, j'avais trop de dettes... Un Savoyard, il a beau risquer sa vie dix fois par jour pendant quinze ans, à cinq sous la cheminée c'est rare qu'il ait mis de côté pour sa vieillesse ! Faut dire aussi que c'est rare qu'il ait une vieillesse ! Mais, justement, je voulais que ça change ! Y avait trop d'injustices ! Les bas-de-soie buvaient notre sueur, et notre sang ! Pour nous autres, les petits, fallait du changement, ah oui, foutre ! Je sais pas, moi : qu'on remette un peu de blanc dans le noir ? Hein, pourquoi pas ?

— En somme, c'était par conviction que vous preniez si souvent le service dans la chambre du Conseil ?

— Par quoi ?

— Euh... Parce que c'était vos idées.

— D'un sens. D'un sens, oui. Et puis fallait bien qu'il y en ait qui se dévouent. Alors, comme je suis célibataire...

— Est-ce qu'il y avait beaucoup de pères de famille parmi les commissaires, ceux que la Commune envoyait à la Tour comme gardiens ?

— Guère. Plutôt des célibataires, des veufs, des hommes qu'avaient pas d'enfants... Les autres auraient pas pu venir comme ils voulaient. Et puis, pendant le service, on perdait nos jours de travail. Aurait fallu quelque émolument ! Quand je pense que ces Jean-foutre de députés empochaient dix-huit francs par jour ! D'accord, nous, on était nourris, et bien nourris — côté pitance, c'était du pareil au même que le marmot — mais le fricot que vous avez avalé, il nourrit pas votre famille !

— Je me suis laissé dire que vous buviez aussi quelques bons coups...

— Question de ça on pouvait pas se plaindre ! Même le père du gamin, tant qu'il a vécu, on y a laissé vider ses deux, trois bouteilles par jour, jamais on n'a voulu le priver là-dessus... Mais moi, le rogomme et le tord-boyaux, j'en abusais pas. Parole !

— D'après les comptes du cuisinier et des deux marchands de vin, il entrait chaque semaine dans le bâtiment — enfin dans l'enceinte — cinq à six cents litres de bourgogne, chablis ou autres, reçus en tonneaux ; cinquante bouteilles de bordeaux ; six à sept cents bouteilles de rouge ordinaire ; et trois cents bouteilles de blanc — du suresnes, probablement. Sans parler de la bière, des liqueurs, ni de l'eau-de-vie, dont l'épicier Estienne livrait quatre-vingts à quatre-vingt-dix litres par mois.

— Ho ! Ces élixirs, ils étaient pas tous pour le gosier des commissaires ! Y avait aussi la garnison !

— La garnison n'était pas nourrie, à l'exception de l'état-major, des quatorze canonniers, et de la trentaine de gardes nationaux qui se succédaient par roulement dans le dortoir du premier. Les autres se plaignaient de devoir apporter leur pain ou prendre pension dans les auberges du coin. Et quand ils buvaient un coup, c'était à leurs frais, chez le père Lefebvre, dans la cour d'entrée. Donc, même en tenant compte des quatorze employés permanents du bâtiment et des trois ou quatre "locataires", il n'y avait qu'une soixantaine d'hommes à désaltérer. Faites le calcul : à raison de quatre litres de vin et spiritueux par personne et par jour, ils ne risquaient pas de mourir de soif...

— Je sais pas. J'ai jamais bu plus qu'une chopine pendant ma garde.

— Je vous crois, monsieur Arnaud, ce qui signifie que certains de vos amis buvaient plus que les quatre litres en question... Ils ne devaient pas avoir les idées trop nettes. Ni monter souvent l'escalier !

— Tout ça, faut que je vous dise : c'était rapport à l'ennui ; voilà la cause du pourquoi ! Au commencement pourtant, je peux pas dire qu'on s'embêtait : le nommé Simon, Simon Antoine, du temps qu'il était officier municipal il nous avait fait mettre un billard au premier, dans la Petite Tour où, depuis la salle du Conseil, on passait sans sortir, par le bas de l'escalier : ni vu ni connu. Ah, mes amis, on y a fait de ces parties ! Et que je te coule, je te double, je te bloque, je te colle !... C'est là qu'en passant l'automne j'ai bien connu le galopin ; parce que le nommé Simon, il...

— Un instant, monsieur Arnaud, c'est peut-être à l'automne en effet, et dans la salle de billard, que vous avez "bien" connu l'enfant, mais vous le connaissiez — connaissiez "tout court" — longtemps auparavant : vous aviez fait partie de l'équipe de six hommes qui l'avait enlevé à sa mère.

— Oh, doucement les basses, je suis pas un bohémien, moi, j'enlève pas d'enfants : je demande juste qu'on me les donne ! Pour ce coup-là j'exécutais un ordre du sommet, de ce qu'il y avait de plus haut : le Comité de salut public. J'avais été commandé de service comme "magistrat municipal" ? j'avais l'écharpe, le mandat et le tout ! C'est même moi qui l'ai lu, l'arrêté : lecteur-secrétaire, qu'on m'avait nommé !

— Votre jour de gloire ?

— Espérez pas que je serai si bête que de vous dire que j'en suis fier ! Vu que c'était de la sale besogne... D'abord ça se trouvait de nuit, et le galopin dormait. Puis sa putain de mère s'est mise à beugler, ce qui fait qu'il s'est mal réveillé : il avait l'air tout écarquillé, pareil qu'un hibou qu'on sort du trou. Sur quoi, voilà sa mère partie à tourner autour du lit, en étendant les bras pour nous défendre d'en approcher : une tigresse ! Alors, parbleu, tout ce mouvement, ça l'a apeuré, le petit ! Il s'est mis à crier, à pleurer... Nous a fallu plus d'une heure d'horloge, vous m'entendez, une heure de menace et de parlement pour que sa mère et sa tante, ces deux faces de carême, se décident à l'habiller — et en deuil encore, de la tête aux pieds, un vrai croque-mort, que ça faisait peine ! Et lui qu'arrêtait plus de se débattre et de brailler "Maman !" à nous faire sourd ! Deux de mes collègues — un nommé Devèze, charpentier, demeurant rue de la Pépinière, et Véron, le parfumeur — en suaient à grosses gouttes : dame, on est pas de bois ! Ah si j'avais dû, moi, à neuf ans, faire tout ce charivari quand j'ai quitté ma mère pour les vallées ! Quitté mes deux petits frères que j'ai jamais revus depuis, jamais ! Faut croire qu'un enfant du peuple, c'est tout de suite un homme... Non, ce soir-là chez la Veuve y avait trop de larmes, trop de sensibilité dans l'air : avec le garnement on aurait pas pu s'envisager pour de bon et faire amitié.

— Ce fut donc à l'automne...

— À l'automne, oui. Quand Toine Simon, qu'était devenu son instituteur, le descendait du deuxième tous les après-midi. Parce que, question billard, c'était un enragé, l'instituteur ! J'y ai connu que trois passions : le billard, la boisson, la Nation... Mais je crois bien que c'était le billard la plus forte des trois ! Des heures qu'il y restait, dans la Petite Tour ! Pendant qu'il poussait la bille, le marmot passait de bras en bras. Il pleurait plus sa mère, je vous le garantis ! Il a même jamais su, à mon avis, qu'elle avait, comme qui dirait, "passé la tête au guichet" !... Il avait des jolis petits costumes bleus ou jaunes, et des joujoux. Il riait avec nous. On z'y apprenait des bêtises, des chansons. J'y en avais appris une belle, tiens, dans le langage de la Halle, sur l'air d'"avec Manon". Et faut voir comme il la répétait, notre oiseau ! Une mémoire ! Et le ton, par-dessus le marché ! Il nous la redonnait, ce polisson, aussi bien qu'un comédien : *"Y croit comme ça que sans violon / Y nous fera danser le rigaudon ! / Arrêtez donc c't hanneton qu'a une paille au cul qui l'étrangle ! / Car j'sommes des chiens / À coups de pied, à coups de poing / J'vous casserons la gueule et la mâchoire !"* Ah, ce couplet, il lui plaisait, surtout "la paille au cul" ! Plus tard, nos amusements, qu'étaient pourtant bien innocents, ont été dénoncés par cette viédasse de Coru ! Ah, le foutriquet d'économe ! Le ventre-pourri ! Ceux du Conseil général nous ont démonté le billard, ils ont fermé la salle en disant qu'on faisait la noce, qu'on ripaillait, et qu'on respectait plus le règlement. Là-dessus, ils ont défendu à l'instituteur de descendre de son perchoir. Par le fait, on a plus vu le galopin. Mais on l'entendait encore qui chantait derrière sa fenêtre pour tout le quartier : "c't hanneton qu'a une paille au cul qui l'étrangle !"... Seulement la bonne vie a jamais repris ; "le noir" revenait dans "le blanc", le triste dans le gai, tout se gâtait : Simon, qu'était pour nous un ami, a dû quitter la maison. Ils ont renvoyé notre brave concierge, le père Mathey. Et Jérôme, le porte-clés, un sacré luron, que des jaloux ont dénoncé, a reçu ordre d'arrêter de boire et de pas causer ! Ça fait que le galopin s'est tu ; et que plus personne a chanté. C'est même arrivé un point qu'on se parlait guère entre nous, les commissaires : on était pas sûrs des nouveaux, on voyait du louche partout ! Et valait mieux plus porter de santés — peut-être qu'on les aurait pas portées aux mêmes chefs ! Sans compter qu'y avait comme des tiraillements entre notre brave Commune et le grand Comité... Alors qu'est-ce qu'on faisait de notre double journée de corvée ? Ben, ma foi, si on se trouvait de quart avec des amateurs, on jouait aux dames, à la manille, à la galoche, aux dominos — les Jean-fonce qui nous commandaient avaient pas osé nous retirer les cartes et les pions ! Et on avait toujours nos pipes pour se consoler. Et nos verres. Si y en a qui les remplissaient trop souvent, c'était la faute à l'ennui ! Ils buvaient comme d'autres bâillent !

— Aviez-vous songé que, deux étages plus haut, l'enfant aussi s'ennuyait ? Personne à qui parler. Rien à regarder : ni feu dans la cheminée, ni mouvements par la fenêtre, ni chandelle à la nuit tombée. Et pas même l'espoir de se tirer de cet ennui après quarante-huit heures de service ! Son ennui à lui avait commencé longtemps avant le vôtre, monsieur Arnaud, et il durerait plus que votre propre vie. Y avez-vous songé ?

— Non. C'était pas mon affaire... Surtout que c'était pas moi qui l'avais privé de compagnie, hein ? Quand je l'avais ôté à sa putain de mère, je l'avais remis à un instituteur, pas mauvais bougre, et à sa femme, qu'aurait pas fait de tort à une mouche !

— Reprenons les faits : pendant les six premiers mois d'isolement de l'enfant, vous avez passé douze jours dans la salle du Conseil. Vous l'avez donc vu, au minimum, six fois : se tenait-il propre ?

— J'y donnais pas attention... Et même s'il était sale, il était toujours plus propre qu'un ramoneur de son âge !

— Donc pas de pitié ?

— Ho ! Vous me prenez pour un barbare ? Chaque fois que je suis pénétré dans sa chambre pour faire la visite de ses grilles et de ses barreaux, j'y ai causé, à votre protégé, malgré que ce soit défendu... Mais par rapport au temps du billard il m'a jamais bien remis : il avait vu trop de commissaires à cette époque-là... En tout cas, il m'a jamais répondu. Notez que ça m'a pas découragé : je lui causais comme j'aurais causé à un Savoyard, histoire de le faire enrager, des “remue-toi, p'tit soldat !”, “bravo, Charlot !”, ou “avale-moi ça tout cru, lustucru !”...

— “Lustucru” ? Je vois dans le dossier que vous étiez de service le 28 janvier : c'est le jour où Durand, le serrurier, a condamné la porte de l'oratoire, “la tourelle aux pigeons” si vous aimez mieux ; dites-moi si par hasard vous auriez porté ce soir-là un bonnet de police rouge et bleu ?

— Ben, oui. Mais c'était pas un hasard ! J'ai porté ce bonnet-là aussi longtemps que j'ai porté ma tête !... De toute façon, dans l'enceinte, c'était obligé d'avoir un chapeau et de le garder vissé — rapport à un arrêté du Conseil de l'été d'avant : fallait venir coiffé pour avoir occasion de montrer qu'on se découvrait pas devant les individus qu'on surveillait. S'agissait de leur apprendre, à ces coquins-là, ce que c'est que le vrai respect !

— Quoi qu'il en soit, monsieur Arnaud, il faut que vous sachiez que l'enfant vous aimait beaucoup, qu'il vous était très reconnaissant des trois mots que vous lui disiez en passant. Il a dû être bien triste de votre "disparition prématurée"...

— Pas tant que moi ! De ça y a gros ! Gros à parier !... Bon, laissez-moi vous dire ma pensée : c'est pas pour vous fâcher, mais vous la prenez de travers, cette histoire d'enfant ! Un enfant, c'est quoi ? Pas grand-chose. Ça vit, ça meurt, on sait même pas pourquoi ! Alors un enfant, quand il y va du salut du pays, ça peut pas peser bien lourd ! C'était la guerre, tonnerre de Dieu ! Et sa famille, toute sa famille, trahissait la patrie ! Quand les Français perdaient une bataille, ces scélérats disaient tout bas : "Nous avons gagné !", et quand nos pauvres soldats, en se faisant trouer la paillasse, remportaient enfin une victoire, ça lui donnait la colique à sa bon Dieu de famille, elle allait gémir auprès de ses valets : "Nous avons perdu..." Oui, "nous" ! "Nous" les Prussiens, les Anglais, les Russes ! Vrai, ou faux ?

— Vrai. Pour ce qui est de sa mère, vrai. Au-delà même de ce que vous pouviez supposer : nous savons aujourd'hui qu'elle communiquait à des ambassadeurs étrangers l'état de nos troupes et les plans de l'état-major... Vrai aussi pour ses oncles et tantes, qui ne brillaient guère par l'esprit ! Mais la France était en train de la gagner, cette guerre, donc...

— Y a pas de mais ! Y a pas de donc ! Les richards et les aristos, on sait toujours où les trouver : du côté de l'ennemi ! Prêts à faire égorger le pays ! Je dis pas que le marmot, à huit ans... Mais sûr que l'individu qui aurait étouffé dans leurs berceaux son ivrogne de père et sa gueuse de mère aurait fait la meilleure action que je peux imaginer ! Y a des races, faudrait en purger le monde ! Voilà mon avis, foutre !

— Voulez-vous dire qu'il aurait fallu supprimer le petit ?

— Où que vous prenez ça ? C'était de la sale engeance, rien de plus !

— Pensez-vous que la faute des parents passe aux enfants ? Que le péché soit héréditaire ?

— Je pense rien du tout ! Et jamais comme les curés ! Le péché d'Adam, je m'en soucie comme d'une guigne ! Je pense juste que j'ai pas eu de chance de naître dans une famille de pauvres. Et que lui, le louveteau, il a pas eu de chance de naître dans une famille de traîtres !... Pour le reste, est-ce qu'on l'a battu ? Non. On l'a affamé ? Non. Vous me dites qu'il a souffert ? J'en suis bien fâché. Si, si. Mais notre cause était juste et, pour finir, c'est tout ce qui compte. Rappelez-vous le proverbe : "Il est point de bonne fête sans des verres cassés." Cet enfant-là fait partie des verres cassés... »

15

Nature morte. Présentation frontale. Gros plan sur le manteau de la cheminée. Fond neutre. Sobre. Un chandelier d'argent (si sale que le métal a pris des reflets bleus et cuivrés, excitants pour un peintre), un bol de groseilles encore rouges, une tranche de pain moisi (nuances vertes dont le rendu exige le pinceau d'un maître), un verre à pied ébréché, trois ou quatre coquilles de noix, deux sardines entamées posées sur une assiette d'étain (contraste entre le scintillement des écailles et la matité du support, bel effet). Nature morte.

Morte ? Très vivante au contraire ! Regardez mieux : les taches de moisissure s'élargissent, les groseilles, trop mûres, dégorgent leur jus, la chair des sardines se décompose. Des vers de farine progressent lentement dans la mie, de furtifs « poissons d'argent » (trop rapides pour l'œil de l'artiste) glissent sur le bord de l'étain, des cafards font l'ascension du chandelier. Depuis le retour des beaux jours, tout vit dans cette chambre ! Les murs jaunes abritent maintenant des centaines d'hôtes, une foule active et sonore.

Il y a les abeilles, les moustiques, qui ont envahi la pièce en passant sous les portes fermées et sous le cache de la cheminée. Il y a les asticots qui prospèrent dans les déchets de viande tombés par terre, les puces et les punaises qui se multiplient dans les replis du lit, escaladent ses colonnes de bois et s'accrochent au satin vert des courtines. Il y a les mouches qui bourdonnent derrière le paravent, là où, depuis que la tinette est pleine et que la cheminée l'est aussi, le petit a établi sans manière, au hasard des dalles, ses « commodités »... Il y a encore les araignées qui ont tissé leur toile dans l'encoignure de la fenêtre condamnée, les mille-pattes noirs, amateurs de fraîcheur et d'obscurité, les perce-oreilles bruns, introduits par inadvertance avec un des paniers de fruits, et une verte courtilière, arrivée sous le sabot d'un commissaire, en provenance d'un lointain jardin : dehors, c'est le printemps, c'est l'été. Et dans la chambre sans fleurs, sans vent et sans soleil, c'est aussi la saison de la vie : tout vole, ondule, rampe, saute, pétille, vibre et rebondit. Sans vraiment effrayer l'enfant : à ces créatures étroites, glissantes, sans yeux, que protègent élytres et carapaces, trompes et dards piqueurs, pondeurs, suceurs, à ces êtres chitineux ou annelés, tous pourvus d'ailes et de pattes en excès, il finit, tant bien que mal, par s'habituer : il ne les aime pas mais les craint peu, ils sont si petits ! « Tu vois, Marie-Jeanne, que je suis courageux, aussi courageux que ton "jeune Bara". Vous voyez, Papa, que je suis un chevalier, un Bayard, un vrai... » La vermine, les insectes, Bayard-Bara ne les fuit pas, non. À l'exception du hanneton. Un géant, celui-là, un diable qui s'est aussitôt jeté contre les cloisons en vrombissant... Par où est-il entré, mystère, mais il n'y a aucun moyen de le faire sortir. Ni de l'étrangler avec une paille au cul comme dans la chanson des amis d'Antoine Simon : où a-t-il le cul, je vous le demande, et où trouver une paille, dites-moi donc ?

Pauvre hanneton égaré qui, après trois années de sommeil souterrain, espérait s'enivrer de liberté ! Hanneton naïf qui croyait profiter des deux mois de vie que lui laisse la nature pour découvrir le grand air, le ciel bleu, les feuilles duveteuses, bonnes à manger ! Hanneton affolé qui, à peine sorti de terre, se retrouve coffré dans un tombeau ! Hanneton affamé qui cherche, entre les quatre murs, un arbre à dévorer... Combien de temps peut-il survivre ainsi, sans nourriture et sans lumière ? Ni lui ni l'enfant ne savent à quel point leurs sorts sont liés. Bien entendu, le hanneton mourra le premier. Pendant plusieurs jours, pourtant, dans sa quête éperdue, il aura terrorisé son compagnon de geôle : quand il commence à se cogner partout en déployant ses ailes de fer, l'enfant se réfugie sous la table, au milieu des miettes, des débris et des fourmis. Les fourmis sont ses amies, ses gardes du corps, il est le frère des fourmis.

Mais un soir où le hanneton, traversant l'air comme un

boulet, venait heurter en aveugle les pieds de la table, tambourinait sur le maroquin, frappait le dossier de la chaise (on aurait dit qu'il voulait forcer le petit à quitter son abri), le garçon, terrifié, exaspéré, a écrasé du pouce deux fourmis qui grimpaient sur sa jambe : un geste machinal, rien de prémédité. Pourtant ce fut le signal du carnage : tandis que le hanneton là-haut continuait à bombarder sa casemate, l'enfant a attrapé un des souliers qui traînaient sous la table (il ne met plus de chaussures, elles lui font mal, peut-être parce que ses pieds ont grandi, surtout parce que ses ongles ont poussé) et, enfilant sa main dans ce vieux soulier, il a commencé à aplatir une à une ses amies, à les broyer méthodiquement, à anéantir leur armée. Emporté par une rage proche du plaisir, un plaisir plus fort que la crainte, il a même osé sortir de dessous la table à quatre pattes pour continuer le massacre ; avec les mains, les pieds, les genoux, jusqu'à la porte de la tourelle il exterminait les fuyardes : pas une n'en réchapperait, il est le dieu des fourmis !

En cinq minutes, tout était accompli. Et deux minutes plus tard, tandis que le hanneton, épuisé, s'était enfin posé à l'autre bout du royaume, l'enfant contemplait, dégrisé, accablé, l'ampleur de la catastrophe : il avait tué celles qu'il aimait, ces fourmis si patientes et organisées, si travailleuses — *« un bon emploi du temps est une des choses qui »*, *« le travail a ses peines, la rose a »*... Il les avait tuées parce qu'elles étaient sans défense.

Il est retourné se coucher ; en espérant qu'il a rêvé, que ce jour est une nuit, que rien ne meurt car rien ne vit... Il est retourné se gratter dans son lit. Se gratter à cause des puces, des punaises, et des poux qu'il porte sous son bonnet, compagnons d'intimité qui pondent dans le nid graisseux de ses cheveux mêlés, dans cette bourre grisâtre qu'il cache en permanence sous le même bonnet de nuit crasseux. Se gratter l'occupe. Il est si fatigué de ne rien faire ! Et puis, il aime le bruit de ses ongles sur sa peau, un bruit familier, rassurant, si proche qu'il couvre à certaines heures le bourdonnement agaçant des mouches, le claquement des verrous, et ce martèlement insupportable des petits talons de la femme d'audessus : au troisième il n'y a plus qu'une femme à son avis, une femme qui, chaque jour, après déjeuner, passe des heures à marcher, à tourner sans s'arrêter — il voudrait la tuer ! Mais il ne peut pas. Alors il se gratte... *« Le sage doit tirer de tout quelque avantage* » (modèle d'écriture) : les insectes le piquent, ses boutons le démangent, il se gratte, mais — « avantage » — ce raclement meuble le silence, l'apaise et l'endort.

Autre chose l'apaise : les caresses. Les caresses qu'il se fait. Il aime toucher son visage car, s'il ne peut l'apercevoir dans la glace de la cheminée (même en montant sur le tabouret), il le reconnaît du bout des doigts. À cause de la cicatrice qu'il garde au menton, juste sous la lèvre : il est cet enfant qui, à l'âge de quatre ans, fut injustement mordu dans son jardin par un lapin blanc. Il ne sait plus son propre nom ni son âge, mais « Enfant-mordu-par-lapin » reste une identité acceptable, et rassurante puisqu'elle ramène de vrais souvenirs : Papa (« Il faut me redonner du bonbon, Papa, pour guérir ma cicatrice »), Marie-Jeanne (« Quand j'étais petit, un lapin m'a mordu, tiens, j'ai encore la cicatrice ! »). Câlins, cadeaux, apitoiement général, pour « Enfant-mordu-par-lapin ». Bons souvenirs d'« Enfant-mordu-par-lapin ».

Il explore aussi son corps : en passant la main par l'ouverture de sa chemise, il touche ses épaules et sent les trois gros boutons, disposés en triangle, qu'y a laissés l'inoculation. Il se souvient du mot « vaccine », mais ne se rappelle pas l'opération elle-même, sa douleur ou ses protestations. Comme pour la morsure du lapin. C'est un souvenir indirect, choisi par les adultes et entretenu par eux : quand on le baignait, les femmes de chambre ou sa gouvernante lui racontaient l'histoire de son inoculation ; plus tard, quand Marie-Jeanne le lavait dans la grande baignoire sur roulettes qu'on avait installée dans l'ancienne chambre du valet, à son tour il fournissait des explications — « tu vois, là : c'est ma vaccine », un procédé médical que la vieille femme considérait avec méfiance et dont le récit (que l'enfant rendait horrifique à souhait) éveillait chez elle un sentiment de compassion gratifiant pour le garçon. D'instinct on cherchait à consoler « Enfant-marqué-par-vaccine », de même qu'on plaignait « Enfant-mordu-par-lapin »...

Aujourd'hui ces cicatrices lui restent chères : elles l'assurent de sa continuité, établissent (mieux encore que le pantalon gris) qu'il est « lui », un garçon d'« avant la chambre » ; elles font resurgir aussi un temps où il pouvait émouvoir, attirer, sur sa minuscule personne, l'attention et la pitié... Voilà pourquoi il les touche avec amour, les vérifie sans arrêt ; au point que la petite balafre de son menton a grossi, rougi : palpée avec des mains sales, peut-être s'est-elle infectée ? On la voit plus nettement qu'autrefois ; sans doute ne verrait-on qu'elle dans ce visage trop pâle s'il n'y avait deux ou trois piqûres de moustiques sur les joues et une croûte jaunâtre au coin de la bouche... En tout cas, il vaut mieux qu'avec toutes ces pustules l'enfant ne se rencontre pas dans une glace : il ne s'y reconnaîtrait pas ! Tandis que sous la peau de ses doigts il se retrouve parfois. Aveugle, il caresse son front, son menton, son cou, ses épaules, et même plus bas... « Antoine, le petit se touche ! », « T'as pas fini de te tripoter ! », « Sa mère et moi l'avons grondé plusieurs fois », « Indécences nuisibles à la santé », « Il avait cette habitude depuis longtemps », « Je vas te la couper, moi ! », « Enfant vicieux », « Pratiques pernicieuses », « Le petit se touche, il se touche ! ».

Longtemps il n'a pas osé recommencer ce geste, entre ses cuisses : il y avait eu tellement d'histoires ! Une vraie catastrophe : on l'avait obligé à en parler à des gens qu'il ne connaissait pas, puis à « déclarer », « déposer », signer. Sur le moment, il avait cru s'en être bien tiré. Avec des mensonges dont personne ne s'apercevrait. Mais après... « Oh, le monstre ! », la colère de sa tante, les larmes de sa sœur ; et Maman qui n'était jamais revenue le chercher... Il n'avait plus osé recommencer. Quand il attendait encore la venue d'un « homme sûr », il empêchait ses doigts de descendre par là. Mais maintenant qu'il n'espère plus rien, que personne ne lui parle, que personne ne vient, c'est différent : puisqu'il est déjà puni, tant pis ! Il fera pleurer le bon Dieu, ah oui ? Ne sera plus « imprescriptible » et « nationalement aimé », et après ? Il va dans le grand lit et... Le jour, il se cache sous l'édredon à cause des yeux, des yeux du mur. Mais la nuit, il a compris que les yeux ne le voient pas, alors il en profite...

Bien peu, d'ailleurs. Souvent mais peu : la qualité n'y est pas. Une occupation qui est à peine une distraction... Les « plaisirs solitaires » du petit prisonnier calment-ils seulement son angoisse ? Trop de scènes pénibles s'associent dans sa mémoire à ce geste qu'il ne peut plus croire innocent. Il y a eu, d'abord, l'indignation de Marie-Jeanne lorsqu'un soir elle a soulevé la couverture, brusquement : « Ah, je m'en doutais ! Et ça fait un moment que ça dure, ce manège-là. Petit saligaud ! Charles se touche, Antoine, il se touche ! » Toine aussitôt grondant, jouant les importants : « Enfant de catin ! Qui c'est qui t'a appris une salauderie pareille ? » ; alors le petit, effrontément : « C'est ma maman. » Il avait pris l'habitude de dire « c'est mon papa » ou « ma maman » chaque fois qu'on lui reprochait sa conduite, qu'on le sommait de se justifier. Comme « MarieJeanneToine » n'étaient jamais d'accord avec « PapaMaman », les uns exigeant le contraire de ce que voulaient les autres (ça, il l'avait saisi tout de suite), il pouvait, sans risques, attribuer ses fautes aux parents d'avant. D'ordinaire ce « Papa me le disait » ou « Maman le voulait » était suivi d'un « Ça m'étonne pas ! » triomphant ; après quoi, on lui faisait la leçon, fermement mais sans méchanceté, avec une certaine compréhension (« Pauvre enfant, c'est quand même pas sa faute si... »).

Le soir de la couverture soulevée et du « c'est Maman », sa surprise était venue de l'étonnement des autres. Bouches bées ; mouvements arrêtés ; puis sourcils froncés ; et Antoine se rapprochant du petit lit : « Répète. Ce que t'as dit là, répète-le. » À cet instant, l'enfant avait hésité : il n'était pas idiot, et commençait à penser qu'il avait lâché une sottise. Pas idiot, mais têtu : déteste reconnaître qu'il s'est trompé, avouer une faute, demander pardon, perdre la face, reculer. Et puis il a peur. Peur. Que va-t-on lui faire s'il convient qu'il a menti ? Lui « passer la tête à la fenêtre », l'obliger à « cracher dans le sac », le « raccourcir », ou « l'élargir » comme ces prisonnières de la Salpêtrière que Toine avait en vain tenté de sauver ? Ce doit être terrible d'être élargi — il faut beaucoup tirer sur la peau... Il a peur. Alors, comme le lièvre, il fuit. Fuit tout droit. Persévère dans le mensonge : « C'est Maman. » Cette fois, branle-bas de combat : on fait monter les « municipaux », on convoque le journaliste du *Père Duchesne* (« *Viens vite,* lui écrit l'instituteur, *je tanprie de ne pas manqué a ma demande pour te voire, ce las presse pour mois — Simon, ton amis pour Lavis* »). Tout le monde sur le pont ! On alerte les comités, on forme une commission.

Des hommes, au ventre ceint d'une large écharpe, un bouquet de plumes sur la tête, étaient venus l'interroger. Pour la circonstance on l'avait assis dans un fauteuil, trop grand pour lui ; les pieds dans le vide, il balançait ses petites jambes tandis qu'on l'interrogeait : « Et avec ta maman, ça se passait comment ? » Ils employaient des mots savants qu'il ne comprenait pas, des mots auxquels il acquiesçait vaguement mais dont, aujourd'hui, il ne se souvient même plus : « testicules » ou « copulation » par exemple, qui figurent au procès-verbal.

Comme un animal pourchassé, il essayait encore de s'en tirer, s'en tirer tout en sauvant sa mère : un tout petit lièvre qui traînerait un boulet... Faute de pouvoir distancer ses poursuivants, il cherchait à les égarer : parlait de sa tante par exemple, sa tante aussi lui avait montré ces... Les officiels, les yeux exorbités, semblaient de plus en plus intéressés : « Et sa sœur ? Est-ce qu'avec sa sœur il ne... », « Si, quelquefois... Peut-être... Sur une couverture »... Passionnant ! Mais dès qu'ils tentaient de l'acculer, l'animal filait en lisière — difficile de le faire sortir du fourré. *Question : « Qui l'a instruit le premier dans cette pratique, sa mère ou sa tante ? »* Il hésitait un peu, ne savait pas ce qui serait le moins dangereux pour Maman, et surtout pour lui ; car il a peur, peur qu'on débusque son mensonge et qu'on le batte, qu'on lui coupe sa « guillery », sa « bistrouquette », son « petit robinet », peur qu'on lui « taille des jambons dans le lard »... On insiste : « Qui, ta mère ou ta tante ? » Réponse de Normand : *« Les deux ensemble... »* On y revient : « Qui ? » Incapable de faire un choix dont il ignore les conséquences, pétrifié d'angoisse, il n'en démord pas : *« Toutes les deux. »* Question : *« Cela arrivait-il le jour ou la nuit ? »* Il flaire le piège, son cœur bat, il aimerait dire « Ni l'un ni l'autre » mais il est intelligent. Et sait encore, ce moment-là, qu'en dehors du jour et de la nuit il n'existe rien... Il a hésité un moment, puis, se jetant à l'eau, a répondu (procès-verbal) qu'il *« ne s'en souvient pas, mais qu'il croit que c'était plutôt le matin »*. Très habile : l'aube, ce n'est plus la nuit sans être tout à fait le jour ; il s'agit, comme pour « chien et loup », d'un quelque-chose-entre-les-deux. Une heure si incertaine qu'elle en devient invérifiable... Apaisé, il soupire. Signature (en s'appliquant), et paraphe dans les marges.

Seulement, s'il espérait en avoir terminé avec les interrogatoires, il s'était trompé. Le lendemain, les enquêteurs sont revenus plus nombreux. Le Maire et deux députés les accompagnaient ; l'un d'eux, que les autres appelaient d'un nom de catéchisme (Salomon ? Moïse ? ou David ?), n'arrêtait pas de gribouiller — des dessins que le petit, intrigué, n'apercevait qu'à l'envers, peut-être des portraits ? En tout cas ce commissaire n'était guère attentif ; un mauvais élève que Tourzel et l'Abbé auraient grondé !

Entendait-il, le dessinateur distrait, ce que racontait l'enfant ou lisait-il seulement sur son visage ? Un visage où les émotions se succédaient aussi vite que les mots sur un parchemin déroulé, chaque sentiment aussitôt contredit ou nuancé par le sentiment d'après ; un visage précipité, tout en virgules, apostrophes et points d'exclamation, et qui se couvrait de ratures à mesure que l'après-midi avançait : deux heures de confrontation avec sa sœur — « Ce n'est pas vrai ! Il ment ! », une heure avec sa tante — « Oh, le monstre ! ». Sa joie pourtant quand il les avait revues, l'une après l'autre, son élan pour les embrasser (mais chaque fois on l'avait arrêté et enfermé dans la salle à manger pour procéder d'abord à une audition séparée) ; puis, lorsqu'on l'avait remis à sa place, sur le grand fauteuil, face au témoin, et qu'un commissaire avait donné lecture de sa déposition de la veille, ses incertitudes selon qu'il regardait Antoine, content et résolu, qui l'encourageait de petits hochements de tête, ou sa sœur, rouge de honte ; son inquiétude selon qu'il s'attachait au demi-sourire, sympathique, du procureur-syndic (Anaxagoras Chaumette, un habitué de la maison, qu'il connaissait de longue date) ou qu'il se heurtait à la stupeur, la pâleur, la colère de sa tante ; fermeté des hommes, trouble des femmes — sa sœur, si longtemps au bord des larmes, avait fini par éclater en sanglots... Il était un homme, appartenait à la confrérie des hommes, hommes solides et « sûrs » qui chantent, jurent, jouent au billard et meurent pour la patrie ; il était un enfant, appartenait aux femmes, et d'abord à la famille de ces deux-là, vêtues de noir, qui pleurent, s'indignent, protestent, et repleurent. Il était l'accusateur (« C'est Maman ! ») et l'accusé (« Tu te touches, cochon ! »), il était le procureur, il était le prisonnier ; une victime abjecte, un assassin qui fait pitié. Avec un visage flou, taché, couvert de biffures et de repentirs, un visage raturé, brouillé, que la fatigue, peu à peu, effaçait sous les yeux du député, du député qui n'avait pas cessé de dessiner : *« Si lorsqu'elle jouait avec son frère, il ne la touchait pas où il ne fallait pas qu'elle fût touchée ? », « Avons invité Charles C. à nous déclarer si ce qu'il a dit hier relativement aux attouchements était vrai »...*

Charles C., à peine plus haut que le petit Poucet, huit ans depuis le printemps, voudrait être protégé, « faire partie » —

dans quel camp se ranger ? Les hommes, debout derrière lui, assis à ses côtés, sont les plus nombreux (huit, il sait compter !), les plus forts, les plus sûrs d'eux. Donc... « *A persisté dans ses dires, les a répétés et soutenus devant sa sœur, a persisté à dire que c'était la vérité.* » Peur. Peur d'être puni, rejeté. Ténèbres extérieures, loin du foyer. Abandonné. « *Interpellé une seconde fois de déclarer si cela était bien vrai, a répondu "Oui, cela est vrai".* » Il s'entête dans le mensonge, d'autant plus qu'il a compris, soulagé, que les deux femmes mentent aussi. Pas sur les mêmes sujets : lui ment sur les caresses, elles mentent à propos des hommes qui les ont aidés — Toulan par exemple, ou l'architecte Renard que sa sœur prétend ne pas connaître... Alors, fier, insolent, il rétablit la vérité. Heureux de ne pas se sentir seul coupable, de racheter un péché par une bonne action, et conforté dans cette illusion par la manière dont les femmes battent en retraite : « Thérèse reconnaît *qu'il peut se faire que son frère ait vu des choses qu'elle n'a pas vues, attendu qu'elle était occupée pour son instruction* », « *que son frère ayant plus d'esprit qu'elle et observant mieux, elle peut avoir échappé ce qu'il a saisi* ».

Mais dès qu'on en revenait à ce petit geste dans son lit, ce tout petit geste sous sa chemise, les deux méchantes refusaient de l'aider ! Il ne leur demandait pas grand-chose pourtant : juste de dire que « oui, c'était bien sa maman qui... ». Mais sa tante était butée, butée ! La garce ! « *Il s'élève une discussion entre les deux et l'enfant soutient qu'il a dit la vérité. À elle, lu la déclaration de Charles au sujet des indécences mentionnées... Répond que l'enfant avait cette habitude depuis longtemps auparavant et qu'il doit se rappeler qu'elle et sa mère l'en ont grondé plusieurs fois. Charles C., interpellé de s'expliquer, atteste qu'il a dit la vérité.* » Il se tortille sur son fauteuil, balançant ses jambes de plus en plus vite : il a peur, sa tante n'est pas gentille, c'est une sorcière, tout le monde le guette. « *À elle, lu le reste de la déclaration de Charles sur le même sujet, et dans laquelle il persiste, ajoutant qu'il ne se rappelle pas les époques mais que cela arrivait fréquemment.* » « *Oh, le monstre ! Le monstre...* » Elle l'avait regardé comme s'il n'était plus de sa famille. Ni d'aucune famille. Comme s'il n'était rien. D'ailleurs il n'avait plus de visage, l'épuisement brouillait ses traits, le député avait cessé de crayonner, le spectacle était terminé. Enfin, presque : encore cinq ou six paraphes dans les marges, et sa signature — un vrai désastre cette fois, il ne parvenait plus à tracer l'initiale de son premier prénom, avait oublié le « s » de Charles, et sauté la consonne au milieu de ce nom de Capet qu'ils lui donnaient.

Ce soir-là, quand Marie-Jeanne l'avait couché, il tremblait de froid : il aurait voulu qu'elle le serre dans ses bras, réchauffe ses mains dans les siennes. « Qu'est-ce qui t'arrive, mon p'tit poulet ? T'as l'air gelé, on n'est pourtant qu'à l'automne... Demain, je vas demander au père Coru de nous donner une couverture de plus, hein, veux-tu ? » Elle avait fini par lui apporter un petit verre de rhum. Il avait bu lentement, adossé à ses oreillers ; il ne voulait pas qu'elle retourne dans la salle à manger, auprès de Toine, en le laissant seul ; seul dans cette chambre où tout à l'heure, entouré d'ogres, il avait « déposé » ; seul auprès du fauteuil où on l'avait assis, de la table où il avait signé. Il se sentait prêt à tout pour obtenir qu'elle reste, le rassure, lui donne enfin une récompense, un baiser : « Tu sais, Marie-Jeanne, quand j'étais petit il y avait des foutus brigands qui cassaient mes portes, et ils sciaient la tête à mes gardes pour l'enfourcher sur une pique, et ils couraient après moi en disant : "Nous allons arracher son cœur, fricasser ses foies, prendre ses boyaux pour en faire des rubans, oui, ça finira par là !" C'est ma tante et les Anglais qui les commandaient, cette nuit ils vont venir me tuer, comme le petit Viala, tu sais ? — Penses-tu, mon canard, les Brigands sont pas près d'arriver chez nous, on les tient fermés dans Toulon et dans Cholet. Allez, dors !... Et te tripote pas, surtout ! Je suis pas ta mère, moi, j'aime pas ça ! — Attends : j'ai encore un secret à te dire (elle s'était toujours intéressée aux secrets), c'est vrai que c'est défendu aux commissaires de dessiner dans la Tour ? — Ça se peut, oui, je sais pas... »

Marie-Jeanne Simon n'est pas une spécialiste du Règlement ; les affaires importantes, elle les laisse à son homme. Quand on lui pose une question délicate, elle est heureuse de pouvoir dire « Faut demander à mon mari ». C'est qu'elle a attendu plus de quarante ans pour prononcer ces mots-là : « mon mari ». Vieille fille... Vieille fille et servante chez des bourgeois — une bonne famille d'ailleurs, et une bonne patronne, si contente des services de sa chambrière qu'elle lui avait fait une rente viagère. C'est à ce moment-là que Toine Simon, qu'elle connaissait depuis longtemps (ça faisait vingt ans qu'il habitait la maison d'à côté, sur le premier palier, cordonnier en chambre), c'est juste à ce moment que Toine Simon, devenu veuf l'année d'avant, lui avait proposé de passer devant le curé. Pour sûr qu'elle n'épousait pas la fortune ! Le pauvre sans-souci n'avait jamais réussi dans ses affaires : pas même une échoppe — un tablier de cuir, un logis de misère, et un paquet de dettes ! Mais elle le trouvait plutôt bel homme : à son âge, pas un cheveu blanc ! Il savait causer, aussi, et toujours le mot pour rire malgré ses malheurs ; sauf, bien sûr, quand il avait tété le jus de la treille, mais croyez-vous qu'il y en a beaucoup, des hommes que le vin n'échauffe pas ? En tout cas, pour un homme de sa condition, il avait de l'instruction, il comptait de tête mieux qu'un banquier ; c'est pour ça que, dès le début des événements, le maire l'avait mis à la commission des Travaux : avant qu'on ait trouvé un économe pour l'Enclos, son Toine refaisait les additions, visait les devis et les mémoires. Quand on avait réorganisé les bureaux, ses amis lui avaient retrouvé une bonne place : instituteur. Et elle, « nourrice sèche » pour enfant de huit ans. Bien payés. Et nourris-logés : qui aurait pensé qu'elle coucherait un jour dans des draps de lin, et mangerait comme une reine ? Tout ça, c'est à son Toine qu'elle le devait. Mais ce dont elle lui était le plus reconnaissante, depuis bientôt six ans qu'ils étaient mariés, c'est de pouvoir enfin dire « mon homme, mon mari » ; et même, quand il rentrait tard de son club ou du cabaret et qu'il lui criait dessus, pouvoir dire avec un petit haussement d'épaules « mon bonhomme a son pompon, son plumet » ; le dire, comme les autres, fièrement : elle a un homme, cet homme a des faiblesses, des faiblesses d'homme, que les vrais hommes respectent ; tout est dans l'ordre.

Jamais Marie-Jeanne n'a pensé que la promotion de son mari devait quoi que ce soit au Hasard, dieu badin des périodes troublées ; non, elle le croit « capable » ; elle peut dormir sur ses deux oreilles : Antoine « sait ». Il n'empêche qu'à propos de cette interdiction de dessiner dont le petit s'inquiétait, elle n'est pas elle-même si ignorante que les femmes de son quartier : depuis le temps qu'elle fréquente la Tour, elle a entendu parler de cette histoire, autrefois, quand la mère du gamin, la grande Autruche, cette dénaturée, s'était fait peindre dans son deuil — le deuil de son cocu ! Vraiment, c'était bien la peine de prendre tant de précautions : les guichets, les billets d'entrée, les fouilles, les verrous, les canonniers ! On avait dû afficher aux murs des menaces sévères contre les crayons.

Elle regardait l'enfant qui s'agitait dans son lit. Ses pommettes avaient rosi — trop ? La fièvre, peut-être... Manquerait plus qu'il tombe malade ! Une fois de plus ! Pour un « louveteau », il n'a pas de santé, ce pauvre petit. Mal à la gorge, à la tête, au ventre : rien de grave, mais toujours un pet de travers. C'est qu'on l'a élevé dans du coton, voilà l'explication ! Sans parler des horreurs auxquelles sa catin de mère l'obligeait... « Écoute, Marie-Jeanne, écoute-moi : l'homme qui était assis sur cette chaise rouge, là (il montrait la petite chaise de velours), il a dessiné sans arrêt pendant que tout le monde parlait. Sans arrêt ! Malgré que c'est interdit ! Un homme aux cheveux noirs, avec la bouche tordue, habillé de gris avec une écharpe en travers de la poitrine — pas un commissaire : un député... Faut le dénoncer ! Je peux le dénoncer, Marie-Jeanne. Et on "lui passera la cravate", hein ? Ça fera plaisir à Toine ? Faut que je déclare contre un député, dis-lui ! Allez, appelle-le ! Qu'il vienne ici, près de toi : je vous raconterai mes secrets... » Et il s'agrippait à la jupe de Marie-Jeanne pour l'empêcher de s'éloigner.

Elle hésitait : déranger son mari qui avait eu une journée fatigante, le déranger alors qu'il venait de se carrer dans son fauteuil, avec une bonne pipe... Et puis, le petit n'avait pas l'air dans son assiette ; il avait beau insister (« le député me dessinait, c'est très grave de me dessiner, il fait des choses défendues, il est suspect, j'ai bien vu que c'était un ogre »), Marie-Jeanne n'était pas certaine de vouloir gober l'histoire ; elle manquait de finesse mais pas de jugeote : « Un député, bougonnait-elle en tirant sur sa jupe pour se libérer, t'y vas peut-être un peu fort pour nous ! Si ce serait encore qu'un commissaire... On en recausera demain, ouistiti. Dors donc ! », et elle avait soufflé la bougie.

« Laisse-moi la porte ouverte ! »

À l'époque, on lui laissait la porte ouverte... L'odeur sucrée, écœurante, du tabac d'Antoine était entrée dans la pièce ; et, à cause de cette odeur, ou du rhum qu'il venait de boire, il avait vomi : c'est pour le coup que Marie-Jeanne avait bien été obligée de revenir et de s'occuper de lui ! Elle avait dû le dorloter toute la nuit : il geignait, se plaignait, toussait, exagérait ses nausées, et elle donnait à son corps toute l'attention que son cœur aurait méritée. Marie-Jeanne était maternelle. Comme le sont les vaches et les brebis : ignorait les tristesses, léchait les bobos. Le petit, bien qu'incapable de comparer les espèces, jouait de ces réflexes de femelle en séducteur consommé : il collectionnait les rhumes, les coliques, les vilaines plaies...

Ah, ces malaises, ces fièvres, ces bubons, quand il y resonge, c'était le bonheur ! Maintenant qu'il vit dans la chambre fermée, même ses maladies sont sans profit : il est seul face à ses péchés. Pas la plus petite tisane, la moindre potion, pour lui donner l'illusion du pardon ; aucun pansement, aucune gaze, pour s'interposer entre sa faute et sa plaie, masquer sa culpabilité. Quoiqu'il ait des boutons partout, les genoux enflés, le nez qui coule, les murs s'en moquent : ils ont beau avoir des yeux, les murs ne pleurent jamais.

À moins que, derrière la petite fenêtre du poêle, ces yeux l'aient déjà jugé trop atteint ? On se coupe de lui comme d'un lépreux, on l'emmure comme un pestiféré. Plus de « société ». D'ailleurs, quelle société ? Tout le monde est mort, Papa, Maman, Toine, Thérèse, Marie-Jeanne, Élisabeth ; et lui seul est cause du désastre. En glissant sa main dans sa culotte, puis en mentant pour se sauver, il les a tous assassinés.

Puisqu'il sait et qu'il regrette, il devrait, dorénavant, empêcher ses doigts de s'égarer... Oui, mais à quoi les occuper ? Pas de jouet, pas de bibelot, pas de compas, plus de papier, plus de crayon, plus de canif, plus de ciseaux... Bon gré mal gré, il finit toujours par « y retourner ». Et le plaisir qu'il prend le tue...

Il est tard, tard à toute heure, tout le temps tard. Autour de lui l'ombre boit la lumière à grands traits ; un ennemi fluide prépare ses couteaux. Il se tient encore — un court instant — à la lisière de sa nuit.

16

Règlement : *« Le Conseil arrête qu'aucune personne de garde ou autrement ne pourra dessiner quoi que ce soit ; et si quelqu'un est surpris en contravention au présent arrêté, il sera sur-le-champ mis en état d'arrestation. »* Motion : *« Qu'on arrête comme suspects les clercs de procureur et de notaire, les boutiquiers, les huissiers, les valets insolents, les commis marchands, et les rentiers. »* Loi : *« Sont réputés suspects ceux qui s'apitoient sur le sort du peuple avec une douleur affectée, ceux qui fréquentent des modérés et s'intéressent à leur sort. »* Discours : *« On ne doit pas juger les prévenus en fonction des dépositions recueillies mais avec les soupçons d'un patriotisme éclairé. »* Loi : *« Sont réputés ennemis du peuple ceux qui auront abusé des lois par des applications perfides, auront cherché à inspirer le découragement par des écrits insidieux ou toute autre machination... La peine portée contre ces délits est la mort... S'il existe des preuves morales, il ne sera pas entendu de témoins... La loi n'accorde point de défenseurs aux conspirateurs. »* Discours : *« Il faut punir non seulement les traîtres, mais les indifférents », « La liberté est un arbre qui ne peut porter de fruits qu'arrosé de sang », « Plutôt faire un cimetière de la patrie que de ne pas la régénérer ! », « Arrêtez, visitez, empalez ! », « Oui, nous osons l'avouer : nous faisons répandre beaucoup de sang, mais c'est par humanité ».*

Au commencement, la haine, le sang ? Ou le Règlement ? Le règlement pour conjurer le sang ? Le sang pour respecter le règlement ? Dans l'histoire de l'enfant peut-être n'y avait-il, au commencement, ni l'un ni l'autre : juste un dérèglement littéraire, un abus de vocabulaire — l'appétit des mots, l'ivresse du verbe. On trouvait alors, parmi ceux qui menaient le jeu, quantité d'écrivains ratés, d'auteurs sans imprimeurs, et tous avaient appris à lire dans Corneille. Loin de mettre un bonnet rouge à leur dictionnaire, ils le coiffaient de vieilles perruques et se juchaient sur des cothurnes. D'où ce goût pour l'antique et l'excès, ce culte du grand style qui les conduisaient, disciples de « l'obscure clarté », à tout saupoudrer d'oxymores. Sitôt qu'ils avaient marié deux mots incompatibles, ils se croyaient sublimes : *« Il faut établir la dictature de la liberté »*, *« le sang est le lait du patriote »*, *« la modération est plus dangereuse qu'une baïonnette »*, *« la pitié serait cruelle »* ou (de leur nouveau chef, « le Vertueux », l'homme sans femmes) *« la clémence envers un ennemi de l'intérieur est barbare, c'est un crime contre l'humanité »* — le Vertueux aimait cette formule, crime « envers » ou « contre » l'humanité : il en est l'inventeur ; il l'appliquait aux autres volontiers, lui qui priva de liberté, en moins d'un an, trois cent mille « suspects » et provoqua la mort, directe ou indirecte, en masse ou au détail, de deux cent mille « traîtres »... Mais sans doute ce sang-là fut-il *« répandu par humanité »* ?

« Dénonciation, mère des vertus », *« pitié cruelle »*, *« clémence barbare »* : de tous les procédés stylistiques l'oxymore est, en politique, le plus dangereux. Alliant par force deux valeurs contraires, il disloque et écartèle ; viole la langue et brise la conscience ; il est, à proprement parler, un non-sens et, dans les affaires de gouvernement, rend fou celui qui l'emploie comme celui qui l'entend. On ne sait plus ce qu'on dit, on ne voit plus ce qu'on regarde : le rouge est blanc (le sang ? du lait), le blanc est noir (le pardon ? un crime), le jaune est vert, le bleu est rouge, tout se brouille, s'embrouille, à la fin on ne distingue rien...

Au début de l'été, l'enfant de « la chambre où l'on n'entrait jamais » tentait de survivre au fourmillement des oxymores. Trop de mots énormes, boursouflés, volaient autour des remparts de la Tour, trop de phrases sans queue ni tête rampaient dans ses escaliers. Discours ronflants, bourdonnement de slogans. Hyperboles, antithèses, allégories. Trop d'ailes, trop de pattes. Chimères difformes. Vibrations, vrombissements.

Au commencement... Au commencement, le bruit, l'emphase. Pas le Verbe : le verbiage.

17

Entre la chambre et l'antichambre, dans la cloison, il y a un « regard » ; et dans ce regard il y a des yeux. Mobiles ou fixes. Chaque fois que les yeux mobiles, les yeux humains, apparaissent dans le regard entre les barreaux, ils cachent l'œil fixe, peint sur l'affiche de l'antichambre. Les yeux dans le mur cachent les yeux sur le mur. Voilà ce que sait l'enfant.

Pour l'apercevoir, les visiteurs doivent en effet tourner le dos à la vieille affiche collée près de l'escalier. Tourner le dos aux principes énoncés sur cette vieille affiche. Un texte que, de toute façon, ils n'auraient pas lu : grand sans grandiloquence, admirable de sobriété, il est déjà passé de mode ; le temps n'est plus au dépouillement, à la phrase brève ; on goûte l'effet, le pathos, on dilue — dans le sang, dans les larmes. Au reste, lire ce vieux texte, au cœur de cette maison-là, ne servirait à rien, le nouveau chef et sa faction l'ont dit : *« Les droits de l'homme ne sauraient s'appliquer à nos ennemis. »* Et qui sont leurs ennemis ? D'abord ceux *« qui conspirent éternellement contre le bonheur des peuples »* — le signalement est vague, mais on peut faire confiance au Vertueux : ces éternels adversaires du bonheur, il saura les démasquer. Autre catégorie d'ennemis : *« les êtres vils et scélérats »*, qu'il entend « tous exterminer » — vaste programme, mais le Vertueux n'est pas timide, il lui plaît d'engager ce combat titanesque contre les forces du Mal. Tous les méchants sont ses ennemis. À moins que tous ses ennemis ne soient des méchants...

Antoine Simon, lui, est devenu l'ami du Vertueux. Il s'est reconverti très vite : à l'époque où il vivait dans la Tour et s'occupait d'y éduquer le petit, il était l'ami intime d'ennemis du Vertueux ; ou, plus précisément, de chefs de la première Commune, la Grande, l'Insurrectionnelle ; des hommes dont le Vertueux a découvert, après coup, qu'il fallait les ranger parmi ses ennemis — « des factieux, des agents de l'Étranger, des monopoleurs » ! Antoine n'a eu que le temps de les lâcher. Non sans regrets. Il aimait bien le maire, le procureur, le journaliste, tous ceux qui l'avaient fait nommer et l'assistaient chaque fois qu'il prenait envie au gamin de « déposer » : il n'arrive pas à croire qu'au moment même où il trinquait avec eux, célébrant la pureté du Vertueux, ces hommes-là trahissaient la Nation, conspiraient avec les nobles et les Anglais... Quand les têtes tombent, pourtant, il faut regarder où on met les pieds : Toine se veut prudent désormais ; il ne boit plus avec n'importe qui et ne parle à personne. Dans la salle du bas, où, depuis qu'il n'est plus instituteur, il est revenu quatre ou cinq fois comme commissaire municipal, il fait partie des taiseux, des discrets. Marie-Jeanne lui conseille de se faire oublier. Même du petit : « Quand t'es de garde, te montre pas au galopin. Tu sais comme il est bavard ! Suffirait qu'il se souvienne de nous pour aller raconter des bêtises aux autres ! » Pour autant, elle ne se désintéresse pas du sort de son nourrisson : « Es-tu sûr qu'ils lui donnent bien sa potion d'herbes, son petit-lait, son vermifuge, son bouillon de veau ? » Simon la rassure, bien qu'il n'ait pas la moindre idée de l'état du gamin : par la petite lucarne — que les fumées de l'hiver ont encrassée et que personne n'a songé à nettoyer — il n'aperçoit jamais qu'une silhouette grise, tantôt assise, tantôt couchée. Quand elle est couchée, c'est à peine d'ailleurs s'il la voit, dans ce sacré fouillis de lit ! Certains collègues tapent alors sur les barreaux du regard pour faire remuer les couvertures, quelques-uns même gueulent un grand coup pour que « ça » bouge enfin, de l'autre côté. Toine Simon n'ose pas : il craint que le petit reconnaisse sa voix. Du reste, il ne se sent plus responsable de ce « dépôt-là » : en dehors de ses fonctions de commissaire, il assure maintenant, au nom du Conseil général, l'inspection des charrois.

Au fait, n'avait-on pas prétendu, pour obliger Simon et quelques autres à démissionner, que le double exercice d'une fonction politique et d'une tâche rémunérée serait interdit désormais, que le même homme ne pourrait, dans l'Organisation, être à la fois patron et employé ? Oui, bon, mais c'était il y a six mois, ces choses-là finissent par s'arranger... Il n'est plus instituteur en tout cas, mais inspecteur des charrois : chacun son métier, et les vaches seront bien gardées. « Pour sûr, la mère, que ton marmot prend son bouillon de médecine ! Dans ce palais de la boufaille, ils sont bien assez à rien foutre pour avoir le temps de soigner ton chérubin ! »

Se faire oublier. Un commissaire couleur de muraille. Ne comprend pas comment il est encore en vie quand tous ses amis ont « fait la bascule ». S'enjoint de raser les murs, de taire sa gueule. Même, s'il ne tenait qu'à lui, il n'y reviendrait plus dans leur foutu rez-de-chaussée ; surtout maintenant qu'il faut y monter la garde sans billard ni chansons : le bon ordre, à ce qu'il paraît, la vertu ; il en a jusqu'à la gorge, lui, de la Vertu ! Seulement, personne n'échappe au règlement : il reste membre du Conseil, et une fois par mois, quand revient le tour des « R » et des « S », le revoilà de corvée ! Pas moyen d'y couper : ceux qui cherchent à se défiler, on les amène, passé dix heures du soir, manu militari. « Requis », comme on dit. Et repérés, signalés — pour se fondre dans le paysage, on peut trouver mieux ! Alors, Antoine Simon obtempère : volontaire, comme d'habitude. Volontaire apathique et blasé : un « malgré nous »...

Croiriez-vous pourtant que c'est par un vrai récalcitrant, mais un récalcitrant timoré, que les ennuis ont failli lui arriver ? Un patriote de bricole, pommadé et musqué, qu'on avait dû « requérir » d'autorité, et qui, tout de suite, avait cherché à faire du zèle. Histoire de se rattraper, de marquer son passage, de pouvoir inscrire quelque chose de personnel sur le registre ! Non content d'obliger le père Gourlet à faire le grand tour en déverrouillant les trois portes — à minuit ! —, ce couillon s'était mêlé, une fois dans la chambre, d'ouvrir le vasistas du haut de la croisée. Sous prétexte que « le chenil puait » ! Le lendemain, bien sûr, à l'heure de la relève, impossible de refermer le vantail : comme on ne l'ouvre jamais, le bois avait gonflé. C'est à Simon que Gourlet est venu demander de l'aide. Le blanc-bec, un freluquet qui n'avait pas plus de muscles que de cervelle, était bien incapable de forcer le châssis pour le remboîter ! Quant aux « R » de service, ils n'étaient pas en état de l'assister : le premier (un veuf de fraîche date qui, toute la journée, avait versé des larmes et pompé du liquide) était tellement rond qu'il aurait roulé ; le deuxième, un rempailleur de chaises vieux et perclus, avait dû renoncer la veille à monter les cent douze marches : il avait signé de confiance après que le blanc-bec, bien qu'arrivé le dernier et entre deux gardes, était redescendu du perchoir très content de lui et de son contrôle. « Y a que toi, Simon, qui peut nous donner un coup de main là-haut, implorait maintenant Gourlet, faut que tout soit clos avant qu'on fasse grimper les "T" ! » De toute manière, Antoine Simon avait beau se faire rare dans les parages, il avait trop longtemps vécu dans la Tour pour que les permanents ne le considèrent pas comme un habitué : on trouvait plus naturel de s'adresser à lui qu'aux autres, réflexe flatteur mais dangereux, dangereux pour un homme auquel sa femme conseillait d'oublier compères et compagnons s'il ne voulait pas, un de ces quatre, « tâter du rasoir national ».

En enfilant l'escalier derrière le porte-clés et le pommadé qui portait l'échelle, Toine, d'ordinaire plus allant, traînait les pieds ; il craignait d'entrer dans la chambre, s'inquiétait de la réaction de l'enfant : qui sait si, en revoyant son « instituteur » pour la première fois depuis six mois, le petit n'allait pas le supplier de l'emmener, pleurnicher, beugler ? Ou, pire peut-être, demander qu'on lui lise, comme avant, les avis du *Père Duchesne*, « marchand de fourneaux », le journal de l'ami Hébert — un journal interdit désormais, dont il ne fallait même plus prononcer le nom ; quant à l'ami Hébert et son épouse Françoise, que Marie-Jeanne admirait tant, tous deux avaient « fait la culbute »... Impossible d'expliquer ces affaires-là au marmot devant Gourlet (un brave bougre, mais aussi capable qu'un autre de dénoncer un ami pour sauver sa place) et, surtout, devant ce pommadé, requis mais pas gêné de l'être ; au contraire : toute l'assurance d'un homme protégé, sûr de son fait, de ses appuis, de ses idées ; mais quelles idées, au juste ? C'est ce que Simon aimerait démêler. Hier soir, ce foutriquet s'est présenté aux trois autres comme homme de lettres — un de ces gens d'esprit, ces « gens à superflu » qui embrouillent le peuple avec des phrases comme « la Terreur est le salut même des ennemis que la pitié veut épargner » : qu'est-ce que ça veut dire ? Rien. Le godelureau parle comme les députés du Vertueux, avec des mots compliqués, des suppositions alambiquées qui, brusquement, remettent en selle Dieu et « l'âme immortelle », qu'on croyait enterrés ! Au moins le « Père Duchesne », quand il disait *« le sang vaut mieux que l'eau bénite »*, on le comprenait ! Encore que, sur le fond... Sur le fond, pour le sang, ça dépend à qui on le tire, évidemment. Depuis que Chaumette et Hébert sont morts, Toine ne comprend plus la marche des événements. C'est toujours la lutte des bonnets de laine contre les chapeaux, mais tout va trop vite, il faut agir sans cesse, agir par peur de ne pas agir. Au commencement, par exemple, on devait pourchasser les suspects — ça allait, on reconnaît toujours un riche, un curé, un vieux « coquin », un « pervers », un « intrigant ». Mais après, on leur a demandé, au club, de poursuivre aussi tous ceux « qu'on pourrait suspecter d'être suspects » : il y avait, à ce qu'on leur disait, des « soupçonnables d'être soupçonnés » jusque dans les sociétés populaires, et même au Grand Conseil de l'Hôtel de Ville : il fallait épurer le peuple. C'est là, pour la première fois, que Simon a senti qu'il n'était pas assez fin, et que, si jusqu'à présent il avait toujours réussi à rester du côté du manche, ce n'est plus lui qui poussait le balai... Il a eu peur. Il est prêt à ne plus avoir d'avis à lui, ni de famille ni d'amitiés (son poste d'inspecteur, et la considération qui va de pair, il aimerait quand même les garder), il est prêt à ne jamais s'opposer, prêt à vouloir tout ce qu'on veut qu'il veuille, pourvu que quelqu'un d'habile, de rapide, lui indique, sitôt qu'il y a tempête, d'où vient le vent. Persuadé d'être environné de voleurs, de scélérats, de suspects au carré, il voudrait ne s'attacher qu'à un pur parfaitement pur. Et très fort. Il n'est pas certain de le trouver ; pas certain non plus, s'il le trouve, d'être lui-même assez vertueux pour lui plaire. Il doute de lui ; perplexité qui, si on lui en laissait le temps, pourrait bien finir par lui donner de l'esprit...

En vérité, la rude écorce d'Antoine Simon cache un cœur timide. Porté au premier rang des tumultes parce qu'il avait les épaules carrées et le verbe haut, il tient du boute-en-train plus que du boutefeu ; c'est un homme à moulinets, à colères et à chansons — un rodomont, un scrogneugneu, pas un fanatique : à jeun, le gaillard n'aime ni le sang ni le danger. En montant dans la Tour ce soir, il a peur ; peur d'un gamin ; des mots qu'un gamin serait capable de prononcer devant un foutriquet à frisures... La seule chose qui le rassure, c'est qu'il se fait tard :

neuf heures ; tout est plongé dans l'obscurité, l'enfant doit être couché ; la lanterne du père Gourlet n'éclairera qu'un coin de la chambre ; lui, Simon, marchera droit vers la fenêtre, donc, par rapport au lit, restera de dos ; il suffira qu'il arrange le vasistas sans un mot et regagne aussitôt la petite porte à reculons ; son ancien élève ne pourra ni le voir ni lui parler ; tout ira bien. À la soixante-dixième marche, Simon a les mains moites mais un plan au point. Il ne se laissera pas surprendre.

Eh bien, si, il a été surpris ! Pas par la clarté (Gourlet, cette grosse bête, avait posé la lampe sur la table, ce qui laissait la fenêtre dans la pénombre) ni par le marmot, qui avait à peine bougé au fond du lit et se taisait. Surpris par l'odeur ! Pire qu'une ménagerie ! Et pourtant, question d'odorat, les cordonniers des pauvres ne sont pas les plus délicats : il a passé plus de trente ans à travailler le cuir de chèvre et les peaux mal tannées, c'est dire... Pendant que, perché sur son échelle, il finissait de faire rentrer à coups de marteau le châssis du vasistas dans le chambranle, le pommadé est revenu à la charge, à propos de la puanteur : « Vous voyez que j'avais raison : vingt-quatre heures d'aération n'ont pas suffi à chasser ces miasmes... Je ne sais pas d'où vient cette infection, mais il faudrait sûrement ouvrir plus souvent. — Moi, je sens rien », fit Gourlet, buté. Simon, maintenant assuré que son visage resterait dans l'ombre, osa, avant de redescendre de son échelle, prendre une vue d'ensemble de la chambre : placée comme elle l'était, la lanterne n'éclairait bien que le lit ; ni Toine ni personne ne pouvait à cette heure distinguer le bas des murs, les recoins entre les meubles, le dessous du bureau, tous ces endroits à peine cachés où l'enfant accumule ses « ordures » depuis qu'il a renoncé à se soulager dans la cheminée, trop pleine et incommode (l'écran coupe-vent lui paraît de plus en plus lourd à soulever) ; maintenant il fait n'importe où, pose culotte derrière le secrétaire en marqueterie, pisse le long des cloisons — ça sèche, non ?

Longtemps il a résisté à l'envie de s'abandonner, de redevenir un animal, un bébé ; pour ne pas tomber dans ce grand vide qui l'attirait, il s'accrochait avec les ongles — *« Veut-on que du travail la peine soit légère ? Il faut être attentif et ne pas se distraire », « le sage sait de tout tirer quelque avantage », « la rose a ses épines »,*

« un bon emploi du temps... » —, puis il a lâché prise. À neuf ans et trois mois. Brusquement. Après la mort des fourmis.

Il se tient assis, immobile au bord du lit, l'air idiot parce qu'il garde la bouche ouverte — depuis hier il est enrhumé : il avait perdu l'habitude d'être « aéré ». Il n'a prêté aucune attention au mouvement des trois hommes dans la pièce, n'entend pas les mots qu'ils échangent ; il voudrait dormir, mais la lumière l'en empêche. Cette même lumière qui permet à Simon, perché, de prendre, croit-il, la mesure du désastre : le lit, « son » beau lit à courtines, son lit de prince, une bauge ! La voilà, l'origine de l'infection ! L'enfant est gris de la tête aux pieds, à l'évidence négligé, mais ses draps, ses oreillers, ne sont pas gris, ils sont marron ! Un monticule de crasse, de merde, sur lequel galopent des bestioles noires ! Toine en est révulsé : Marie-Jeanne tient proprement leur ménage (le ménage, c'est son métier), et lui, sans être raffiné, apprécie le linge blanc. Comment, à l'abri des rideaux verts, a-t-on pu laisser s'accumuler un pareil fumier ? Il est d'autant plus outré que, sur ce « comment », il a déjà son idée : Coru, Coru bien sûr !

N'y aurait-il eu que l'odeur du lit, qui gêne le freluquet pommadé (et c'est bien fait), ou la saleté des draps, qui dérange un gamin dont on l'a déchargé (et c'est tant pis), le nouvel « inspecteur des charrois » s'en serait sans doute tenu à ses bonnes résolutions et serait ressorti de la chambre sur la pointe des pieds. Mais ce qui l'a jeté dans la colère et dans l'action, c'est Coru, l'économe. Il hait Coru, ce pisse-froid, cet intrigant, depuis qu'en 92 l'autre a obtenu la place qu'il guignait (est-ce qu'il n'avait pas donné satisfaction, lui, Simon, comme économe « faisant fonction » avec le père Mathey ?) ; il hait Coru, ce cafard donneur de leçons, depuis qu'en 93 l'autre a fait démonter le billard que lui, Simon, venait d'installer (paraît qu'on n'était pas là pour s'amuser : avec Coru, pas de danger qu'on s'esclaffe, pour sûr !). Il hait Coru, ce Tartuffe bilieux, ce greffier jaunâtre, depuis qu'en 94 l'autre, obligé de quitter son poste à cause du cumul, y a fait nommer Lelièvre, qu'il a presque aussitôt accusé de malversations — un mois maintenant que le sans-malice est en prison tandis que Coru, tête haute et sourire vainqueur, a repris sa place dans la maison comme « économe intérimaire » ; je t'en foutrai, de « l'intérimaire » ! Il hait Coru parce qu'il n'arrive pas à croire qu'il ne profite pas de la situation pour « faire son beurre », ne couvre pas de son autorité des chapardages de toute espèce, sur le bois et la boisson, entre autres : c'est pas Dieu possible qu'avec ce qu'il rentre ici on soit obligé, au rez-de-chaussée, de réclamer des bûches et de pleurer le chablis ! Il hait Coru enfin parce qu'ils appartiennent maintenant à la même faction, mais que l'autre, ayant misé sur le bon cheval avant lui, l'écrase chaque jour de cette antériorité. Ah, s'il était plus instruit, plus « appuyé », comme il aimerait pouvoir suspecter Coru d'être suspect !

Ce soir, en attendant mieux, il va « faire le commissaire » et emmerder Coru autant que l'étendue de sa compétence le lui permet. Du haut de son échelle, dominant la scène comme Jupiter le monde, Simon commence à tonner : « Gourlet, y a combien de mois que le linge de cette chambre a pas été changé, combien de temps que ce lit a pas été remué ? » Gourlet (un sage) : « Je sais pas, c'est pas mon affaire, faut demander à la lingère... » Jupiter : « Depuis quand que Riboud nous facture le blanchissage de draps qu'il a pas lavés ? » Gourlet : « C'est pas mon affaire, faut demander à l'économe... » Jupiter : « Je vas vous foutre un rapport au cul, moi, bande de feignants, clique de vendus ! », et prenant le freluquet à témoin : « N'est-ce pas, citoyen ? » Impressionné, le pommadé acquiesce d'un hochement de tête. Alors Toine, majestueusement, descend de son Olympe : de là-haut, au dernier barreau, il a repéré que les draps du lit de sangle sont encore blancs, ou quasi — « Toi, dit-il à l'enfant (auquel, dix minutes plus tôt, il était décidé à ne pas parler, mais il est comme ça, Toine Simon : un héros d'impulsion, souverain dans l'improvisation), toi tu vas me faire le plaisir de sortir de ce fumier et d'aller te coucher dans "ton" lit ! J'ai bien dit "ton lit", nom d'un foutre, pas celui de l'instituteur ! Ouste, secoue-toi les puces ! » Comme un somnambule, silencieux et médusé, le petit va s'asseoir sur le lit de camp.

« Aide-moi, citoyen, poursuit l'Antoine sur sa lancée, et toi aussi, le porte-clés : on va débarrasser la chambre de ces guenilles. Y a qu'à tout mettre dans le baquet de la pièce d'à côté, la baignoire en fer-blanc ; c'est plus bon qu'à jeter. Par manque d'entretien. Faudra tout racheter. Voilà une sacrée gestion, mes amis, et qui ruine le peuple ! Enfin, Coru avisera... Il avisera après avoir lu le rapport au Grand Conseil que le citoyen-homme de lettres ici présent, qui s'est plaint le premier de ce défaut d'hygiène, va nous écrire dès ce soir. N'est-ce pas, citoyen ? » Silence prudent, mais qui ne dit mot consent. Dès qu'il prend sa grosse voix et se met à brasser l'air, Simon a l'âme d'un chef, d'un petit chef ; personne ne peut lui résister. En un tournemain voilà le grand lit débarrassé de ses draps, couvertures, édredons, courtepointe et oreillers ; les trois hommes ont même ôté les matelas, trop tachés. Ne reste plus, dans l'angle obscur de la chambre, qu'un bois de lit, un sommier et quatre rideaux verts. L'enfant s'est blotti sur le lit pliant que Simon avait poussé, d'autorité, au milieu de la pièce, face au regard : « Pour faciliter la surveillance. Une mesure de sûreté. Dans ton rapport, citoyen, tu noteras que certains ont voulu gratter sur les notes de blanchissage au détriment de la santé des représentants du peuple et de l'otage de la Nation, et que, de plus, vu l'emplacement où qu'on laissait dormir le galopin, le peuple pouvait pas s'assurer de sa présence par la lucarne ! »

À l'enfant (maintenant caché jusqu'au menton par le couvre-pied du lit de camp), l'enfant qu'il n'a même pas pris le temps de regarder, Simon a dit seulement, en remportant la lanterne : « Toi, mon cochon, tu pourrais te laver de temps en temps ! Tu manques pas d'eau, nom d'un chien ! » et il lui a montré la cruche posée chaque matin près de la porte par le valet. Le petit, les yeux fixes, la bouche ouverte, n'a pas pipé. D'abord parce qu'il croit rêver : Toine est mort, et les morts qu'on revoit en rêve n'attendent pas qu'on leur réponde. Ensuite parce qu'il ne sait pas se laver ; surtout à l'eau froide et sans savon. Jamais on ne lui a donné de savon : c'est comme pour les jouets, on a oublié...

Et ce n'est pas maintenant sans doute, quand le savon vient de passer de quatorze à trente-deux sous la livre (là-bas, sur les berges, Blanche-Rose Fauchery, pour la première fois de sa vie, a manifesté avec quatre mille laveuses contre cette hausse qui les empêche de travailler), non, pas aujourd'hui que l'économe va procéder à une nouvelle distribution...

L'enfant a mis longtemps à se rendormir. Non que la scène l'ait troublé : il doute même qu'elle ait eu lieu. Mais il n'a plus d'oreiller. Il aimait son oreiller comme une personne, un animal. La caresse de l'oreiller sur sa joue. La souplesse de l'oreiller, quand il le serrait contre lui. Un sac de plumes qui épousait sa forme, ses désirs, comblait ses vides. Quand il se recroquevillait autour de son oreiller, à eux deux ils formaient une grosse boule, un amour plein. Mais, dans le petit lit, ni oreiller ni traversin. L'enfant ne peut rien prendre entre ses bras. Rien de doux, de mou, de tendre, d'aimant. Il a perdu son dernier attachement.

Un manque qu'il ressent d'autant plus vivement que, dans le lit de camp, il ne peut coucher qu'en rond : il a grandi et son « berceau » pliant devient trop court pour lui ; il n'a plus la place de s'y allonger, de s'étendre sur le dos ou le ventre. Obligé de dormir sur le côté, les genoux remontés, il se replie autour d'un trou.

Et l'été a repris sa course. Dans la chambre, la chaleur n'entre jamais ; on ne la sent pas ; on la voit seulement d'en bas : de lents crépuscules, des nuages framboise, des orages violets qui éclatent comme des figues mûres. Le soir, si le jeune captif osait encore s'approcher de la fenêtre, il devinerait, tout en haut de l'entonnoir, des ciels magiques où des œufs en neige flottent sur des crèmes roses ; le grès des linteaux prend des tons de sorbet autour des vitres caramélisées ; derrière les planches, on aimerait supposer une dizaine d'arbres noirs plantés sur un horizon rouge, bâtons de réglisse dans un nappage de confiture : le monde du dehors... Aussi peu réel, à ces heures-là, que le palais de Dame Tartine. Mais ce monde, l'enfant n'essaie plus de l'imaginer ; chaque jour, il s'en éloigne davantage : il vit au sommet de sa tour comme au fond d'un souterrain.

Pour ne pas succomber à l'asphyxie, l'angoisse de l'asphyxie, il évite toute idée de route, de plaine, d'espace, fuit le végétal — feuille, fleur ou prairie —, n'évoque ni l'air léger, ni la terre grasse, ni les eaux vives. « Nuage », « horizon », sont des mots qui n'ont plus de sens pour lui. Il choisit ses paysages à l'intérieur de la chambre : les taches d'humidité qui ont traversé la muraille dessinent des cartes d'empires inconnus, des continents improbables qu'il ne se lasse pas d'explorer ; le miroir de la cheminée, en lui renvoyant l'image inversée de la niche de briques, du poêle et de la lucarne, double la surface du « royaume » et l'étendue de ses rêves ; quant au papier qui se décolle dans les angles du faux plafond et se replie comme une aile d'oiseau, il lui fournit autant d'envols de mouettes et de lâchers de colombes qu'un petit garçon peut en souhaiter.

Peu à peu, de même qu'il a perdu la notion du temps, le nom des jours, perdu aussi les bruits de la vie, il perd les couleurs : plus d'autre jaune dans sa mémoire que celui du papier peint ; d'autre bleu que le bleu délavé des gravures ; et pour le vert, jamais il ne connaîtra le pistache, l'olive ou l'émeraude, le vert-argent des peupliers et le vert-nuit des sapins — rien que l'épinard, l'épinard cru et poussiéreux des rideaux. Par chance, il n'espérait pas être peintre : juste horloger. Horloger ambulant. Il aurait réglé les pendules de toute la terre. Nomade, colporteur. *« Il aimait à changer de lieu. »*

18

Colporteur, notre petit héros ne le sera jamais : en ce temps-là, on ne choisissait pas son métier... Pas d'éventaire, donc. Ni de verroterie. Aucun exotisme. Rien qui soit « d'époque », exclusivement « d'époque » : ni jarretière, ni gratte-langue, ni croix de Saint-Louis. Couleur locale, néant.

Tant mieux, car je n'aurais pas voulu placer cette sorte d'écran entre lui et nous, « eux » et « nous ». Ce serait trop facile : « au commencement » les circonstances, les événements, l'Histoire, la Géographie — une période bien déterminée, un lieu unique, et des gens, mon Dieu, des gens si particuliers, n'est-ce pas, tellement singuliers... Au commencement, les Autres ? Non : au commencement n'importe qui, vous, moi. Ni assassins ni victimes, mais pas étrangers.

19

Chambre. Intérieur jour. L'enfant soupire, renifle, se gratte. Les mouches bourdonnent, il bourdonne aussi, enfin il fredonne. Depuis qu'une nuit Simon lui est apparu — car il ne l'a pas vu, il le sait, vu comme on voit les vivants, il a cru le voir, l'a confondu avec ce méchant braillard qui lui a volé ses édredons et son oreiller —, depuis que ce Simon qu'il croit faux est passé dans sa chambre comme une tornade, il se souvient parfois des chansons que lui chantait l'autre, le vrai Toine, celui qu'il aimait et qui est mort, celui qu'il a tué. De ces chansons que lui apprenait l'instituteur, il ne se souvient pas consciemment (la volonté a peu de part désormais aux pensées qui l'assaillent, aux actes qu'il commet), ce sont plutôt des airs sans paroles, qu'il chantonne malgré lui, bouche fermée ; une ronde, entre autres, qui revient souvent : « Dansons la capucine, y a plus de pain chez nous... »

Non, il se trompe, ce n'est pas la capucine qu'on dansait chez Toine et Marie-Jeanne, c'était, oui, la carmagnole, « dansons la carmagnole »... Et la suite ? Allons, un petit effort ! « Mais son coup a manqué, grâce à nos canonniers ! » Et entre les deux, entre « dansons » et « canonniers », qu'est-ce qu'il y avait ? Rappelle-toi, qu'est-ce qu'il y avait ? « Promis de faire égorger tout Paris. » Bien, et qui l'avait promis, ce massacre, hein, qui ? Une femme. Madame... Madame Veto. C'est ça : « Madame Veto avait promis de faire égorger tout Paris. » Mais il n'a jamais bien compris qui était cette madame Veto. Si, si, il le jure, il n'a jamais compris ! C'était qui, madame Veto ? Bon, sûrement quelqu'un de sa famille, il l'admet, puisqu'on appelait aussi son père « Cocu-Veto » : peut-être une de ses grand-tantes ? Ces vieilles sorcières qui sont parties chez nos ennemis ? Ou sa tante Élisabeth, qui adorait les brigands et les émigrés ?

« Tu mens, sale race, tu mens ! » Il a peur, peur. Il sait, savait déjà quand il chantait cette ronde à tue-tête après avoir ouvert la fenêtre de la chambre ou de la salle à manger, quand il la chantait aussi au billard et que les hommes riaient, l'applaudissaient, l'embrassaient, il sait, savait parfaitement de qui il parlait ; puisqu'il connaît les autres couplets : *« Antoinette avait résolu / De nous faire tomber sur le cul / Mais son coup a manqué / Elle a le nez cassé ! »* et, plus précis encore : *« Quand Antoinette vit la Tour / Elle voulut faire demi-tour... »* C'est comme si on lui avait donné l'adresse (l'appartement d'au-dessus, celui des femmes) ; mais il chantait quand même ; et à la fenêtre !

Il est coupable, il est puni. Un traître, un tueur, un monstre. Que tous ont abandonné. Il a peur, peur... Il voudrait mourir. Ou, du moins, ne plus entendre ces petites musiques qui l'obsèdent pendant des journées entières ; le poursuivent d'abord gaiement ; des petits airs sympathiques, anodins ; jusqu'au moment où, effaré, il retrouve les paroles et en saisit le sens.

Heureusement, il y a des chansons dont le sens lui a toujours échappé, il peut les fredonner sans se croire méchant : par exemple, le « hanneton qui a une paille au cul » ou « le satyre cornu » dont Toine, au billard, se réservait l'exclusivité ; une autre encore, qui parlait d'un lit « qui s'foutait par terre, sens dessus dessous, sens devant derrière » et d'une dame qui criait : « Ah, vous me pétez la charnière ! », c'est à cet endroit que le « ouistiti » reprenait (en chœur avec les hommes, comme s'il était de leur famille, de leur âge, de leur parti) : *« Quand vous repasserez par ici / Souv'nez-vous du bon logis / Souv'nez-vous d'la bonne hôtesse / Qui remue le cul, remue les fesses / Et d'la servante qui remue le tout / Sens devant derrière / Sens dessus dessous. »* Jusqu'au jour où un commissaire nommé Lebœuf, qui était maître de pension, avait protesté : il ne voulait pas qu'on apprenne aux enfants des chansons obscènes... Qu'est-ce que ça veut dire, « obscène » ? On ne peut pas toujours pleurer, nom d'un foutre ! Toine, à la première occasion, lui avait fait dénoncer ce Lebœuf comme conspirateur ; après quoi on avait pu rechanter en paix... Jamais il n'a voulu faire mourir Toine ou Marie-Jeanne, ni sa maman ni sa sœur. Il voulait seulement être aimé, participer, ne plus se sentir différent, écarté, rejeté. Monstre...

Il se mouche, tâte ses trois cicatrices, arrache, le long des plinthes, de petits morceaux de tapisserie. Il se gratte avec ses ongles noirs, tousse et s'ennuie, contemple les auréoles grises au plafond. Il fait rouler un noyau de pêche sur le pavé, écrase, à petits coups de chaussure, une araignée noire (il ne s'attaque pas aux blanches, pleines de pus, qu'il craint). Il se balance sur le tabouret, d'avant en arrière, doucement. Il aimerait posséder un ver luisant. Pour voir clair la nuit. Il se gratte — à l'intérieur des bras cette fois ; là où la peau est la plus tendre. Il se gratte pour se faire saigner, car il sait bien qu'il est mauvais, qu'il y a en lui quelque chose de pourri. Une pourriture qu'il voudrait faire sortir, en se perçant, en se coupant. Mais ici pas de couteau, pas de ciseaux. Aucun autre instrument pour se torturer que des ongles cassés, ébréchés. Il en use, et avec violence : puisqu'il ne contrôle rien, n'obtient rien, n'a pas le droit d'exprimer sa peur, sa colère, eh bien il se fera souffrir ! Avec ses ongles ! Une initiative personnelle, la seule qu'il lui reste... Il se sent mieux dès qu'il a mal : sa douleur lui appartient. Pour savoir s'il saigne enfin, il lèche son bras : quand le goût devient salé, il s'arrête. Calmé, il retourne s'étendre sur le petit lit de camp. Il « se touche » un peu, s'ennuie beaucoup, se pelotonne, finit par s'endormir.

En position fœtale. Mais, pour le « grand homme » qui, cet été-là, bien avant l'aube, pénètre à grand fracas dans la chambre, la position dans laquelle il découvre l'enfant endormi ne signifie rien : il n'est pas médecin ; psychologue, encore moins. Il pense seulement (et, bien sûr, il le fera savoir... trente ans plus tard !) que le lit est trop petit. Avec lui, autour de ce lit minuscule, ils sont six : une foule, une foule comme il n'en est pas entré dans la chambre depuis dix mois déjà — le jour où l'enfant avait déposé contre sa tante. Ces six hommes et leur nouveau chef ont monté les escaliers avec leurs grosses bottes, tiré les loquets, fait rouler les verrous, heurté maladroitement les chambranles avec le pommeau de leurs sabres — et le chérubin (barbouillé, boutonneux, couvert de poux), le chérubin ne s'est pas réveillé. Dehors, le tocsin sonne depuis des heures, le tambour bat la générale, trois cents hommes viennent de prendre position dans l'enclos, et le prisonnier dort toujours, d'un sommeil d'ange, d'ange sale. Alors, le chef donne l'ordre à l'un de ceux qui l'accompagnent — Lorinet, justement, l'officier de santé — de secouer le dormeur : il doit lui parler, contrôler son identité. *« L'enfant s'éveilla avec peine »*, déclarera-t-il au soir de sa propre vie : « vêtu d'un pantalon et d'une veste de drap gris », le petit, qui avait dormi sans draps ni couvertures, gardait l'air morne et hébété, ne cherchait pas à s'asseoir ni à se lever... Plus las, semble-t-il, qu'effrayé.

Il faut dire — mais le nouveau chef l'ignore — que, depuis l'âge de quatre ans, le jeune otage a eu tout le temps de s'habituer aux effractions nocturnes, aux réveils brutaux : qu'ils soient vivants ou morts, familiers ou étrangers, précédés de banderoles ou de chansons, munis de haches ou de mandats, les « autres » adorent s'introduire dans ses nuits. Fracturer son sommeil. Se mêler à ses rêves. Envahir son esprit.

Déjà il faisait nuit quand sa mère, à l'heure du coucher, l'avait posé sur la scène d'un théâtre où l'on donnait un banquet : il avait dû marcher, tout seul, tout petit, sur la nappe blanche, contournant tant bien que mal les bouteilles, les assiettes, les chandeliers, tandis que, de chaque côté, des hommes en uniforme levaient leurs verres et leurs sabres, soulevaient leur chapeau, le jetaient en l'air, puis lançaient des cocardes blanches à la salle sous les vivats des loges, dont les cris s'enflaient au-delà des colonnades bleues et des lustres dorés ; autour de lui tout brillait, applaudissait, chantait, mais la nappe continuait d'avancer sous ses pieds, tachée de rouge maintenant par les verres qu'il renversait, traversée de traînées de sang, chemin de neige solitaire et sans but... Il faisait nuit, aussi, quelques jours après, quand son père en robe de chambre l'avait brusquement tiré du lit pour l'entraîner, par des souterrains dont la lumière s'éteignait, loin de la foule qui enfonçait les portes de leur palais... Nuit quand, pour la première fois, il était entré dans la capitale, sous la pluie, précédé d'une cohue de charrettes, de canons, de lampions et de têtes coupées, un cortège si lent qu'il s'endormait dans la voiture ; nuit quand, précédé d'une unique lanterne, il avait découvert son nouvel appartement, démeublé, froid, poussiéreux : « Comme c'est laid ici, Maman ! Allons-nous-en... » Nuit lorsque sa mère l'avait réveillé pour le déguiser en « Aglaé » et qu'il avait dû s'enfuir par la petite rue, et se cacher sous les jupes de sa gouvernante au moment où les flambeaux de « la force armée » croisaient leur fiacre... Nuit dans ce lointain village où, leurs chevaux brutalement dételés, ils s'étaient réfugiés, à l'abri des fourches et des faux, dans une boutique noire qui sentait le poivre et la chandelle, et il s'était endormi, épuisé, sur le lit de l'épicier... Nuit encore quand le canon tonnait et qu'assis au fond d'un trou sombre et grillagé, face aux tribunes, il voyait défiler les députés, les sectionnaires et les prisonniers ensanglantés ; il n'avait ni bu ni mangé de la journée, et il réclamait à voix basse (en scandant à la manière des pétitionnaires) « un lit ! Un lit ! »... Nuit toujours quand il avait fallu repasser par le jardin à deux heures du matin, à la lumière de chandelles fichées dans le canon des fusils ; et derrière, les piques, les haches, le sang, les cris ; dans les bras de sa mère il tremblait de fatigue, de peur... Douce nuit, nuit d'été, quand quelques jours après, dans une voiture lente qui s'arrêtait à tous les carrefours, sous les huées, ils avaient traversé la ville sans bagages, « pour gagner un lieu de sûreté » ; à l'arrivée il était si tard qu'il dormait sur la banquette de la berline, et il n'avait pas vu la Tour, cette Tour où on l'avait couché sans pouvoir le déshabiller... Nuit d'hiver quand, six mois après, ils étaient descendus chez son père, qui allait mourir au matin, et l'avaient embrassé... Nuit d'été quand six hommes en écharpe étaient venus l'arracher à sa mère dont les sanglots l'avaient réveillé, et il ne voulait pas sortir du lit, et elle ne voulait pas l'habiller... Nuit d'hiver quand les Simon, avec Coco et les pigeons, étaient partis... Nuits, pleurs, cris, peurs, morts, pluies. Nuits.

Et cette nuit-ci (est-ce qu'hier n'est pas bientôt fini ?), cette nuit-ci, dans sa chambre, sept Iroquois. Car ce ne sont pas des commissaires : jamais il n'a vu tant de plumes à la fois ; ce sont des Iroquois. Le plus emplumé de tous, le chef sans doute, semble lui parler ; mais il n'écoute pas : comme un bébé fasciné par un hochet, il suit, amusé, les mouvements de la triple aigrette colorée qui part de la cocarde fixée au haut-de-forme. Il s'est toujours intéressé aux coiffures de ses visiteurs : il y en a de toutes sortes, tricornes de toile cirée, bonnets à poils, chapeaux ronds, toques, bonnets de laine rouge, bicornes en feutre ; et les cocardes aussi sont variées : trois couleurs ou parfois deux, le rouge et le bleu, et tantôt c'est le bleu qu'on trouve à l'extérieur, tantôt le rouge ; il se demande si ces distinctions ont un sens, chez les Iroquois, et ne sait pas ce qu'on pourrait l'autoriser à préférer. Et s'il devait choisir un chapeau ? Le bonnet du petit Poucet ? Ce bonnet rouge, il n'y a plus que le porte-clés, ce soir, pour le porter... Le chef des Iroquois parle toujours, s'agite : peut-être lui pose-t-il des questions ? Depuis que sa chambre est fermée, l'enfant a perdu l'habitude d'être interrogé, sollicité ; d'ordinaire on ne lui parle pas, et quand on lui parle ce n'est pas — surtout pas ! — pour qu'il réponde. Du reste, il n'entend plus : ni le bourdonnement des guêpes ni les ordres des visiteurs. Seulement, parfois, l'aboiement des serrures.

De nouveau quelqu'un le secoue, quelqu'un qui veut le faire lever. Le voilà assis au bord du matelas, ses pieds nus sur le pavé, il essaie de se concentrer sur les questions du chef : pourquoi dort-il sur cette couchette, trop petite pour lui, plutôt que dans le grand lit ? Oh, mon Dieu, c'est une longue histoire, comment raconter, les « autres » devraient savoir, trop longue histoire pour les mots dont il se souvient, d'ailleurs n'en est plus très sûr, alors il dit « Mieux », voudrait dire « Toine croit que c'est mieux » ou peut-être « J'y suis mieux » : mieux, recroquevillé dans le petit lit comme un bébé, dans des draps de bébé qui sentent le pipi de bébé. Il dit « Mieux », s'efforce même de préciser dans un soupir : « Moins mal... »

« Mal ? s'étonne le chef, mais où as-tu mal ? » L'enfant ne sait pas — il a mal ? où a-t-il mal ? —, montre à tout hasard sa tête, puis ses genoux. « Faites-le marcher ! » ordonne le chef. Lorinet le met debout, le pousse en avant, il fait trois pas. « Vous voyez bien que son pantalon le gêne ! s'écrie le chef, fâché. Ce pantalon est trop court d'une main, et il le serre aux genoux ! Fendez-moi les deux côtés ! » L'ordre affole le porte-clés ; depuis près de deux ans en effet il n'y a plus dans les étages ni ciseaux ni couteau : pour satisfaire le caprice de l'Empanaché il va falloir descendre et remonter — deux cent vingt-quatre marches ! Heureusement Lorinet, l'officier de santé, tire de sa poche un outil du métier, scalpel ou canif, et entreprend de découper de bas en haut, jusqu'au-dessus des genoux, le petit pantalon raide de crasse. Lorinet, qui depuis le début de la nuit ne comprend rien au tocsin qui sonne et aux mouvements de troupes, Lorinet qui, tout à l'heure, a refusé l'entrée de la Tour aux députés emplumés mais se montre maintenant, en vrai « patriote désabusé », extrêmement empressé, Lorinet, donc, soutient sous les bras l'enfant hébété pour le faire avancer vers le grand homme et il l'invite, obséquieux, à « saluer le citoyen Barras qui s'inquiète si gentiment de sa santé ». Mais il est cinq heures du matin et le petit, mal réveillé, ne se soucie guère de politesse : échappant à son guide, il tourne le dos au chef en grand costume — franges dorées, bottes à pompons, plumes d'autruche — et se jette, tête la première, dans son « berceau ». Comme les visiteurs sont pressés, qu'ils doivent encore inspecter le troisième étage et procéder, au rez-de-chaussée, à des remaniements dans la direction de l'établissement, ils s'en vont sans insister. Verrous.

Le lendemain, l'enfant croira, une fois de plus, qu'il a rêvé. D'autant que du compliment de Lorinet il n'a retenu que le nom de « Bara », et qu'il sait bien que Bara n'est pas un vieil Iroquois mais un enfant comme lui, républicain, comme lui, et mort qui plus est, puisque des Brigands, payés par le parti de l'Étranger, l'ont assassiné. Le vieux « Bara » qui a traversé sa chambre cette nuit est aussi faux que le jeune « Charlemagne » qu'il aperçoit certains jours : les fantômes entrent dans sa tête comme dans un moulin, ils y circulent comme chez eux. Il faudrait cesser de rêver, cesser de dormir. Savoir, enfin, quelle heure il est...

Mais il dort, dort malgré lui, dort et redort toute la journée. Plus jamais, pourtant, il ne reverra « Charlemagne » dans ses cauchemars : Charlemagne (Jean-Philippe) vient de mourir en même temps que Toine Simon, « l'instituteur », et Jacques Coru, l'économe, Bertrand Arnaud et Mathurin Lelièvre, et le nouveau maire, et le foutriquet-homme de lettres, et les trois « L », amis de Lorinet... Ils sont une centaine à avoir ainsi, au milieu de l'été, suivi le vertueux Robespierre dans la tombe. Certains ne se connaissaient même pas ; quelques-uns se haïssaient ; d'autres, comme Simon qui avait été si proche des hébertistes, ou Joseph Belin, arrêté pour « abus d'intervalle et indifférence », auraient dû mourir quatre mois plus tôt : les fournées de la mort étaient souvent des fournées de hasard, on ratissait large — les rigolos avec les pas-marrants, les purs et les impurs, les gauchistes avec les droitiers, les natifs de l'Aube avec les natifs de l'Orne, les Parisiens avec les Savoyards. « *Y a-t-il guillotiné aujourd'hui ? — Oui, car il y a tous les jours trahison »*... La roue tourne, et en tournant elle écrase ; il faut du sang dans le pressoir : *« Certains y teignent leurs piques, d'autres leurs mouchoirs, leurs mains. L'exécuteur, étonné de l'empressement de plusieurs à y tremper leur sabre, s'écrie : "Attendez donc, je vais vous donner un baquet où vous pourrez les tremper plus aisément." »*

Bernard Lorinet doit la vie à une erreur alphabétique : parce que ce soir-là on l'a mis de garde au Bâtiment avec des « T » et qu'il n'a pu rester à l'Hôtel de Ville avec sa faction, il a sauvé sa peau. Certes, au lendemain de la visite des emplumés, on l'a arrêté dans la salle d'en bas ; mais la prison lui a fait gagner le temps nécessaire à sa survie : il suffit, dans les raz de marée, de ne pas prendre la vague de plein fouet, la mer finit par se retirer... A-t-il croisé, dans les parloirs et les cachots, l'illustre député qui avait dessiné le petit quand il déposait contre sa mère ? Ou bien la patronne de Rose Fauchery, cette Cécile Clouet, blanchisseuse rue de Lille, qu'on venait d'arrêter, le même jour que lui ? Dénoncée une semaine plus tôt comme « suspecte de propos contre-révolutionnaires », la Veuve Clouet moisira dans les geôles pendant quinze mois, longtemps après l'exécution de ceux qui l'avaient accusée. Car les chasses-aux-sorcières s'entrecroisent, les procédures s'enchevêtrent...

D'autres fournisseurs de la maison tirent mieux leur épingle du jeu : Firino, par exemple, qui survit à tous les économes et garde l'exclusivité de la poêlerie. Au début d'août, en prévision du prochain hiver, il dirige le ramonage des cheminées et des conduits — un sacré chantier, mais, nom d'un petit bonhomme, quel marché ! On surfacture toujours, à cause des conditions de travail (les « sujétions », comme on écrit sur les mémoires) ; d'ailleurs, ces sujétions sont réelles, surévaluées par principe mais vraies : deux heures pour entrer, autant pour sortir, et, entre les deux, difficile de travailler à la tige et au hérisson, ou même à la corde nouée ; à cause de ces foutus tuyaux, des tuyaux de trente, quarante, parfois cinquante mètres de haut, qui sortent de chaque fenêtre et s'accrochent verticalement aux parois du bâtiment... À considérer la façade d'un peu loin, avec ces longs tuyaux parallèles qui grimpent pressés les uns contre les autres jusqu'au sommet, on croirait voir un orgue géant.

Mais Firino, ramoneur d'orgues et bon accordeur de factures, connaît la musique

L'enfant s'est-il ému du remue-ménage provoqué par cette remise en état générale des tuyauteries ? C'est peu probable : aucun tuyau ne passe par sa chambre. Et les bruits lui sont devenus aussi indifférents que les visages. Il n'a même pas remarqué que, depuis la visite de « Bara », c'est toujours le même homme qui lui dépose ses repas : un petit jeune tiré à quatre épingles, un muguet.

De son côté, Christophe Laurent, le muguet, a trop à faire pour s'attarder. La Commune de Paris, « la grande Organisation », vient d'être décapitée. Décapitée au sens propre... Supprimé, cet État dans l'État qui avait si longtemps gêné l'Assemblée ! On a rattaché ses services aux administrations du pouvoir central, lui-même soumis à de nouveaux maîtres — « C'est une révolution ? », « Non : un règlement de comptes ». Les nouveaux chefs (Laurent n'était pas mal non plus avec les anciens), les nouveaux chefs (que Laurent assure chaque jour de son sincère dévouement) ont chargé ce garçon dynamique et obligeant de toute la gestion de la maison : le civil et le militaire, le gardiennage et l'approvisionnement. Le voilà enfin, le responsable unique que Lorinet appelait de ses vœux ! Résultat : ce responsable est débordé. D'autant qu'il n'a que vingt-quatre ans : nos frontières sont défendues par des généraux qui en ont vingt, mais Laurent, lui, n'avait jamais eu l'occasion de commander ni même, à dire vrai, celle de travailler. Il se prétend homme de loi, clerc d'avocat, greffier, mais le droit, où l'aurait-il étudié ? Fils d'un petit marchand bordelais, il est né aux Îles et y vivait encore dix-huit mois plus tôt. S'est-il embarqué, orphelin, dans l'intention de gagner sa croûte (il était mal vu des planteurs, à Fort-de-France, « fraternisait avec les nègres ») ? Ou n'a-t-il traversé la mer que pour visiter Paris, ses théâtres, ses ponts, ses places, et les boudoirs, les tripots du Palais-Égalité ? En tout cas, pendant qu'il faisait le touriste, les Anglais, appuyés sur les esclavagistes, nous ont pris la Martinique et la Guadeloupe. Impossible de rentrer. Du coup, il vit toujours chez ses tantes, Jeannette et Marianne, deux vieilles filles qui demeurent dans un rez-de-chaussée, rue de la Folie-Méricourt. Ne pas se laisser tromper, cependant, par ses succès amoureux, son accent créole, son apparente nonchalance, ses manières de dandy (frac bleu, bottes à revers chamois) : Parisien par force, il a découvert la politique, ce jeu de hasard enivrant. Très engagé dans la défunte Commune, président de sa section, membre d'un des douze comités révolutionnaires de la capitale, en mai il multipliait les rapports contre les « suspects », perquisitionnait hâtivement les garnis au nom de la Vertu expéditive (« *la Terreur est la Vertu prompte* »), et envoyait en prison trente « repus » ; mais dès le 10-Thermidor, prompt aux reconversions, il faisait la chasse à ses anciens camarades et enfermait lui-même Talbot, l'un de ses amis de la veille, dans un cachot de la Conciergerie...

Aptitude à l'oubli, disposition à la palinodie : ces talents précieux dans les époques troublées ne doivent pas nous dissimuler les qualités essentielles du jeune homme ; on l'a nommé moitié par hasard, moitié par faveur (il est au mieux avec Botot, le secrétaire du nouveau chef, dont le zèle sinueux a suivi le même chemin que le sien) ; mais il a aussitôt fait de son mieux pour se montrer à la hauteur de son salaire et de ses responsabilités. Dans les cours et l'enceinte on ne voit plus que lui : à la lingerie, aux cuisines, à l'économat, dans les six corps de garde, et trois fois par jour, aux heures des repas, dans les chambres des « pensionnaires ». Il compte les fagots dans le bûcher (deux mille par mois), surveille l'impression des cartes d'entrée (deux mille par semaine, et de quatre espèces : ouvriers, employés, militaires, commissaires) ; il assiste aux manœuvres des canonniers, inspecte les guichets, houspille les permanents, vire enfin le père Jérôme, ce soiffard, procède aux changements d'affectations, redistribue les logements, renouvelle les paillasses des soldats, et trouve encore le temps, avant d'aller dormir, de gratter des rapports pour le Comité. Tout de suite, il l'a compris : cette maison n'est pas une tour, c'est un gouffre ! Une gabegie qu'on a peine à imaginer quand tant de gens, dehors, crèvent de faim, qu'on fait la queue devant les boulangeries, que les mères abandonnent leurs enfants, que des ouvriers se pendent dans les galetas... Fort de son inexpérience, atout de la jeunesse, Laurent propose, dès septembre, d'excellentes réformes — suppressions de postes (pourquoi entretenir deux cent quarante hommes de garde lorsque cent suffiraient ?), économies sur la nourriture (les officiers d'état-major ne peuvent-ils manger à leurs frais ?), la boisson (plus de rincegosiers coûteux : ni eau-de-vie ni chocolat), le blanchissage (renvoi de la surveillante de lingerie), la vitrerie, la chandelle. Et l'huile, tiens, l'huile à brûler : l'extérieur de la bâtisse et l'enceinte, jusqu'aux créneaux des murailles, sont éclairées toute la nuit par cent quatre-vingts becs de lumière ! Une rente pour l'entrepreneur de réverbères, le père Briet, et un superflu dans lequel il vaudrait mieux couper afin de pourvoir au nécessaire — le pain, par exemple.

Certes, à la cuisine, quand le budget est dévoré, le « chef de la Bouche », Gagnié, a pris l'habitude de régler les factures sur ses deniers en attendant que l'administration, renflouée, puisse assurer le relais ; mais va savoir d'où il tire l'argent (jusqu'à quatre fois son traitement de l'année !), et comment, pendant que l'inflation galope, il se dédommage de l'absence d'intérêts : coulage ? trafic de denrées ? Jusque-là personne n'était allé y voir de près, on avait trop besoin de lui. Pas plus qu'on ne lui cherchait noise sur ses idées, bien que certains l'aient, non sans raison, supposé mal pensant, nostalgique.

Laurent, à peine arrivé, s'attaque au mystère. Le voilà qui, assisté de Liénard, le nouvel économe (encore un nouveau !), épluche toutes les factures visées par le cuisinier : *« Mémoire du pain fourni pendant le mois écoulé, savoir six cent vingt pains à casser, quatre cent soixante-quatre pains de deux livres à pâte ferme, trois cent soixante-quinze pains de table dorés »*, et des centaines de pains à potage, pains mollets, pains de mie, pains de seigle, pains d'extraordinaire, sans compter les flûtes, les croissants, « et pourquoi pas du pain de Gonesse tant qu'ils y sont ! Qualité et quantité ! Fais le total, mon bon Liénard : deux livres de pain par jour et par personne, quand dehors, avec les cartes alimentaires, seules les nourrices et les femmes enceintes peuvent dépasser la demi-livre ! Combien de nourrices ici, combien de femmes enceintes ? ». Liénard, plus pondéré, rappelle que si la maison est, au principal, un casernement, ce casernement ne recrute que des citoyens triés sur le volet, des patriotes de première catégorie : « Même avec deux livres par jour et par personne, nos "nantis" mangent à peine à leur faim ! En quantité, les livraisons du boulanger n'ont rien d'excessif. » Laurent se rabat sur les factures de la mère Meslain, fruitière à la Halle : alors là, mes enfants ! chaque mois elle touche davantage pour ses quatre pommes et ses dix salades que le boulanger pour ses trois mille pains ! Bizarre ! « C'est aussi, dit Liénard, réaliste, que la loi du maximum ne s'applique pas aux salades... La mère Meslain pratique des prix libres. — Une liberté qui n'enrichit que les ventres-pourris ! Et regarde-moi ce mémoire du faïencier ! Ai-je la berlue ? Quatre douzaines d'assiettes par mois, autant de plats et de jattes, et des saucières, des gobelets en veux-tu en voilà : ma parole, ils ont monté un jeu de massacre entre le dressoir et le vaisselier ! » On va remettre de l'ordre dans l'office, et comment ! (Quelle jeunesse, ce Laurent, quelle fougue !) D'abord, congédier le chef, Gagnié, suspect de royalisme, suspect de corruption, et, de toute façon, surqualifié : un des meilleurs cuisiniers de France, autrefois officier à la Bouche Royale des Tuileries, pour régaler deux ouistitis au fond d'une prison ! « Et qui verrais-tu pour le remplacer ? demande Liénard, prudent. — Son aide, le père Meunier... Sans augmenter son salaire évidemment ! — Et comme aide, pour remplacer le père Meunier ? — Le laveur de vaisselle, Lermuzeaux... Dans l'opération la Nation gagnera six mille livres ! — Ce que la Nation y gagnera, je le vois, mais je vois aussi ce que la maison y perdra... Sous les ordres de ce Gagnié, il y a un an et demi, ils étaient encore sept à la cuisine : rôtisseurs, pâtissiers, sommelier. Nous voilà passés de sept à deux, et tu voudrais maintenant nous enlever le meilleur des deux ? Les soixante bonshommes qu'on nourrit encore dans cette cour finiront par se fâcher : l'ordinaire du laveur ne vaudra pas celui du grand Gagnié ! Imagine qu'ils t'accusent d'excès de vertu ? Dangereux, ça ! La vertu n'est plus si à la mode qu'elle était... — Mais la misère, si ! La misère est toujours à la mode ! Je suis là, au nom du gouvernement, pour réduire les frais. — Alors, commence par réduire ton salaire, c'est ce que les autres te diront ! » Liénard n'avait pas tort : la mesure n'a pas rendu les nouveaux très populaires. Était-elle utile d'ailleurs ? Confrontés aux défaillances de l'administration des prisons, Liénard et le père Meunier devront bientôt, à leur tour, laisser les fournisseurs tricher sur les quantités pour se dédommager des retards de paiement — comment sanctionner ces marchands impayés quand le coût de la vie augmente de vingt pour cent par mois ?

Laurent, déçu, se désintéresse bientôt de la cuisine et de ses factures, abandonne le tout à l'économe, et, derechef plein d'illusions, se jette sur la question du bois. Urgente en cette saison. La maison, naturellement humide et glacée, consomme, corps de garde compris, une charretée de bûches par jour pendant sept mois de l'année : toutes les trois semaines, on est en panne de combustible — *« nous vous observons que nous n'avons plus que pour deux jours de bois »*, *« nous sommes sans bois, l'économe nous a déclaré aujourd'hui qu'il n'en a plus pour fournir à la consommation de demain »*... La jeune fille, là-haut, a les mains gercées ; elle ne se plaint pas mais, Laurent le sait, elle a froid. Malgré ses mitaines (trop fines) et ses pèlerines (trop légères), elle a froid. Quand il entre chez elle à l'heure des repas, elle pose sa couture, son tricot, sa lecture, et tourne vers lui ses yeux bleus. Est-elle jolie ? Elle a seize ans et demi, il en a vingt-quatre. Elle le trouve poli, honnête, il ne fouille pas les tiroirs de sa commode, ne la tutoie pas, lui a rendu son briquet, lui procure des livres (elle n'avait que les *Voyages* de La Harpe, qu'elle avait lus cent fois). Elle le trouve élégant. Il la trouve blonde, pâle, triste. Pour elle, il a commandé quatre corsets neufs (il ne voudrait pas que sa taille « se dérange »). Quand elle déjeune, il lui demande la permission de s'asseoir un moment. Ils parlent, de choses indifférentes bien sûr — le temps qu'il fait, le plat du jour, et le bois, ce bois dont il ne la laissera pas manquer. Il évite les sujets sensibles : il sait qu'elle est orpheline et qu'elle ne le sait pas, il sait que la jeune tante qu'elle adore est morte et qu'elle l'ignore. Tout en causant, il la contemple à la dérobée : elle manque de gorge, ses vêtements de dessus sont usés, une dartre rouge sur la joue gâte son teint. Mais elle a seize ans, est assise à un mètre de lui, répond à ses questions, parfois même elle lui sourit... Jacques-Christophe Laurent est, avant la lettre, un snob. Un sans-culotte snob : Ô Jeannette, ma tante ! Si tu voyais ton Christophe ! Ton Christophe à côté d'elle, d'Elle ! Qui aurait dit, quand mes parents sont morts et que je dormais dans un hamac, sous un toit percé, qui aurait dit ?... Jeune, ambitieux, et snob, le petit Laurent. Grisé par une intimité dont il n'aurait pas osé rêver : jamais, quand il voit la jeune fille, il n'oublie la disparité de leurs naissances. Il se plaît à la regarder manger ses fruits : avec couteau et fourchette, gestes menus, grâces exquises... Mille ans d'éducation. En même temps il s'émerveille de la sentir si timide avec lui, presque trop réservée — il voudrait la rassurer, la croit encore effrayée. Il ne sait pas qu'elle est hautaine, le sera toujours, et que, pas un instant, elle n'oublie plus que lui sa naissance et son rang. Seulement, elle a seize ans, il en a vingt-quatre. Il est créole, élégant. Elle est orpheline et blonde. Il vient trois fois par jour, elle attend sa visite. Aucun autre homme ne pénètre dans son appartement (car, sur ce point, Christophe Laurent applique le règlement avec la même rigueur que les sbires de l'Incorruptible : aucun garçon-servant dans les chambres de la Tour) ; et lui, condamné par sa fonction à ne pas sortir de l'enceinte, ne voit jamais d'autre femme. Quand il frappe le matin avec le premier panier (il n'entre pas sans frapper, un raffinement qui laisse le porte-clés pantois), elle est déjà levée, habillée, coiffée... Demi-révérence de pensionnaire ; toujours digne, et néanmoins soumise : elle sait sa naissance, mais connaît sa condition — elle est la prisonnière, il est le geôlier... Ménage de carnaval, délicieux mélange : on ne sait lequel domine l'autre, confusion des genres et des sentiments, inversion des rôles, on baigne dans le non-dit, l'incompris, on ne conçoit rien de ce qu'on éprouve. Pour un peu, on marivauderait... Pourtant, la mort est là, qui rôde dans l'escalier et préserve le « troisième étage » de toute mièvrerie.

C'est au deuxième, surtout, que la mort aimerait s'attarder, sur ce palier où Christophe Laurent, lui, ne traîne jamais. Submergé de travail, et pressé de monter les soixante marches d'au-dessus, comment voulez-vous qu'il s'intéresse à l'enfant ? Un marmot laid, idiot, farouche, un animal toujours couché, vautré, occupé à se gratter, à renifler, qui ne vous rend ni vos regards ni vos saluts, ne remercie pas, ne répond jamais, et pue la merde à plein nez ! Il faut dire, aussi, que sa chambre est d'une saleté... « Enfant martyr », dites-vous ? Ah pardon : Laurent n'est pas le genre d'homme à laisser souffrir un enfant innocent sans intervenir ! Alors de deux choses l'une : ou bien le pensionnaire de la chambre jaune n'est pas innocent, ou bien ce n'est pas un enfant. En effet : à le considérer de loin, c'est une bête. Or, les hommes « ordinaires », s'ils plaignent les bébés battus, affamés, ne s'attendrissent vraiment que sur la beauté — enfants martyrs aux cheveux dorés, aux grands yeux non chassieux, souriants s'il se peut... Pas trop de cris, de morve, de pus, de poux ! Ah, si l'enfant de la Tour avait senti l'eau de Cologne, Laurent, sans doute, ne se serait pas borné à noter rapidement, distraitement, à l'intention du Comité : *« Sa chambre est toujours close... Il ne communique avec qui que ce soit... La surveillance est parfaite... Le service se fait très bien.* »

Autour de la chambre tout a changé — le régime, les costumes, les slogans, l'économe, le concierge, et même le cuisinier ; tout a changé mais, dans la chambre, rien ne change ; si ce n'est que le locataire porte maintenant un pantalon dont les jambes sont déchirées jusqu'aux genoux...

Tempête : au commencement de l'automne, quelque temps après la nomination de Laurent à la direction de la Maison, il y eut des orages violents, nombreux. Certains soirs, les éclairs illuminaient le haut de la fenêtre, brusquement découpée dans la nuit comme une imposte ouverte sur un couloir éclairé ; dans ces corridors invisibles, un dieu faisait rouler son char à grand bruit ; orage-opéra qui venait chercher le petit garçon jusqu'au fond de son lit pour l'obliger à bondir, s'élancer, tressaillir avec lui... Un matin, très tôt, bien avant l'heure du réveil et du bol de lait, cet orage familier entra sans même s'annoncer, sans allumer : un coup frappé en plein milieu de la pièce, avec tant de violence qu'il secoua les vitres, fit vibrer les cloisons de bois, en décrocha les gravures et le baromètre. Fracas de verre brisé. Aussitôt, des cris dans la cour, le cliquetis des armes. Puis toutes les cloches de la ville, et un chien en bas, un chien qui hurle à la mort... L'enfant, dressé sur son grabat, couvert de sueur, tremblait sans pouvoir s'arrêter.

Deux heures après, il tremblait encore quand, précédés du nouveau gardien (frac bleu) et du porte-clés, deux visiteurs (plumets frisés, bottes à pompons) vinrent s'assurer qu'il était là. Il pensa (pour autant qu'il pût penser car il regardait surtout les pompons et le manteau rouge à parements d'hermine que portait un des étrangers, une fourrure qu'il aurait aimé toucher du bout du doigt, de la paume, caresser comme un chat, un chat d'Angora...), il pensa qu'ils avaient craint de le trouver blessé, puis crut comprendre qu'ils avaient seulement eu peur de ne pas le trouver. Ils se bornèrent en effet à le tirer du lit (sans lui donner son bol de lait) et, soulagés, ils s'apprêtaient à repartir quand le visiteur à fourrure reprocha au jeune gardien « l'odeur infecte qui règne là-dedans, je l'avais déjà remarquée la dernière fois. Quand tu feras balayer les débris de verre, mon petit Laurent, profites-en pour faire nettoyer le reste... ». Geste large. Il fit ensuite trois pas vers la porte et, se retournant vers l'enfant : « Et toi, reprit-il, puisque nous sommes là, dis-nous s'il te manque quelque chose : de quoi as-tu besoin ? »

Besoin ? C'est un mot dont le petit otage ne sait plus le sens, enfin, plus bien. Besoin... Besoin de son bol de lait ? Il lui semble vaguement qu'après ce grand bruit, cette grande peur, il aimerait une boisson très chaude : est-ce un « besoin » ? Besoin... Le voilà soudain inquiet, ce qu'on lui demande est trop compliqué, d'ailleurs il entend mal, son cœur bat fort, aussi fort qu'au moment du coup de tonnerre. Besoin d'un savon, d'une maman, d'un ballon ? Savon, ballon... Que dire ? Il lui manque aussi un oreiller. Un chien ? Il ne se souvient plus du chien. Vite, répondre ! Son cœur bat... Qu'y a-t-il de vrai dans ce rêve-là ? Un orage sans éclair, est-ce que ça existe ? De grands morceaux de jour dans ses nuits, des morceaux de nuit dans ses jours... Les hommes à pompons et parements le gênent, l'ennuient maintenant, il voudrait boire son lait ou dormir. Envie de dormir. Fatigué. Un cauchemar peut-être, et il va se réveiller ? Le visiteur insiste, ses plumets s'agitent. L'enfant secoue la tête, fait non avec la tête : quand on a besoin de tout, on n'a besoin de rien.

20

« Goupilleau de Fontenay, Jean-François. Notaire. Quarante et un ans en 94. Je jure de dire la vérité. Attention, “Fontenay” n’est pas un nom noble : j’étais “de Fontenay” autant que Dupont était “de Nemours”. On m’appelait comme ça pour me distinguer de mon cousin Philippe : nous étions tous deux natifs de Montaigu en Vendée, tous deux notaires, et tous deux députés. Puisque j’étais élu de Fontenay, où j’avais exercé comme greffier, et lui élu de Montaigu, notre berceau, nos collègues de l’Assemblée disaient “Goupilleau de Fontenay” et “Goupilleau de Montaigu”.

— Combien de fois, en tant que député, avez-vous eu l’occasion de voir l’enfant dans sa chambre ?

— Trois fois. Fin juillet, avec Barras, quand nous avons pris les rênes : un de nos premiers actes de gouvernement, sur les cinq heures du matin, a été de visiter la Tour et d’y placer nos hommes... Je suis retourné là-bas un peu plus tard, le jour où la poudrière de Grenelle a sauté : mille cinq cents morts — à l’époque on ne faisait pas le décompte des blessés ni celui des vitres cassées, vous parleriez d’une catastrophe, nous disions “un incident”... Il n’empêche : comme il y avait eu la veille, sur les boulevards, une manifestation de la jeunesse dorée, avec ses petits poignards et ses cannes plombées, Barras a craint un attentat, un complot : il m’a envoyé, avec un collègue, m’assurer que personne ne profitait des circonstances pour libérer l’otage. J’ai fait doubler la garde... La troisième fois était, comme la première, une visite de nuit : le 28 octobre, tard dans la soirée, la Commission de la police avait fait parvenir deux rapports alarmants au Comité de sûreté ; à une heure du matin, on m'a dépêché à la Tour avec Reverchon, un autre député ; nous sommes montés dans les étages voir s'il y avait eu tentative d'évasion. Tout était en ordre, nos "pensionnaires" dormaient, mais j'ai donné des instructions pour renforcer la sécurité.

— Lors de ces différentes visites, comment avez-vous trouvé l'enfant ?

— Ce qui m'importait, c'était de le trouver ! Pour ce qui est du "comment"... Fin juillet, le jour commençait à peine à se lever, on ne voyait pas grand-chose, et nous étions sept dans la chambre. Sept, et tous épuisés ! Obligés d'agir dans la fièvre : l'avant-veille, nous nous étions crus perdus ; mais la veille, reprenant espoir, nous écrasions nos adversaires, arrêtions les "buveurs de sang" et nous assurions la maîtrise des bâtiments publics. Quarante-huit heures sans fermer l'œil ! Au moment où nous sommes passés chez les otages, il nous restait — rien qu'au menu du jour qui se levait ! — à faire exécuter deux ou trois douzaines d'anciens chefs, haranguer les troupes, révoquer des juges, rendre compte à l'Assemblée... Bref, nous manquions de temps pour nous interroger sur l'état physique et mental de votre petit héros !

— À propos du temps dont vous avez disposé, nous avons un témoignage rédigé peu après les événements : celui de la jeune fille du troisième. Elle avait été réveillée par le tambour qui battait, les portes qui claquaient : quand elle a entendu ouvrir les verrous du deuxième étage, *"je me jetai hors de mon lit*, écrit-elle, *et j'étais habillée lorsque les députés en grand costume arrivèrent chez moi"*. Mettons qu'il lui ait fallu dix minutes pour s'habiller, vous n'avez...

— Nous n'avons pu, en effet, passer que deux ou trois minutes chez le locataire du dessous, comptez : déverrouillage puis reverrouillage des cinq portes qui séparaient l'escalier de la chambre de l'enfant ; temps nécessaire à sept hommes pour se faufiler à la queue leu leu par la petite porte des commodités ; plus, soixante marches à gravir entre le deuxième et le troisième...

— Vous n'avez donc pas pu vous entretenir avec l'enfant ni voir s'il était bien traité ? Plus tard, pourtant, Barras a affirmé avoir trouvé la chambre "dans un état de malpropreté repoussant, des ordures accumulées dans plusieurs coins" et le jeune otage, “les genoux enflés, le visage bouffi”, couché dans un lit “trop petit pour qu’il pût s’y étendre de tout son long”. Levé, l’enfant aurait eu de la peine à marcher, “son pantalon était étroit et semblait le gêner” ; après avoir fait couper les côtés de ce pantalon, Barras aurait grondé le commissaire et le garçon de service “sur la mauvaise tenue de la chambre”, “la malpropreté où on laissait l’enfant”, et demandé qu’on fît venir un médecin “sans perdre de temps”...

— Fieffé menteur ! Cet homme-là mentait comme une épitaphe, comme un programme électoral ! Si Barras avait donné des ordres, vous pensez bien qu’ils auraient été exécutés ! Personne n’aurait pris le risque de déplaire au nouveau maître, “général commandant la force armée de Paris” ! Est-ce qu’on a nettoyé la chambre, appelé le médecin, sorti “le louveteau” de son trou ? Non, ce qui prouve que Barras n’avait rien dit, rien fait, rien vu ! Et pour cause : il s’inquiétait moins de la santé des locataires que du moral de la garnison. On avait réuni dans la cour, au pied de la Tour, les deux cents gardes en service et les trois cents nouveaux que nous amenions en renfort. Sitôt redescendu du troisième, le général leur a fait un beau discours. Acclamations. Ouf ! Soulagement ! Fin de l’épisode. Quand votre fabulateur “témoigne”, c’est vingt-cinq ans après ; et à la lumière de faits qui ne sont apparus qu’ensuite, l’histoire des genoux par exemple, et n’ont été connus que plus tard encore... Il cherche à se dédouaner, à se donner le beau rôle. Comme d’habitude. Pas un mot de vrai.

— Même l’histoire du lit trop petit, du pantalon trop serré ?

— Ces détails vous plaisent, hein, vous y tenez ? Mettons qu’ils sont plausibles : tout le monde assure que l’enfant grandissait très vite à cette époque. Or, le lit de sangles était celui qu’on lui avait monté deux ans plus tôt ; quant aux costumes, on ne lui avait rien commandé depuis un an. C’était pire encore pour les souliers...

— Je constate avec plaisir que, comme fantôme, vous êtes mieux renseigné que comme député !

— À quelque chose mourir est bon ! Pour un notaire de campagne, spécialiste du tour d’échelle et du droit de puisage, j’en sais même assez long désormais sur les manies des romanciers : le “petit détail vrai”, surtout s’il est faux... Vous avez mon absolution pour le pantalon, y compris son découpage —

au scalpel, tant que vous voudrez — par le sieur Lorinet, commissaire et officier de santé. À propos, je me demande si c'est lui, en bas, qui nous avait accueillis coiffé de son bonnet de nuit ? Ah non, c'était un de ses camarades, Tessier : il faut dire que les commissaires de service cette nuit-là n'avaient rien compris à ce qui se passait. La tête de ces pauvres gars cueillis au saut du lit ! Pas une seconde ils n'avaient imaginé la gravité des événements qui secouaient l'Hôtel de Ville pendant qu'ils roupillaient au rez-de-chaussée de leur coffre-fort ! Quant à moi, pour l'enfant je ne me souviens de rien : la pièce était mal éclairée, nous étions sept, je me trouvais au dernier rang, et je bavardais avec Rovère, un collègue... L'odeur, peut-être ? Mais je ne suis pas sûr que, cette nuit-là, elle m'ait frappé... Juste au-dessous, la salle de garde ne sentait pas bon non plus ! Dix bat-flanc, dix paillasses, dix hommes qui ronflaient tout habillés en ayant retiré leurs bottes : vingt bottes, vingt pieds, le rude fumet des chambrées... Non, la saleté de la "cage" du deuxième, je n'en ai pris conscience qu'au grand jour, après l'explosion de la poudrière : les débris de nourriture un peu partout, les toiles d'araignée qui pendaient devant la fenêtre, les puces qui me sautaient sur le paletot — et quel paletot, dites donc : ma grande tenue rouge à revers d'hermine ! Oui, je sais qu'en cette saison notre nouvel uniforme de députés n'était guère approprié, mais quand j'ai vu ma belle hermine couverte de puces (tous ces points noirs sur le blanc !), la vermine qui grouillait dans le lit, et, au milieu, cette petite créature... là, je me suis fâché ! Laurent touchait le même salaire que l'instituteur, des appointements de ministre, et nous n'en avions pas pour notre argent ! Il aimait mieux faire le joli cœur au troisième que la bonne d'enfant à l'étage d'en dessous... Alors j'ai donné des ordres. Précis. C'est moi qui ai donné ces ordres, pas Barras. Le jeune Laurent, un peu pète-sec, s'est retranché derrière le règlement : il a exigé une permission expresse du Comité de sûreté avant d'introduire dans la pièce deux hommes de peine ; j'ai fait en sorte que ce blanc-bec ait son autorisation dès le lendemain ! Et quand je suis revenu deux mois plus tard, j'ai...

— Pourquoi vous avait-on envoyé cette fois-ci ?

— Nous nous sentions menacés à droite comme à gauche. Sur notre droite, les muscadins continuaient à s'agiter, on les entendait dire, sur les marchés, qu'on allait frapper une monnaie à l'effigie du marmot... Sur notre gauche, nous redoutions un retour en force des anciens partisans du "Cromwell", un complot des Jacobins : allaient-ils, ces buveurs de sang, envahir l'Assemblée, s'emparer du "précieux gage" ? Justement, les militants de la section du Temple nous reprochaient d'avoir introduit le loup dans la bergerie : comment, nous écrivaient-ils, la garde d'un otage si nécessaire à notre propre conservation a-t-elle pu être confiée à notre camarade Laurent, "un homme coupable de menées terroristes et secrètement fidèle aux cannibales que nous pourchassons" ?

— On s'y perd...

— On s'y perdait un peu, en effet. De la nouvelle majorité, personne ne connaissait précisément les limites ; pas même nous, qui en étions : nos ennemis parlaient d'une coalition de la peur : où commence la peur, où finit-elle ? En tout cas, pour ce qui est de la Tour, j'ai constaté en octobre que mes instructions avaient été suivies. Il faisait nuit noire mais j'avais fait monter deux lanternes ; j'ai vu que la pièce était balayée, lavée, que les meubles étaient cirés ; on avait même changé les lits : du grand il ne restait que les bois, démontés ; on avait ôté les rideaux verts pour les désinfecter ; le "berceau" avait été remplacé par un lit de taille moyenne, en fer, capitonné de toile de Jouy ; l'enfant y était couché dans des draps de chanvre un peu jaunes mais très propres, un bonnet bien blanc sur la tête.

— Quel air avait-il ?

— L'air d'un enfant qu'on réveille en pleine nuit, pardi ! Des yeux de chouette... Surtout quand je lui ai mis ma lanterne sous le nez ! Tout ce que je peux dire, c'est qu'il était moins joli que le blondinet que j'avais vu vingt-six mois plus tôt se réfugier, avec ses parents, dans le giron de l'Assemblée. Le 10-Août, oui ! C'était moi qui les avais obligés à quitter l'enceinte des débats, "inviolable" comme on dit : j'ai obtenu qu'on les entasse dans la petite tribune grillée du Logographe, derrière le Président. Peut-être qu'ils n'étaient pas trop à leur aise dans ce cagibi, mais c'était une question de principe, un principe juridique : où irait le monde si l'Exécutif pouvait poser ses fesses au milieu du Législatif ! À part ça, fin octobre (j'étais revenu sans mon hermine : *non bis in idem !*), je n'ai rien observé de particulier. Le gamin avait l'air mieux traité qu'en septembre.

Mais je ne lui ai pas parlé. Pas plus qu'à la locataire du dessus. Nous étions trop pressés : j'ai félicité Laurent, et décidé en même temps de le faire surveiller de près — un adjoint permanent d'une part, et d'autre part un commissaire civil désigné à tour de rôle par une des quarante-huit sections de la ville, un commissaire qui changerait chaque jour à midi.

— En somme, tout en économisant sur les frais de repas (un seul militant à nourrir au lieu de quatre), vous rétablissiez l'ancien système : un bénévole aux idées sûres, un "politique", pour surveiller le salarié... Vous aviez donc grand-peur qu'on ne vous le vole, cet enfant ?

— Mais sûrement ! C'était notre bien, la propriété de la Nation !

— Puisque c'est un notaire qui l'assure...

— Oui, et ce notaire, figurez-vous, a justement été chargé de négocier la marchandise : c'est dire s'il en connaissait la valeur, "le notaire" ! Savez-vous pourquoi je ne suis jamais retourné dans la Tour alors que l'Assemblée ordonnait deux nouvelles inspections dans l'hiver ? Parce qu'on m'avait envoyé en mission auprès de l'armée, dans les Pyrénées, et que j'y ai rejoint Barthélemy qui traitait avec l'Espagne. Or, l'objet de ce traité...

— Excusez-moi mais je remarque que votre cousin et vous passiez votre vie sur les routes ! Rarement à Paris, et jamais dans vos circonscriptions !

— Votre étonnement me surprend : c'était la guerre civile dans nos circonscriptions — en un an, deux cent mille morts sur quatre départements ! Elles étaient à feu et à sang, nos circonscriptions !

— Il y avait donc désormais, entre vos électeurs et vous, comme un fossé ?

— Une fosse, oui ! Une fosse remplie de cadavres, un fleuve de sang ! Et puis, Philippe et moi, nous avions racheté beaucoup de domaines du clergé... Dame, il fallait bien que quelqu'un les rachète, et les notaires n'étaient pas les plus mal placés. Seulement, les paysans sont d'un naturel contrariant : ils ont découvert, tout à coup, qu'ils aimaient mieux dire "nos seigneurs" que "ces messieurs du bourg"... Ces électeurs rebelles au progrès, nous avons quand même tenté de les défendre contre les bandes de "patriotes" qui les rançonnaient : mon cousin s'est rendu à Saumur, et moi à Chantonnay pour m'opposer aux exactions du sieur Rossignol, cet ancien orfèvre toujours plus qu'à moitié saoul, qui ne devait son poste de général qu'à ses amitiés au ministère... Nous l'avons convaincu d'incompétence, de vol et de pillage, et je l'ai destitué. Mais le voilà qui court à Paris se faire réconforter par ses amis : il explique à l'Assemblée que, s'il est destitué, c'est pour avoir voulu dévaster la Vendée insurgée *"contre l'avis des deux Goupilleau qui y ont des propriétés". "Que m'importe, à moi, quelques pillages particuliers !"* lâche aussitôt notre collègue Tallien, ce pourri qui, sur les pillages, en connaît long ! *"Les sans-culottes ne dérobent jamais rien,* clame un autre, *car tout leur appartient !"* Notre arrêté est cassé, Rossignol rétabli ; et, du haut de la tribune, l'Incorruptible conclut : *"La Nation sait apprécier le mérite des vrais défenseurs de la patrie : Rossignol, retournez à votre poste, combattez les brigands avec courage, l'Assemblée vous accorde les honneurs de la séance..."* Un coup à y laisser nos têtes ! Oui, madame, voilà ce qui se passait dehors pendant que vous regardiez l'enfant ! Croyez-moi, il n'était pas mal où il était, ce gamin : à l'abri. Sitôt qu'on sortait de sa chambre jaune, le tourbillon reprenait : intrigues, injures, coups de sabre, coups de chien, coups de tabac, perquisitions, mandats d'amener... Pour un oui pour un non, le voisin vous trahissait, le domestique vous vendait, l'ami vous livrait ! On avait peur ; quand vous nous jugez, n'oubliez pas qu'on avait peur...

— Obligés de fuir vos circonscriptions sans pouvoir vous arrêter à Paris, vous êtes devenus, votre cousin et vous, représentants du peuple itinérants. Toujours en mission, et de préférence vers le sud...

— Puisque le Comité avait décrété, après la levée en masse des bonshommes, "la levée extraordinaire des chevaux", nous avons réussi, en effet, à nous faire charger chacun d'une des divisions de réquisition : Philippe avait le Vaucluse, les Bouches-du-Rhône, le Var et les Alpes-Maritimes. Il ne repassait par Paris que chargé d'olives, de vin, d'anchois ou de thon mariné, qu'on se partageait en famille. Moi, je réquisitionnais des départements plus austères, le Puy-de-Dôme, l'Allier, le Cantal, la Corrèze et la Creuse. Je n'y ai guère rempli mes malles, on ne saurait tondre un œuf ! mais au moins trouvions-nous dans ces lieux paisibles et patriotiques la concorde et l'amour de l'égalité... C'est ainsi que, de fil en aiguille, après la chute de

Robespierre, je me suis retrouvé dans les Pyrénées, à négocier avec les Espagnols : une des conditions qu'ils mettaient à la signature de la paix, c'était la restitution de notre otage. J'aurais dû me sentir à mon affaire : qu'est-ce qu'un notaire, sinon un intermédiaire qui met en rapport deux parties dont l'une veut vendre et l'autre acheter ? Pourtant, j'ai tout de suite pensé que je ne conclurais pas ce marché : ceux qui détenaient le bien n'avaient guère envie de le céder, et les "acquéreurs" ne désiraient pas vraiment le posséder... Cet enfant, personne n'en voulait, pas même ses partisans ! Tous connaissaient la déposition qu'il avait signée contre sa mère, et ils y trouvaient matière à s'inquiéter. Soit le gamin avait dit ce qui lui passait par la tête, et dans ce cas il était fou. Soit on l'avait, par l'alcool et la fréquentation de femmes perdues, avili, abêti, sali, et on allait se trouver devant un être tordu et pas facile à redresser ! "Un enfant pervers ou perverti" : ce sont les mots qu'un grand d'Espagne a employés devant moi pour définir l'objet de la transaction — qui aurait envie, selon vous, de donner de l'avenir à un "pervers" ou un "perverti" ? Surtout que, du point de vue des Espagnols, on ne pouvait pas se poser seulement la question de l'avenir, il fallait aussi considérer le passé : pour ces gens-là, vous le savez, tout est affaire de naissance, de race — dans leur système la première place ne se mérite jamais, elle vous est acquise dans l'œuf. Du coup, on a le droit d'être exigeant sur la provenance de l'œuf ! Or, pour en revenir au petit, son origine était un peu douteuse, non ? Bon, il faut faire la part de la médisance : les chansons prêtaient à sa mère des amants innombrables ; et improbables car innombrables. Les chancelleries, plus objectives, ne lui croyaient qu'une seule faiblesse ; unique, cette faiblesse devenait crédible. On savait dans quelles occasions, rares d'ailleurs, les amants pouvaient se retrouver : aussitôt les ambassades, vigilantes comme ces vieilles filles qui tricotent derrière les croisées, se mettaient à compter les mois comme on compte les mailles. Pour les deux premiers enfants, rien à redire : leur père légal pouvait bien être en prime, le gros veinard, leur père véritable. Mais pour le troisième, notre petit reclus, le doute semblait permis : n'était-il pas né neuf mois exactement après une grande fête donnée par la dame pour son "cher cœur" ? Le problème a commencé à se poser quand, par suite du décès de son aîné, ce numéro trois est devenu l'Héritier : “Va, va, tu peux bien le montrer”, disaient les harengères quand sa mère l’exhibait, qu’elle s’en faisait un bouclier, “tu peux le montrer, on sait qu’il n’est pas du Gros !”. Les chancelleries ne disaient rien, osaient à peine penser, mais le jour où il s’est agi de racheter le trésor, elles se sont demandé si, dans l’incertitude sur son état et sur son origine, il fallait y mettre autant que le détenteur en demandait... Ajoutez que, par-derrière, les deux oncles — bien de la famille, eux, et qui guignaient la succession — ne poussaient pas à une conclusion rapide des négociations : en ai-je vu, dans mon étude, de ces affaires d’héritage plus sordides les unes que les autres !... On a pu revendre la jeune fille à l’Autriche, l’échanger plus tard contre un lot de prisonniers, mais on n’arrivait pas à refiler le garçon.

— Vous avez dit tout à l’heure que les “vendeurs”, vos mandants, n’étaient pas, eux non plus, très désireux de conclure...

— C’est vrai. On était en train de négocier avec l’Espagne une paix séparée ; la remise de l’otage faisait l’objet d’une clause précise que nous avions acceptée ; mais nos chefs souhaitaient maintenant en reporter l’exécution jusqu’à la conclusion d’une paix générale, autant dire aux calendes ! Entre nous, j’étais de l’avis de Barthélemy, notre chef de mission, un diplomate de profession : juridiquement, cette interprétation du contrat ne tenait pas debout — “donner et retenir ne vaut”, dit l’adage.

— D’où venaient ces hésitations ?

— De ce que nos collègues, à Paris, divergeaient sur l’appréciation du danger. Pour les uns, la présence de l’enfant dans nos murs entretenait les troubles intérieurs, nourrissait les complots : *“Il faut vomir le fœtus hors de nos frontières ! On a déjà demandé l’expulsion de cet avorton, il est temps de purger le sol français du dernier vestige d’une race honnie !”* Pour d’autres, l’otage était notre meilleure protection : si le sort des armes nous devenait contraire, on pourrait toujours menacer de s’en prendre à lui ; savait-on d’ailleurs comment les nations étrangères, si elles en redevenaient propriétaires, se serviraient de son nom ? *“Il y a peu de danger à tenir en captivité les derniers individus de cette famille, il y en a beaucoup à les expulser*, assurait Cambacérès, un de nos meilleurs légistes ; *si Rome eût retenu les Tarquin, elle n’aurait pas eu à les combattre !”*

— Quel était votre sentiment personnel ?

— Je ne suis pas un familier des Tarquin... Mais s'il faut parler franc, je ne voyais pas d'urgence à relâcher un prisonnier qui était beaucoup plus qu'un enfant : le symbole d'un régime aboli. Du reste, j'ai remarqué que du symbole vous ne parliez jamais : vous écrivez "le petit", "le garçon"... Pourquoi éviter le titre que nos ennemis lui donnaient ? Pourquoi ne pas lui donner son prénom, suivi du numéro ? Craindriez-vous d'admettre que ce que nous voulions détruire, c'était le symbole, rien que le symbole ?

— Il se trouve que ce symbole avait deux bras, deux yeux, de longs cils et une petite bouche faite pour téter, pour embrasser...

— Ou mordre, à l'occasion ! Attendez qu'il grandisse !

— "Les hommes naissent et demeurent libres et égaux en droit"...

— Ce principe, nous avons été les premiers à le poser, et contre la volonté de sa famille et de ses amis ! Bon, les circonstances nous empêchant de le lui appliquer, nous ne l'avons pas traité comme un enfant quelconque, nous l'avons traité moins bien, c'est vrai. Mais croyez-vous que si ses parents avaient vécu, il aurait été nourri, habillé, éduqué comme n'importe qui ? Non, mieux que les autres. Mieux que les autres parce que né "supérieur"... Alors tant pis ! Pas d'égalité pour les ennemis de l'égalité !

— Ni de liberté pour les ennemis de la liberté : on a plus vite fait de trancher une tête que de trancher ce débat... Au fait, qu'aviez-vous voté au procès de son père ? Ah j'y suis, votre discours figure au dossier : *"J'ouvre le Livre de la Nature, le guide le plus certain, j'y vois que la loi doit être égale pour tous ; j'ouvre le Code pénal, j'y vois la peine des conspirateurs ; j'entends la voix de la Liberté, la voix des victimes du tyran, dont le sang arrose nos plaines ; toutes me demandent justice : je vote pour la mort"*.

— Vous n'êtes pas d'accord ?

— Oh, sur le fond, pas d'objections : on peut gouverner innocemment, mais pas impunément — ce monsieur exerçait un métier à risques et il n'était pas doué pour l'exercer... La sentence me choque moins que les motifs : vous êtes juriste, et vous allez chercher vos textes dans le "grand Livre de la Nature" ! Vous êtes juge, et vous entendez des voix, même si ce sont celles “de la Liberté” ! Quant au “sang qui arrose nos plaines”, c’est une hallucination, Goupilleau : après les voix, les visions !... Pour un notaire, un bourgeois rangé, franchement vous me surprenez !

— Je vous l’ai dit : quand nous votions, quand nous parlions, nous avions peur — des armées étrangères, des complots du Tyran, des réseaux du Vertueux, de nos collègues, du concierge, du porteur d’eau, des uns, des autres et de chacun : à Paris, les derniers temps, nous ne dormions plus deux nuits de suite dans le même lit ! Peur... et peur, après l’exécution des “terroristes”, que le petit nous échappe ! Ce qui unissait la nouvelle majorité, c’était la crainte que nous inspiraient les séides du Dictateur mais, tout autant, le souvenir du régicide et la hantise que le fils ne veuille venger son père... Ne croyez pas que j’avais grand-chose en commun avec les Barras, les Fouché, les Tallien, qui m’auraient fait raccourcir sans états d’âme ! Mais à deux reprises nous avions communié dans le même sang : celui de Louis XVI et celui de Robespierre. Nous partagions les mêmes frayeurs — un lien plus fort que les idées... Je vous jure pourtant que je n’ai pas souhaité la mort du garçon, j’ai fait nettoyer sa chambre, j’avais des fils, des neveux, des sentiments, je ne suis pas un monstre...

— Qu’êtes-vous vraiment, Goupilleau ? Un bon vivant ? Produits régionaux, petits vins de pays, “nous avons mangé comme des ogres et bu comme des Templiers à la santé de la Nation”... Un gestionnaire ? Douze ans de notariat, vingt ans d’administration éclairée du Mont-de-Piété... Un larmoyant ? “Ici mon cœur se navre, mes yeux s’inondent de larmes, la douleur me suffoque, et la plume me tombe des mains”... Un modéré ? Un faux-cul ? Un pousse-au-crime ? Souvent je me suis demandé...

— Maintenant, n’est-ce pas, vous savez ?

— J’imagine... »

« Sans avoir rien à imaginer, chère madame, vous pouvez connaître de façon sûre la figure de votre Goupilleau : il avait eu sa demi-heure de gloire cinq ans plus tôt, et je l’avais immortalisé dans une de mes œuvres les plus célèbres, *Le serment du Jeu de paume*. Au moment de cette séance dont le souvenir, impérissable, restera gravé dans le cœur de tout citoyen qui s'honore du beau nom de Français, Goupilleau était gravement malade, il s'est fait porter jusqu'à la salle de réunion dans un fauteuil ; je l'ai donc représenté assis sur ce fauteuil, débarquant de sa province, en costume à gros boutons, son chapeau rond dans les mains, et, comme tous les autres étaient debout pour cause de serment, il s'est retrouvé, avec son fauteuil, au premier rang du tableau et au centre géométrique de la toile. Regardez bien : une fois qu'on l'a repéré, ce bonhomme, on ne voit plus que lui, tout semble tourner autour de sa personne — Goupilleau Jean-François, notaire, soudain projeté au cœur de l'Histoire sans autre raison que l'application des canons de l'esthétique et des règles de composition ! Après ça, allez encore douter de la supériorité de l'art sur l'action ! ... Ah, j'oubliais de me présenter : Jacques-Louis David, peintre, quarante-six ans à l'époque des faits.

— Je ne vous avais pas convoqué, David : vous n'êtes jamais entré dans la "chambre interdite" au cours de la période qui m'intéresse.

— Oui, mais je connaissais le petit, je connaissais même la chambre jaune — c'était avant son isolement, d'accord, mais très peu avant, et j'ai un œil de peintre.

— Je suis informée de votre passage : l'enfant vous avait remarqué. Parce que vous dessiniez, n'est-ce pas, malgré le règlement ? Si vous tenez à m'expliquer... Mais pas de tribunal, pas de barre, et surtout, David, surtout ne me jurez rien ! Asseyez-vous... Puis-je vous offrir quelque chose à boire ? Gin, vodka, eau gazeuse, jus de tomate ?

— Va pour la tomate ! Les fantômes ont un grand appétit de couleurs.

— J'imagine que le rouge vous manque, en effet. Vous aimiez bien, çà et là, relever vos blancs d'une petite touche de sang. Dans *La mort de Marat*, par exemple, cette petite tache de vermillon sur le drap de bain, juste une petite tache, très vivante, alors que le cadavre s'enfonce dans le livide...

— Beau contraste, c'est vrai... Mais, du point de vue des couleurs, je ne vois rien de commun entre vos tomates et le sang de nos martyrs ! En revanche, le ton de cette boisson se rapproche un peu du frottis qui sert de fond à mon portrait de

Louise Trudaine : un rouge orangé qui fait claquer le bleu de la ceinture. Vous connaissez ce portrait ? Sacré tableau, hein ?

— Je connais le tableau. Et le modèle. Louise Trudaine... Votre mécène, votre protectrice. Elle est montée à l'échafaud au moment où, changeant de rôle, vous dirigiez la police...

— Oui, elle était trop riche. Mais son portrait ? D'une modernité ! Bougrement dérangeant ! Ah, j'avais du génie !

— Vous n'en laissiez rien ignorer : *"Loin de moi la modestie"*, *"Seul, je vaux toute une Académie !"*...

— Justement, parlons-en de l'Académie ! Jamais ces imbéciles ne m'ont "reconnu" ! Deux fois de suite ils m'ont refusé le Grand Prix ! Par la suite, pour les inscriptions au Salon, les commandes, les récompenses, ils sanctionnaient toujours mes élèves, dans le seul but de me couler. Parce qu'à l'époque c'est de l'enseignement que je vivais, des mensualités que me versaient les quarante "crassons" qui fréquentaient mes ateliers... Les jeunes peintres et le public m'adoraient. Du coup, l'Académie voulait ma peau. Eh bien, c'est moi qui ai eu la peau de l'Académie !

— Ne me dites pas que c'est pour faire la peau de quelques confrères jaloux que vous — un homme aisé, d'âge rassis, artiste arrivé — vous êtes engagé en politique comme vous l'avez fait : député, président de l'Assemblée, membre du Comité de sûreté générale, et chef de la section des interrogatoires...

— J'étais fatigué, fatigué vous m'entendez, des privilèges et des privilégiés ! Mon programme : suppression des privilèges de l'Académie, et suppression des privilèges à l'intérieur de l'Académie — pensez que les uns avaient des fauteuils quand les autres devaient se contenter de tabourets ! Suppression de l'Académie ! Suppression des préséances et de toutes les règles qui entravent le génie ! Liberté pour l'Art, liberté totale !

— Est-ce pour ouvrir les portes à la Liberté que, siégeant au Comité de sûreté générale, vous avez fait enfermer des dizaines de vos confrères ? *"On peut tirer à mitraille sur les artistes sans craindre de tuer un seul patriote !"*, c'est ce que vous assuriez. Ah, on en trouve, des mandats d'amener et des ordres de perquisition signés de votre nom ! Et il n'y a pas que la signature : dans les motifs aussi on reconnaît la patte du maître — "patriotisme sans couleur" par exemple, voilà une accusation qui révèle l'homme de métier ! Lorsqu'elle est portée contre un peintre, elle doit le mener à l'échafaud sans tarder : que faire d'un plasticien dont les harmonies chromatiques sont si pauvres, dont la palette est réduite et le badigeon fade ? À la trappe !

— Certainement : incapable, cet individu, de goûter la splendeur qu'il avait sous les yeux ! Si vous saviez, pourtant, comme l'époque était riche en coloris ! Les drapeaux déployés, les bonnets rouges, les galons, les lampions, les arbres de la Liberté, les étendards frangés d'or, le bronze des canons, l'éclair des sabres, la chemise pourpre du parricide plaquée par la pluie sur le corps de Charlotte Corday — quel beau modèle elle aurait fait ! —, la redingote à collets jaunes et bleus de ce pauvre Desmoulins, le jupon blanc amidonné de la ci-devant Reine ; et même le noir, tenez, ce noir profond, absolu, ce noir sur noir du Tribunal révolutionnaire : tentures noires ; costumes noirs des juges et des jurés, sans rabat, sans hermine, avec un plumet noir sur le chapeau — comme s'ils portaient par avance le deuil de ceux qu'ils allaient condamner... Et les célébrations ? Est-ce qu'elles n'étaient pas fortes, chaudes, admirables, les teintes des défilés que j'organisais ? Le triomphe des soldats de Châteauvieux, le transfert de Voltaire au Panthéon, la pompe funèbre de Le Peletier, la commémoration du 10-Août, la Fête de l'Être suprême...

— Je sais : avec vos ateliers dont la fréquentation augmentait et quelques sous-traitants bien choisis comme le menuisier Duplay, logeur et ami de l'Incorruptible, vous étiez devenu le concepteur et fournisseur exclusif des manifestations officielles — spécialiste de l'arc-de-triomphe en carton-pâte, du bas-relief en stuc et du char fleuri... Vous deviez y trouver votre compte ?

— Oh, c'était selon. L'État est mauvais payeur... Et puis, j'ai beaucoup perdu sur la translation des urnes de Viala et Bara : nous avions prévu un grand cortège en l'honneur de nos enfants-soldats — il fallait dresser les petits garçons à mourir en héros et habituer les mères à les donner sans réticences. Rameaux, bannières, sarcophages, couronnes de lauriers, quelques actrices louées avec leurs nourrissons pour figurer les femmes allaitantes, une cantatrice prête à entonner le couplet des mères de famille, et des chœurs d'enfants qui devaient reprendre la belle strophe du *Chant du Départ* qu'on venait de composer pour eux : "De Bara, de Viala, le sort nous fait envi-e..." Une magnifique parade d'été. La régénération de l'humanité. Prévue pour le 28 juillet... Là-dessus, vlan, la catastrophe du 27 ! Du 9-Thermidor si vous préférez... J'ai dû m'enfuir, plus de fête : nos commanditaires ? Exécutés ! Et mes fournisseurs impayés... Un drame ! On n'avait même pas eu le temps de prévenir les actrices, qui ont dû repartir en fiacre à leurs frais, à *mes* frais, et ces régiments d'enfants qui...

— À propos d'enfants, revenons à celui de la Tour. Je sais que vous l'aviez rencontré à l'automne précédent, lorsqu'il accusait sa mère d'inceste : vous aviez assisté à son deuxième interrogatoire. Qu'est-ce qui vous avait amené là ? Vos fonctions au Comité de sûreté ? Ou la curiosité ?

— Ni l'un ni l'autre : la nécessité de représenter au mieux le plus jeune de nos martyrs, Viala. Oui, Viala, justement. Après *La mort de Le Peletier* et *La mort de Marat*, l'Assemblée m'avait commandé une *Mort de Viala...*

— Vous adoriez, n'est-ce pas, mettre en scène les beaux trépas ? Brosser des cadavres ? Étaler côte à côte sur la toile le jaune bleuâtre des corps pourrissants et le bel incarnat du sang frais, fût-ce le sang des enfants... Vous n'aviez pas non plus votre pareil pour croquer le mort sur le vif : le jour où on massacrait les prisonniers de la Force, vous étiez là, à travailler sur le motif, saisissant les grimaces des agonisants, le dernier regard des mourants, le pêle-mêle des corps entassés...

— Un artiste qui veut peindre des assassinats doit voir des assassinats ! Je ne suis pas un charognard. Un voyeur, si ! Mais je m'en félicite : voyeur, c'est bien le moins qu'on puisse exiger d'un peintre !

— Plus tard, vous attendiez à la terrasse d'un café le passage de la charrette des condamnés, la Reine, Danton — un trait sec, sûr, du talent pour la caricature...

— "Talent" n'est pas le mot. Mettez "génie".

— Pour les portraits, c'est possible...

— Certain ! Le mouchoir à carreaux rouges sur la redingote noire de Sieyès, ce n'est pas un coup de génie peut-être ?

— Admettons. Mais vos grandes machines historiques, entre nous... Trop de bras tendus ! Quant à votre style, à vous l'ennemi des Académies, nous le trouvons furieusement académique ! Et je glisse sur le choix des sujets : l'épopée, l'Histoire grand format, tout cela nous semble bien démodé...

— Et c'est vous qui me dites ça ? Mais que faites-vous

d'autre, avec vos mots ? Et en plus, vous me fourrez dans le tableau ! C'est le comble !

— Permettez ! Je suis de mon temps : pas de panorama, de batailles, ni d'héroïsme — je regarde les choses par le petit bout de la lorgnette, "histoire des mentalités", "vie quotidienne", je peins l'intime, le concret, l'individuel. Seize marches par niveau, deux mètres cinquante sous plafond : cadrage serré...

— Je vois. Jamais de *Guernica*. Du Meissonier...

— David, que veniez-vous chercher chez l'enfant ? Que veniez-vous lui voler ?

— Son âge, son visage, et sa souffrance. Pour mon Viala. Si je veux être tout à fait sincère, j'ajouterai une seconde raison : le fils de mon vieux maître Joseph Vien, un homme que j'aimais comme un père, avait obtenu l'autorisation de peindre le roitelet depuis qu'il était gardé par les Simon. Passe-droit de "fils à papa"... En voyant ce portrait, j'ai trouvé que mon jeune confrère, tout fils de maître qu'il était, manquait de patte : les proportions du corps étaient si maladroites, l'attitude tellement figée, que j'ai voulu juger par moi-même de la fidélité des traits. Un artiste véritable se doit de surveiller la concurrence, de jauger ses cadets, de savoir à chaque instant s'il surpasse ou s'il est surpassé... Dans ce cas je ne doutais pas d'être pleinement rassuré, mais j'ai été déçu : Vien fils m'a semblé moins mauvais que je ne l'espérais ! Pour le visage, finalement, son tableau m'a presque persuadé. Certes, les cheveux de l'otage n'étaient pas aussi roux qu'il les avait faits, mais l'expression, ce regard rapide, inquiet, cette bouche triste, serrée, cette façon surtout d'avoir l'air sur le départ, et déjà de profil tout en restant de face, oui, cette expression m'a paru mieux rendue que je n'aurais souhaité...

— Vous a-t-il semblé que l'enfant craignait son instituteur ?

— Simon ? Mais aucun de ses familiers ne craignait le père Simon, voyons ! Gueulard, vantard, encombrant, mais trop content de lui pour être méchant : un imbécile heureux ! Les seuls imbéciles dangereux sont les imbéciles malheureux — celui-là, à l'évidence, était comblé...

— Croyez-vous pourtant, comme certains l'ont dit, qu'il buvait, et qu'il avait, ce jour-là, saoulé son "élève" ?

— Simon ne crachait sûrement pas sur la piquette : il était des Cordeliers ! Vous connaissez la chanson ? *"Boire à la jaco-*

bine, c'est chopine à chopine, mais boire en cordelier, c'est vider le cellier !"... Quoi qu'il en soit, le petit n'avait pas bu. Je l'observais face à sa sœur, à sa tante, pendant que le maire, Pache, plus cauteleux que jamais, et Chaumette, le procureur en sabots, tout émoustillé, l'assiégeaient ; ils tournaient autour de lui, tournaient autour du pot, *"manège criminel"*, *"habitude funeste"*, *"débauche effrénée"*, *"pollutions indécentes"*... Le gamin ne comprenait rien mais il faisait semblant ; ne semblait pas démonté, jouait les malins, pour retenir l'attention des adultes, en être aimé, admiré. Qui sait si Viala, lui aussi... Un héros de onze ans, un chenapan de huit, ce sont toujours deux enfants qui font les intéressants ! Ce soir-là, le garnement n'a commencé à perdre pied qu'au bout d'une heure ou deux, brusquement son regard s'est vidé, sa figure s'est rétractée, on aurait dit qu'il s'effaçait... Je le croquais toujours, et même plus que jamais, je ne voulais pas en perdre une miette, en art tout fait ventre, nous sommes des cannibales, tous !... Travail inutile, malheureusement : un mois après, pour suivre l'actualité on changeait ma *Mort de Viala* en *Mort de Bara* ; ce que j'avais saisi sur un polisson de huit ans n'était plus utilisable pour un grand garçon de treize. Du reste, les événements se précipitaient : calomnies, interpellation, prison...

— Vous n'avez pas achevé votre tableau, mais de l'effondrement du régime vous vous êtes plutôt bien sorti. Sorti vivant. Quoique vous ayez juré, peu avant, de suivre l'Incorruptible jusqu'au bout et de boire, s'il le fallait, "la ciguë avec lui"... Sans doute n'avez-vous pas pu vous procurer de ciguë ?

— Exactement. Deux mille ans après Socrate, ce breuvage-là ne se trouvait pas sous le pas d'un cheval !

— Reste, dans votre visage, cette bouche tordue que l'enfant avait remarquée ; on croirait que vous avez reçu le coup de pistolet que Robespierre s'est tiré dans la mâchoire. Comme si vous aviez porté par anticipation les stigmates de la trahison...

— Un accident d'enfance, ne faites pas de roman ! Mes blessures politiques ne me laissent pas de cicatrices... Et je me relève vite !

— Peinture raide, échine souple. En effet : amnistie, nouvelles commandes publiques, et fondation de l'Institut, un "club" que, cette fois, vous contrôlez... On augmente, au Louvre, la surface des ateliers que la Nation met gratuitement à votre disposition : sept, huit ? Soixante-dix élèves ? Ils vous aideront à satisfaire la demande des nouveaux maîtres ; à servir, vous “le fossoyeur des rois”, les dictateurs qui se succèdent...

— On m’accordait enfin les moyens de réaliser des choses immenses, de couvrir des hectares de peinture ! Mes opinions pâlissaient peut-être, mais mes couleurs se renforçaient : ah, ces rouges que l’Empire m’a donnés ! Le velours ponceau du manteau impérial, de la traîne de l’Impératrice, le rouge écarlate des dolmans, de la Légion d’honneur sur les plastrons blancs, et le sang, tout le sang des combats ! Sans compter que mes élèves commençaient à être reconnus pour ce qu’ils valaient ; nous formions un nouveau parti : celui du génie !

— David, l’idée vous est-elle jamais venue qu’il existait — au-delà des toiles, des ateliers et des Académies — des hommes de chair, de vrais enfants ?

— Oui, bien sûr, puisque je les ai peints. »

Il faut tant de couleurs pour faire un monde — le sang, l’or, broyés dans le même mortier. Il faut le trait et la touche, le trompe-l’œil et le simili, la perspective et le point de fuite... La chambre est jaune (chrome, zinc). Le nouveau lit ? Bouquets grenat (mercure, plomb) sur fond bleu (cyanure de fer, silicate d’aluminium). Le poêle ? Faïences blanches (carbonate de calcium). Lumière plate, sans source. Fouillis de motifs, mais couleurs primaires. Coin de chambre, illusion d’intimité, mais chimie et minerais concassés.

Au commencement était l’Art. Un Créateur, des créatifs. Et l’égoïsme de l’artiste : il faut broyer pour faire un monde.

21

Pas d'art sans contraintes, pourtant. Avant l'œuvre, la règle. « Au commencement » de l'Histoire, de toute histoire, les Commandements : la Loi... Et le règlement.

Le règlement règne en maître sur le bâtiment. On obéit aux ordres, sans penser que ceux qui les ont donnés sont morts, que plus un seul, au sommet, ne sait à quelles consignes se plient ceux d'en bas, ni pourquoi. Les ordres se sont émancipés, ils vivent de leur existence propre : « Il ne sera plus fourni de bougies dans l'intérieur de la Tour », « la porcelaine est interdite », « enjoint aux commissaires de ne tenir aucune conversation familière », « on ne se servira plus que de couverts d'étain », « arrête qu'aucun employé de service ne pourra entrer », « conformément aux précédents arrêtés », « ordonne », « il incombe », « décide », « considérant que », « délibérant sur cet objet », « détermine », « autorise », « prend effet »... Indifférent aux hommes, aux événements, aux couleurs, aux sentiments, le règlement persévère dans son être, s'organise pour durer, il a programmé sa propre pérennité : *« Défenses sont faites aux commissaires de rien changer ou innover aux anciens règlements pour la police de la Tour. »*

On a oublié quels visages, quel âge avaient ceux qui ont signé l'arrêté qui défend d'abroger les arrêtés. On a oublié leurs noms, leurs titres : tous ont été exterminés. Mais le règlement gris, très discret, le règlement vit encore à petit bruit : « défenses sont faites d'innover ». Le règlement décapité a pour lui l'éternité : *adipeus corpus sine conscientia*...

Pas plus que Lorinet, Christophe Laurent ne se sent les

coudées franches : il a beau vouloir réformer, il est soumis au règlement. Dont il reconnaît d'ailleurs, humblement, religieusement, la nécessité : *« Les mesures de surveillance et de précaution ne sauraient être portées trop loin. »* Il n'a donc pas osé prendre sur lui de faire nettoyer la cage et le corps du petit. A attendu les instructions explicites de Goupilleau, puis la dérogation (expresse, exceptionnelle, et temporaire) adoptée par le Comité avant d'introduire dans la place deux hommes de peine *politiquement sûrs*, de faire descendre du troisième étage un lit où personne ne couche plus et monter des brocs d'eau chaude pour la baignoire, dans le réduit du valet.

Décrassage dérogatoire : pas une mince affaire ! Le règlement n'était suspendu que pour vingt-quatre heures ; après quoi, il reprendrait le cours ordinaire de sa vie sans cause et sans objet : on devait se dépêcher. Les hommes de ménage grognaient ; ils avaient découvert dans la cheminée, derrière la bergère, et sous la table, ce qui ne s'y cachait plus vraiment... Quand ils remuèrent tout cela — et le pot de chambre, et la tinette, que le paravent avait longtemps dissimulés —, l'odeur devint insupportable. Alors ils réclamèrent des senteurs ; du « vinaigre des quatre voleurs » pour purifier ; et des pelles ; et de l'aide : à eux deux ils n'y arriveraient jamais ! Les vitres en plus ? Pas possible ! Il fallait laver les vitres ? Oui, celle du regard en tout cas ; pour le reste... « De toute façon, citoyen, la fenêtre est cadenassée ! » Faire revenir le serrurier, on n'en avait pas le temps. Faute de pouvoir aérer, ouvrir en grand, les hommes, découragés, voyaient la poussière soulevée par leurs balais retomber aussitôt sur les meubles. Ils avaient beau jeter de l'eau sur le carrelage et essayer de racler tant bien que mal l'espèce de pâte qui se formait, ils désespéraient d'en venir à bout.

Dans la chambre du valet, à côté, Laurent aussi s'activait. Il avait garni d'un drap la jolie baignoire au siège canné, l'avait remplie à ras bord, et y avait plongé l'enfant après l'avoir, non sans difficulté, débarrassé de ses vêtements — des haillons qui lui collaient à la peau et qu'il avait fallu découper par morceaux, arracher sans douceur au petit qui geignait. Une fois dans l'eau, le garçon ferma les yeux, parut s'abandonner : peut-être, avant de se complaire dans la saleté, avait-il aimé les bains ? Impossible, pourtant, de le laisser flotter au milieu de ces souvenirs heureux : pour décaper la couche de crasse et d'excréments qui le couvrait, la brosse en chiendent ne serait pas de trop ! Laurent, l'élégant Laurent, qui avait retroussé ses manches et que tout ce travail, qu'il ne pouvait déléguer, dégoûtait, savait qu'il ne suffirait pas de savonner : il fallait étriller... Adossé à la porte pour en barrer l'accès, le porte-clés de service, goguenard, se demandait de quelle manière le Créole s'y prendrait si l'enfant se mettait à crier, à se débattre, et à tremper d'eau sale la belle redingote du « ravissant » !

Pour prévenir cette réaction violente, Laurent, qui n'était pas sot, parlait ; comme on apprivoise un animal, il expliquait à son otage, avec douceur, avec patience, ce qu'il allait faire et pourquoi ; l'enfant, immobile, gardait les yeux fermés, ne répondait pas, semblait ne rien entendre ; mais au premier coup de brosse il soupira, rouvrit les yeux, agrippa les rebords de la baignoire et, se soumettant au bien qu'on lui voulait, à ce bien qui lui faisait mal, il supporta la suite sans bouger — en être sensé. Pas un animal, non, ni un débile : tout indiquait que cet enfant comprenait. Il ne se rebella même pas quand son gardien, pour le débarrasser de la vermine qui grouillait dans sa tignasse, lui déversa des seaux sur la tête. À trois reprises, on dut changer l'eau du bain : la surface se couvrait sans cesse de débris, carapaces, cadavres variés. Heureusement, la baignoire avait des roulettes et pouvait passer par le couloir des cabinets ; Laurent et le porte-clés la poussaient jusque dans la tourelle pour la vider, tandis que l'enfant, enveloppé dans un drap sec, attendait en grelottant que le porteur d'eau eût réapprovisionné le rez-de-chaussée et que l'eau propre chauffée dans des bassines sur les gros poêles de la salle du Conseil fût remontée dans des brocs en fer-blanc, tout au long des cent douze marches, par Caron et Vandebourg, les garçons-servants, qui, à quarante-huit et cinquante ans, n'étaient plus des perdreaux de l'année et peinaient.

Au troisième bain, le gamin était récuré. On n'avait pas entendu le son de sa voix — tout juste une ou deux plaintes au début, et un petit cri quand Laurent, renonçant à savonner l'épais matelas que formaient les cheveux emmêlés, avait taillé dedans à grands coups de ciseaux. Maintenant, le cheveu hirsute et la peau rougie par le savonnage, il était nu devant son gardien comme un sauvage d'Amérique.

Le Créole, en l'essuyant, fut frappé de sa maigreur : genoux et coudes formaient des nœuds sur ses membres grêles. Dans les plantations qu'il avait connues, seuls les esclaves mal nourris avaient ces jambes sans mollet, cette poitrine étriquée. « Il faut manger, dit Laurent inquiet. Tu dois manger ! » Mais quand il voulut rhabiller le petit (il s'était fait apporter les vêtements propres rangés depuis des mois dans la commode d'acajou — deux pleins tiroirs de chemises, bas, tabliers, cravates !), il s'aperçut que les vestes, les pantalons, étaient devenus trop courts, trop étroits : l'enfant avait beaucoup grandi ; voilà pourquoi il semblait si mince aujourd'hui ; un constat rassurant, finalement. Quant aux boutons et aux traces rougeâtres — des griffures profondes comme des morsures de lanière — qu'on voyait partout sur le corps dénudé, il ne s'agissait, à l'évidence, que de piqûres d'insectes que le petit avait infectées à force de les gratter. Pourtant, les trois pustules blanches qui gonflaient la chair de chaque épaule, le jeune homme les considéra attentivement : « Vaccine ? finit-il par suggérer, tu as été inoculé ?

— Vac-cine », répéta l'enfant comme en écho, « vac-cine », les yeux dans le vague. Et aussitôt, mécaniquement, un souvenir en appelant un autre, il porta la main à son menton, à la cicatrice de son menton : « Lapin », dit-il ; et cette fois il regarda son interlocuteur bien en face. L'autre, malheureusement, n'avait pas l'air de comprendre ; il ne manifestait pas au petit la commisération que cette blessure lui valait d'ordinaire. Alors l'enfant insista, presque suppliant : « Lapin !

— Mais non, fit distraitement Laurent qui essayait d'enrouler autour du pantalon la large ceinture bleue qui complétait le costume, non, tu n'es pas un lapin, bien sûr que non, voyons ! Pas un lapin... Tu es Charles. Un petit garçon avec une belle ceinture. Un petit garçon propre comme un sou neuf. Et qui va manger de bon appétit, et qui dormira dans des draps bien frais, hein ? »

Derrière la cloison de planches les hommes de peine achevaient leur travail : la chambre, où l'on avait changé quelques meubles, ceux que la vermine infestait ou dont le tissu était trop taché, cette chambre semblait plus bariolée que jamais — la housse rouge et bleu du lit descendu du troisième jurait à merveille avec le paravent vert et la tapisserie jaune ! Mais au moins ce bric-à-brac respirait-il la propreté ; même les flambeaux d'argent avaient été nettoyés, et si la pièce gardait encore des relents de fauverie il s'y mêlait des parfums plus doux de cire et de savon. Au reste, le vasistas était ouvert et Laurent, que le maillage serré du grillage rassurait, décida, par précaution d'hygiène, qu'on ne le refermerait pas avant les premiers froids.

Désireux de plaire aux gouvernants, le jeune gardien prit d'ailleurs sur-le-champ toutes les dispositions nécessaires à la bonne conservation physique de son otage : il fit remettre des carreaux aux fenêtres du cabinet d'aisance et décida de rendre à l'enfant l'usage des « lieux » et du corridor qui y menait ; entre la chambre et l'antichambre on ne fermerait plus que deux des portes (sur ce chapitre, par bonheur, le règlement restait muet). Il fallut en revanche violer les textes (et Laurent ne s'y résigna qu'en tremblant) pour autoriser l'un des garçons-servants à pénétrer chaque matin dans le saint des saints, vider le vase de nuit, ramasser les détritus, balayer, tandis que le porte-clés habillerait l'enfant et arrangerait son lit ; les mêmes étaient habilités à changer les draps et le linge de l'otage chaque fois que la chose paraîtrait indispensable.

À en juger par les récapitulatifs de la maison Clouet (laquelle, en dépit de l'arrestation de sa patronne, continuait à fonctionner), les sieurs Baron, Gourlet, Caron, et Vandebourg, affectés au service de la Tour, n'abusèrent pas de cette permission ; sans doute ne se faisaient-ils pas de la propreté corporelle une idée trop contraignante : l'enfant, quand il vivait avec sa mère au troisième étage, était changé chaque jour de la tête aux pieds ; son linge était encore mis au lavage deux fois la semaine par Marie-Jeanne ; mais le quatuor prolongea chemises de corps, bas de laine et bonnets de nuit, au-delà du raisonnable — quatre ou cinq semaines. En moyenne... Ces « garçons »-là étaient des hommes, que voulez-vous, pas des nourrices ! Et des hommes qui n'avaient jamais été serviteurs de grande maison, et des « garçons » très vieux garçons, célibataires, pour trois d'entre eux, et d'âge avancé (les jeunes valets étaient soldats, et se battaient aux frontières). Alors, ce travail auquel rien ne les disposait, ils ne le faisaient que de loin en loin, et en gros, très gros.

« En gros », donc, l'enfant resta présentable, et sa chambre, décente. Attentif désormais à l'aspect extérieur du captif (tel, du moins, qu'un député pressé, passant de nuit, pourrait l'apprécier), Laurent convoqua même l'ancien perruquier du palais dont dépendait la Tour : un certain Danjout, qu'on avait depuis longtemps congédié mais qui avait, par faveur, gardé un petit logement dans les communs. Danjout égalisa la coupe sauvage à laquelle le jeune gardien avait dû procéder le jour du décrassage, Danjout acheva l'épouillage, Danjout poudra, Danjout, en prime, coupa les ongles, les « petites peaux », nettoya les bobos, et Danjout parla, comme parlent tous les coiffeurs ; l'enfant s'abandonna au flux de cette parole, à la caresse de ces mains, l'enfant dont, pour la première fois depuis des centaines de jours, le corps était traité avec douceur et compétence, le corps redevenait objet de soins : « ca-jo-lé », le petit se rappela soudain le mot « cajolé » ; en détachant lentement les syllabes, il dit « ca-jo-lé ». Danjout revint chaque quinzaine ; les boucles blondes avaient repoussé, il brossait les boucles blondes ; l'enfant, détendu, se laissait aller, il gagnait des pays chauds où flottaient les voix d'autrefois, parfois même il leur répondait, et ses paroles, qui croisaient celles du perruquier sans les rejoindre, passaient au-dessus des murs, des sentinelles, des geôliers. Il retrouvait d'anciens matins, de vieux baisers...

En lui rendant son coiffeur, Laurent lui avait offert bien plus qu'un « traitement capillaire ». Si le nouveau gardien avait osé, dans la foulée, rappeler le tailleur et le bottier — qui, eux aussi, pour prendre des mesures et procéder aux essayages, touchent les corps, qui, eux aussi, bavardent autour du client, revêtent sa chair de mots, donnent une forme à l'informe, un nom à l'innommé, un amour au mal-aimé — peut-être l'enfant se serait-il réveillé, réveillé pour de bon ? Mais le jeune administrateur, obsédé par l'équilibre de son budget, horrifié par l'ampleur des dépenses qu'entraînait la garde de ce garçon de neuf ans, obnubilé enfin par le manque de bois et l'hiver qui approchait, renonça au bottier (puisque l'enfant ne sortait jamais, il pouvait se passer de souliers) ; quant au tailleur, Laurent se borna à lui renvoyer les deux costumes « à la matelot » (drap et coton) découverts dans la commode en le priant d'en relâcher les coutures — pour donner de l'aisance — et d'ajouter trois doigts de tissu au bout des manches et en bas du pantalon : un rafistolage économique, soixante livres quand le moindre habit neuf en coûtait deux cent cinquante.

« Que demande le peuple ? » La réduction du déficit ? Il sera servi. Que demande l'enfant ? Un gilet, une robe de chambre, une redingote, un manteau ? Non, le roitelet ne demande rien. Pourtant, on a grand besoin d'un manteau quand on passe l'hiver au coin du feu. Tout l'hiver assis sur un tabouret, sans remuer, dans une chambre en forme de silo, un volume de trois cents mètres cubes. Mais Laurent, qui, lui, bouge beaucoup, court dans l'enceinte à la poursuite des bûches et des fagots, n'y a pas songé. Il voit avec appréhension le froid arriver, le froid s'installer (cette année-là, il fera moins quinze à Paris) ; cependant, le manteau, la robe de chambre, la veste en laine, non, il n'y a pas songé...

Pas plus qu'il n'a pensé à des livres ou des jouets... Respect des règles élémentaires de propreté : cet objectif, que le représentant du peuple lui avait fixé, lui semblait atteint. Atteint non sans mal, d'ailleurs. Non sans risques, sans troubles de conscience ni difficultés juridiques, atteint non sans infraction, contravention, transgression. Pour le surplus, donc, Laurent appliquerait le règlement : tout le règlement, rien que le règlement ; interdiction des papier, ciseaux, crayons, etc. Mais un jouet rond ? Si l'on pouvait trouver un jouet rond ? Parfois, il prend au prisonnier de vagues désirs de ballon, boule de billard, bulle de savon. C'est quand le garçon-servant du matin lui lave les mains dans une petite bassine qu'il se souvient des bulles de savon, reflets irisés, soleils menteurs. À six ans, c'était son jeu préféré. Est-ce qu'on ne pourrait pas, dites, lui donner une paille, rien qu'une paille ? Est-ce que c'est trop cher, est-ce que c'est dangereux, est-ce que c'est « offensif », une paille ? Il n'ose pas poser la question, qui d'ailleurs ne le tourmente pas longtemps : ses idées, ses envies, fuient comme l'eau, elles lui échappent, passent à travers les mailles d'un filet qui ne retient rien. Plus rien.

Parce qu'il est vieux. Vieux et oublieux. Vieux à neuf ans. Ses dents de lait continuent de tomber et il lui pousse vainement des dents d'adulte ; il a des dents nouvelles, mais de très vieux os. Certains matins quand il s'éveille dans le lit rouge et bleu, il est tellement endolori qu'il a l'impression d'avoir passé la nuit sur les genoux d'une statue de pierre. Dormi à la fraîche, dans un jardin humide, contre une poitrine de marbre. Son corps essaie de se dérouiller, sans que son esprit s'en mêle ;

simple réflexe ; son corps tend les jambes, étend les bras : « Le p'tit veau s'étire, le cuir sera pas cher ! », on dirait la voix de Toine, le rire de Marie-Jeanne... ou celui de Maman ? Mon père et ma mère m'ont abandonné. Ne se souvient pas. Des bribes de phrases parfois. « L'univers t'abandonne, ô Richard, ô... », « *Adveniat regnum tuum...* », « société a pour but... », « le p'tit veau s'étire, le cuir sera pas cher ». Il soupire, se laisse habiller comme un mannequin, va aux cabinets comme un automate, puis se rassied devant le poêle, comme un vieillard.

Univers clos, mouvements réduits, parole difficile, absence d'avenir, fatigue. Et surtout, surtout, manque de curiosité : il n'est plus intéressé par rien — pas même par son propre sort. N'éprouve ni regrets ni culpabilité. Ne sent plus la tristesse, la crainte, le froid. N'envisage pas, n'espère pas. Il est vieux. Ce petit garçon est un grand vieillard.

Il a vécu en accéléré. Ses quatre ans furent son apogée. Il possédait alors tout ce qu'il devait jamais avoir en ce monde — une maman parfumée, des boîtes à musique, un cheval de bois, du blanc de poulet, des fruits confits, une carriole attelée à une chèvre, et un petit jardin pour lui seul, un jardin où planter des salades et des oignons de tulipes ; il avait même, sans le savoir, reçu beaucoup plus, dans ces quatre années, que les autres n'obtiennent au terme d'existences acharnées : des richesses immenses, des serviteurs innombrables, l'amour de tout un peuple... À cinq ans, il était dans son âge mûr ; à six, il entrait dans la caducité ; à sept, huit, ce fut le déclin ; bientôt ce sera l'agonie. Il vivra dix ans et trois mois. Mais toute vie achevée est une vie accomplie : de même qu'une goutte d'eau contient déjà l'océan, les vies minuscules, avec leur début si bref, leur infime zénith, leur fin rapide, n'ont pas moins de sens que les longs parcours. Il faut seulement se pencher un peu pour les voir, et les agrandir pour les raconter.

L'enfant de la Tour est un vieillard parce qu'à son échelle il a tout vécu. Il ne lui reste ni illusions ni appétit. Sa mesure est comble.

Indifférent aux événements, aux êtres, aux mots, tout juste manifeste-t-il parfois l'intérêt fugace d'un nouveau-né — ou d'un vieil homme retombé en enfance — pour les changements imperceptibles de son environnement : un rai de lumière, une poussière qui vole, une plume d'édredon qu'il regarde sans chercher à l'attraper. Chaque matin vers neuf heures, quand le garçon-servant, après avoir tiré du panier les croissants et le pot de lait, s'occupe au ménage de la chambre, l'enfant-vieillard suit des yeux, fasciné, les mouvements de son balai. Certes, il ne distingue pas Caron de Vandebourg, tous deux grisonnants et également muets (*« Il est défendu de communiquer avec les prisonniers »*), il n'a même pas tenté de mémoriser leurs traits, mais il connaît et attend leur balai.

Il a redécouvert aussi le tisonnier quand, entraîné par un coup de serpillière maladroit, l'objet a rebondi sur le pavé (il est vrai que, lorsqu'on a ôté de la pièce, longtemps auparavant, tout ustensile susceptible d'être utilisé comme arme, on a oublié, dans l'angle de la cheminée, les pincettes et le tisonnier). Remettant le tisonnier à sa place, l'homme de service en a traîné, une demi-seconde, la pointe sur le dallage — long bruit plaintif qui a frappé l'enfant. Depuis, certains matins quand il va bien, que le porte-clés et le garçon d'office sont ressortis (il a alors, au minimum, cinq heures de solitude à meubler), le petit joue du tisonnier, écoute la musique du tisonnier. Assis sur son tabouret, il pousse devant lui la barre de fer pour en tirer du son, un son chaque fois semblable et toujours différent, un son qu'il répète indéfiniment. Pour faire chanter le tisonnier il se balance d'arrière en avant. Parfois l'instrument lui échappe et retombe sur le carrelage ; il n'essaie pas de le ramasser, continue à se balancer — d'arrière en avant, d'avant en arrière ; il se berce. Puis, ayant fini par oublier la « musique » qui gît à ses pieds, il change de sens, et pour s'étourdir, se vider la tête, oscille de droite à gauche, de gauche à droite, comme un balancier d'horloge. Une horloge qui ne sait plus l'heure.

Pourtant, dans ce temps sans dates qui est le sien, le « maintenant de jour » s'est restructuré. Plus de visiteurs inconnus, indifférenciés, se succédant à n'importe quel moment, plus d'ordres brusques et de contrordres absurdes, ni, à l'inverse, de ces longues journées d'abandon sans un seul visage à l'horizon ; plus de vide ni de tourbillon : désormais soins et présences sont exactement réglés.

À huit heures, entrée du porte-clés, suivi d'un des hommes à poils gris ; toilette rapide, puis petit déjeuner tandis que « Poil gris » passe le balai et que le porteur de bois, dans l'antichambre, rallume le poêle. À midi, arrivée de Christophe

Laurent accompagné du commissaire civil : en raison des règles nouvelles édictées par les Comités pour prévenir tout risque de collusion, ce commissaire « d'un républicanisme éprouvé » (c'est-à-dire, ni trop ni trop peu), qui semble d'ailleurs surveiller Laurent plus que l'enfant, n'est nommé que pour une journée et ne pourra se représenter à la Tour avant un an. Pour le reste de sa mission, c'est selon : selon l'idée plus ou moins élevée que ce municipal, délégué par la base, se fait de la fonction... Parfois il entre dans la chambre jaune ; d'autres fois, comme ses prédécesseurs amis du « Dictateur », il se contente d'un coup d'œil jeté par la lucarne. À deux heures, retour du porteur de bois, de Laurent, et d'un des vieux garçons chargé du déjeuner. À trois heures, et pendant de longues minutes, martèlement des petits talons dans l'appartement du dessus ; l'enfant que cette cavalcade exaspérait autrefois pourrait, pour couvrir le tapage, jouer du tisonnier, mais il est devenu sourd aux bruits qui l'écorchent, les cris, les verrous, les canons, les tambours, et même à ce son si proche : les pas de sa sœur au-dessus de lui. Sa sœur, oui. Sa sœur qu'il croit aussi morte que les autres, mais qui survit dans une pièce du troisième étage, et marche chaque jour pendant plus d'une heure, montre en main (car elle a une montre, elle !), marche à toute vitesse pour ne pas s'ankyloser, ne pas laisser *« ses humeurs stagner »*, marche en otage responsable, combatif, et jette de l'eau sur le dallage pour assainir la pièce comme sa jeune tante le lui a recommandé, et, jour après jour, respecte la règle monacale que cette même tante, avant de mourir, lui a laissée — prière et toilette, prière et ménage, prière et raccommodage, pas une heure qui ne soit employée : le vade-mecum du survivant obstiné — par-delà sa propre mort, la tante a sauvé la nièce, tandis qu'au petit garçon, en bas, personne n'a eu le temps de rien conseiller, rien expliquer ; il ne sait même pas que sa sœur est là, au-dessus de sa tête, et qu'elle le croit parti.

« Bon vent ! » d'ailleurs : voilà ce qu'elle pense parfois, la grande sœur. Un enfant qui a osé accuser sa mère de complot et, pire, d'inceste, présenter sa tante comme coupable de faux-monnayage et, pire, d'attouchements, enfin faire arrêter pour trahison tous leurs partisans, un enfant de cette espèce-là, aucune famille n'en voudrait ! Qu'il aille au diable ! Certes, à l'époque il n'avait que huit ans, mais elle, à huit ans, avait autrement conscience de ses devoirs et de ses responsabilités ! Tandis que lui, l'héritier, le préféré, on lui passait tous ses caprices ; par exemple, quand il décidait de la coiffer, de lui faire des nattes, de lui tripoter les cheveux des heures entières pendant qu'au-dehors la foule grondait, brisait les vitres : « Soyez patiente, ma fille, suppliait leur mère, vous êtes l'aînée. » Il fallait empêcher « ce pauvre enfant » de mesurer la gravité de la situation. Objectif atteint : il était tellement inconscient du danger qu'il se mettait à protester parce qu'il avait faim et réclamait du jus de groseille sur l'air des lampions alors qu'on égorgeait leurs gardes du corps ! Pourri, gâté... Sa mère était d'une indulgence pour son « chou d'amour » ! Une indulgence dont elle a été bien mal récompensée. « Qu'il aille au diable ! » Il y va, Mademoiselle, soyez tranquille, il y va...

En attendant qu'il atteigne le dernier cercle de son enfer, le « pourri-gâté », mouton noir de la famille et cauchemar des députés, a droit à une petite faveur : à cinq heures quelqu'un (le porte-clés ? l'illuminateur ? le gardien-adjoint ?) vient allumer le réverbère de l'antichambre pour donner un peu de clarté dans sa cellule ; quelqu'un dont il devine la présence derrière la cloison de planches et dont il sent le regard à travers la lucarne : assis sur son tabouret, dans la niche près du poêle, il tourne le dos à ce voyeur comme au grand œil bleu de l'affiche, et continue à se concentrer sur une occupation absorbante : passer le temps. Le passer au crible. Le tamiser pour essayer d'en garder quelque chose. Mais de ce temps liquide, trop clair, si blanc, il ne peut retenir aucune substance. Rien n'accroche, tout s'écoule. L'allumeur de réverbère parti, suivent deux cent quarante minutes de brouillard fluide sans visite ni mouvement. Avez-vous remarqué comme elle est longue, la minute de silence dans les cérémonies funèbres ? Déduction faite des brèves apparitions des uns ou des autres, l'enfant vit, chaque jour, mille trois cent cinquante minutes de silence... À neuf heures, entrée de la bougie et du dîner ; le porte-clés et le garçon d'office attendent, en bavardant dans le couloir des cabinets, que le jeune captif ait avalé sa soupe, ses légumes, sa compote ; après quoi, en se dépêchant, Gourlet (ou Baron) déshabille l'enfant et le met au lit — Dieu, que le petit aimait autrefois ce moment où on le bordait ! Comme il aurait voulu le prolonger ! Ce geste de la couverture qu'on lui ramène sur les jambes, puis qu'on glisse fermement sous le matelas, rien que ce geste... Attendez ! Il a peut-être des souvenirs à retrouver, des fantômes à rejoindre, attendez... Non. Déjà « Poil gris » souffle la bougie.

Chaque jour, la même hâte, les mêmes visages, le même emploi du temps. Monotone. Mais de la monotonie naît la confiance, et de la confiance, qui sait, peut-être, la vie ? Malgré le crissement indéfiniment répété du tisonnier sur le dallage, malgré les doigts désœuvrés qui tambourinent sur le bois du tabouret comme la pluie frappe la hotte devant la fenêtre, malgré la tête-pendule qui dodeline de droite à gauche, malgré le corps qui, tout entier, se secoue d'avant en arrière, de plus en plus vite, de plus en plus fort, comme s'il s'agissait d'apprendre le Talmud ou le Coran (mais il ne s'agit, au mieux, que de psalmodier « Martin Cocu » ou « Colas Foutu », de marmonner tout bas, des centaines de fois, ces syllabes qui riment sans raison), oui, malgré tout cela, il suffirait peut-être, pour que l'enfant revive (« Cramponne-toi, mon bonhomme ! Ne lâche pas ! »), pour que l'enfant se retienne encore un peu au-dessus du gouffre, il suffirait d'un vrai regard, d'une vraie parole. Mais il n'y a plus d'être en face de lui. Seulement des dossiers, des bordereaux, des étiquettes : la Procédure — « à compter du, vu les, motivé sur, consigné au, sous peine de, par qui de droit, préalablement à, ne pourront être admis, seront interdits, devront être soumis, exige, arrête »... La Procédure et les murs. Des murs qui ont perdu leurs limites, fondues dans l'épaisseur de l'ombre et du papier gris, tout ce papier que les hommes noircissent.

22

Laurent et son nouvel adjoint, Jean-Baptiste Gomin, trente-sept ans, commandant en second du bataillon de la Fraternité, ne sont pourtant pas dépourvus d'humanité. Certes, cet enfant maigrichon qu'on leur a confié, cet enfant au visage fermé, aux yeux vides, ne leur inspire pas a priori une sympathie démesurée ; et puis, comme aiment à le dire les sages de leur casernement, « Tel père, tel fils » ou « Les chiens ne font pas des chats »... Néanmoins, grâce aux ordres de Goupilleau de Fontenay, la « sale race » n'a plus rien de repoussant. Gomin, donc, ne s'est pas senti repoussé comme Laurent, d'emblée, l'avait été. Aussi est-ce plutôt lui, maintenant, qui s'attarde dans la chambre avec le commissaire de passage ou le garçon-servant, pendant que le jeune Créole, toujours actif, vaque à des occupations plus importantes : la surveillance rapprochée de la jeune fille (Elle, la fille des Césars, et moi, Laurent, le fils de rien, ô Jeannette, ma tante, si tu nous voyais !) et le réaménagement du rez-de-chaussée. Il a entrepris de faire diviser l'ancienne salle du Conseil, conçue à l'origine pour plusieurs municipaux : la partie commune — où sont les registres, les étagères, le pupitre, l'armoire aux clés et le lit de l'unique commissaire — vient d'être réduite de moitié ; de l'autre côté on (on, qui ? Santot, bien sûr, et Durand, et Firino), enfin les « habitués », aménagent un bureau confortable pour le gardien-chef et une chambre à coucher pour les deux hommes. On y mettra des lits à colonnes, dont celui, aux rideaux verts, qui avait si longtemps meublé la chambre jaune, ce lit où dormait le... Ô ma tante ! Elle, la fille de Qui-tu-sais, et moi, moi, dans le lit de son père ! Jeunesse, ambition, énergie, snobisme : quand je vous le disais, que Laurent avait l'étoffe d'un Bonaparte !...

Deux étages plus haut, face à un garçon de neuf ans qui semble, la plupart du temps, curieusement absent (et si « l'absence » était l'ultime liberté des prisonniers ?), Gomin reste perplexe. D'abord, comme presque tous ici, il est célibataire et n'a aucune habitude des enfants. Mais surtout, il ne sait pas sur quel pied danser : qu'entend-on faire de ce « dépôt » ? Il s'est laissé dire (les permanents causent maintenant plus volontiers) qu'Antoine Simon, dans son temps, avait osé poser la question aux Comités : « Que décidez-vous du louveteau ? Que veut-on ? Le déporter ? — Non. — Le tuer ? — Non. — L'empoisonner ? — Non. — Mais quoi donc ? — S'en défaire... » Gomin ne croit guère à cette histoire : on ne s'adresse pas si librement aux puissants. Il n'empêche qu'il aimerait bien recevoir des instructions, comprendre enfin ce qu'on attend de lui. Garder l'otage ? Sans doute, mais pour ce travail-là, outre Laurent et le commissaire, il y a encore, au pied de la Tour, cent quatre-vingt-dix-huit hommes armés ! L'éduquer ? Non. Sur ce point-là il est fixé : il suffit de lire les journaux. Fin novembre, *Le Courrier universel* avait eu l'imprudence d'indiquer qu'on avait nommé *« trois commissaires probes et éclairés pour remplacer le défunt Simon : deux sont chargés de l'éducation de l'orphelin, le troisième doit veiller à ce qu'il ne manque pas du nécessaire comme par le passé »*.

Aussitôt, vive émotion à l'Assemblée ; le Comité de sûreté générale avait dû envoyer Mathieu, un régicide bon teint, pour rassurer les députés : *« Le Comité est présenté comme ayant donné des instituteurs aux enfants enfermés au Temple... C'est une fable ! Le Comité n'a eu en vue que le matériel d'un service confié à sa surveillance ; il a été étranger à toute idée d'améliorer la captivité des enfants du Tyran ou de leur donner des instituteurs. Nous savons comment on fait tomber la tête des princes, mais nous ignorons comment on élève leurs enfants. Le Comité, fidèle à ses principes, saura empêcher qu'on ne provoque une perfide pitié sur un enfant orphelin auquel il semble qu'on voudrait créer des destinées. »* C'était clair, au moins : Gomin sait désormais qu'il n'est là ni pour prendre en pitié ni pour instruire. Il doit seulement — ah, qu'en termes choisis ces choses-là sont dites ! — « assurer le matériel d'un service confié à sa surveillance ». Au commencement était le gris...

Il n'empêche que cette façon de voir le laisse songeur : se défaire du prisonnier sans le tuer ni le relâcher ?... Il ignore tout, évidemment, des tractations avec l'Espagne ; et s'il les connaissait il ne s'en trouverait pas plus éclairé. À Madrid les négociateurs espagnols viennent de faire savoir qu'ils ne reconnaîtraient pas le nouveau régime tant que la France n'aurait pas détaché de son territoire trois ou quatre départements : il s'agit de former un royaume de Navarre pour y placer l'enfant. C'est pousser le bouchon un peu loin ! Le gouvernement, outré, a rappelé son ambassadeur. Étrange pas de deux : on était sur le point de conclure, et voilà que la France, unilatéralement, décide de différer dans le temps l'application de la clause relative à la remise du « dépôt » ; là-dessus, l'Espagne se raidit et exige un mini-royaume pour le mini-prisonnier... Goupilleau n'a pas tort : on voudrait, des deux côtés, faire échouer les pourparlers, maintenir à toutes forces le roitelet dans sa cage, qu'on ne s'y prendrait pas autrement ! Alors pourquoi parler de « s'en défaire » ? S'en défaire comment ?

Quant à « assurer le matériel d'un service confié à la surveillance » du Comité, Jean-Baptiste Gomin, qui a du bon sens, et même du sens pratique (il est connu, dans l'île Saint-Louis, comme un habile tapissier), n'est pas moins embarrassé par ce charabia de bureau que par les prétendues consignes données à Simon. Où commence et où finit « le matériel du service » ? Ce « matériel » comprend, c'est évident, le logement, l'habillement et la nourriture des détenus. Mais ne doit-on pas s'assurer aussi que la nourriture fournie est consommée ? Or, le petit n'a pas d'appétit, il renvoie ses assiettes pleines.

À l'époque du Dictateur (dont l'habile tapissier fut, avant de retourner sa veste, un partisan dévoué, mais chut : le 9-Thermidor, il est sorti de l'Hôtel de Ville juste à temps, par une porte de derrière, n'en parlons plus !), à cette époque aujourd'hui honnie, personne ne s'était avisé du fâcheux comportement du prisonnier — trop de passage dans la maison, trop de changements, de tiraillements aussi. Maintenant qu'ils ne sont que deux, Laurent et lui, et qu'ils occupent un poste fixe, c'est différent : peuvent-ils ignorer que, dans les paniers des garçons-servants, la viande, le pain, redescendent souvent sans être entamés ? Doit-on faire manger l'enfant, lui donner la becquée, s'inquiéter de sa santé ? Pour lui ouvrir l'appétit, faut-il lui faire prendre de l'exercice ? L'emmener, par exemple, au sommet de la Tour, sur ce chemin de ronde dont tous les créneaux, par prudence, ont été fermés de panneaux en châtaignier ? Là-haut, on ne risque pas d'être vu ; et on ne peut rien voir non plus ; à part le ciel : y aurait-il beaucoup de danger à laisser l'enfant se dégourdir les jambes dans ces couloirs de pierre et de bois ? Du danger à lui faire respirer un peu d'air ? Il est vrai qu'on se trouve au fort de l'hiver — la promenade pourrait être contre-indiquée. Et puis l'air, l'air invisible et impalpable n'a rien de « matériel ». Conclusion, provisoire, du tapissier : la fourniture d'air n'entre pas dans les attributions des gardiens.

Pourtant Gomin s'est aperçu que Laurent porte régulièrement des livres à la jeune fille. Les anciens règlements du bâtiment proscrivaient les mauvais livres — ouvrages d'insermentés, de ci-devants... À cet égard déjà, il y aurait à dire sur l'initiative qu'a prise le gardien-chef : qui vérifiera que ces livres sont « bons » ? Mais surtout, on peut discuter si, au sens des dernières délibérations de l'Assemblée, les livres font ou non partie du « matériel du service ». Certes, il s'agit d'objets ; ils ont une forme, un poids, on peut les vendre ou les classer. Mais ces objets ne sont pas inanimés : dedans, il y a de la pensée qui bout, des mots qui courent. Matériel pour le contenant, les livres apparaissent à Gomin, qui n'est pas sot, comme fort immatériels dans leur contenu. Donc Laurent, tout homme de loi qu'il soit, viole la consigne. Et en faveur de la jeune fille seulement... C'est de l'arbitraire ! Il est vrai — à trente-sept ans, Gomin a bien assez vécu pour le savoir — que l'arbitraire n'est pas l'ennemi du règlement. Au contraire : ils sont complémentaires ; plus il y a de décrets et de circulaires, de grilles et de garde-fous, d'engrenages subtils aux pignons millimétrés, plus il devient nécessaire, pour l'administrateur comme pour l'administré, d'introduire de l'arbitraire dans le système. De l'huile dans les rouages, de l'humain dans le mécanique.

Voilà pourquoi Jean-Baptiste Gomin ne dénoncera pas Christophe Laurent. Au contraire. Il est tout prêt à s'engouffrer dans la brèche, donner, par exemple, un livre au petit garçon. Mais sait-il lire, cet enfant-là ? Il paraît trop hébété pour avoir jamais été capable de déchiffrer.

À peine s'il sait parler... Laurent avait bien prévenu son adjoint le jour où celui-ci a pris ses fonctions : « Connaissiez-vous le petit auparavant ? Je veux dire à l'époque de ses parents, ou du père Simon ? — Non. — En ce cas, il se passera du temps avant qu'il vous dise une parole ! » En effet. Gomin l'a pourtant entendu parler quelquefois à Danjout, le perruquier, mais parler est un grand mot : l'homme et sa « pratique » n'échangeaient rien, ils babillaient chacun de leur côté... Il est arrivé aussi que le petit muet réponde « oui » ou « non » à des questions de Gourlet, le porte-clés, qu'il reconnaît sans doute puisqu'il se trouvait dans la maison dès le début. Mais à lui, Gomin, jamais un mot.

Un silence qui devient pesant. D'autant plus oppressant qu'à mesure que passent les semaines Laurent se décharge de plus en plus volontiers sur son gardien-adjoint de tout ce qui regarde le deuxième étage. C'est qu'il est très occupé, notre jeune sans-culotte aux allures de muscadin. Pas seulement par l'organisation générale de la garde, l'approvisionnement en bois et le réagencement du rez-de-chaussée. Il est occupé par ses anciens camarades politiques qui signent contre lui pétition sur pétition : dès le 11 octobre, ils l'ont exclu — *« Il a été arrêté à l'unanimité que Laurent a perdu la confiance de la section »* ; depuis, ils l'accusent de menées terroristes, de jacobinisme dissimulé, de falsification, de prévarication, et même de crimes, oui, « crimes », c'est le mot qu'ils emploient ! Il passe son temps à rédiger des mémoires pour se justifier : *« Voudrait-on me voir proscrit par des royalistes prononcés et des banqueroutiers frauduleux ? »* Contre-attaque qui n'intimide guère ses détracteurs ; ils persistent, écrivent aux hommes des bureaux, des comités : *« Je te dénonce le citoyen Laurent, actuellement gardien des enfants Capet, comme ayant dilapidé une portion des fonds qui étaient destinés à payer nos frères d'armes. »* Le jeune homme reprend sa plume, proteste : *« Ces inculpations sont fausses et calomnieuses, les individus qui les portent sont des êtres immoraux et tarés ! »* Mais il vit sur les nerfs. Aux aguets. Ignore ce qui se trame dehors : comme gardien il est assigné à résidence. Ne peut pas sortir pour se défendre, intriguer, trouver des alliés, persuader. Ses adversaires ont la partie belle !... Quant à la maison, l'intérieur de la maison, il n'y trouve aucun réconfort : depuis qu'il a réduit les salaires, procédé à des suppressions de postes, et libéré des logements de fonction, il est haï. Surtout après l'affaire Picquet : ce vieil inutile, à demi gâteux, qu'on avait mis autrefois portier des écuries, a ameuté la terre entière par ses cris, « un infirme, on allait renvoyer un infirme ! », son histoire est remontée jusqu'à l'Assemblée... Comment le jeune homme ignorerait-il que — depuis le renvoi de Gagnié, de Jérôme, des deux Rockenstroh, et « l'affaire Picquet » — garçons-servants et balayeurs, scieurs de bois et jardinier (un jardinier alors qu'il n'y a plus de jardin depuis plus de deux ans !), tous murmurent sur son passage. Ils souhaitent son départ, les pieds devant ou autrement... Et il n'ose même pas s'ouvrir de ses soucis à Gomin, bien qu'ils partagent la même chambre : Gomin n'a rien d'un réformateur, lui, il est resté bien avec tout le monde ! Quant aux accusations de son ancienne section, Laurent ne sait pas que son adjoint, avant le 9-Thermidor, était du même bord que lui — plus prudemment peut-être, mais du même bord — et qu'entre convertis de fraîche date ils pourraient se comprendre. Ne le sachant pas, il se tient sur ses gardes jusque dans sa chambre, dans son lit, il craint le sommeil, les paroles qu'il pourrait prononcer quand il dort. Peu à peu, dans cet hiver parisien si gris, il prend en horreur le bruit des verrous et l'odeur aigre de la Tour. Il commence à regretter les Îles. S'il n'y avait pas la jeune fille...

Il n'a même plus envie de changer la société ni de réorganiser les bureaux ; du reste, peu de ses conseils ont été suivis. C'est donc sans espérance désormais qu'il adresse ses observations à l'Assemblée, aux administrations de l'Assemblée : parmi les gardes nationaux affectés à la surveillance de l'établissement, « *on envoie des citoyens très éloignés de chez eux, qui sont obligés de vivre à haut prix dans les auberges voisines et de consommer pendant le temps de leur garde le produit de plusieurs jours de travail* », ne pourrait-on les choisir en fonction de la proximité ? Il sait d'avance qu'on ne lui répondra pas ; il est devenu suspect. Il se sent las, presque vieux lui aussi, détruit en six mois ; dans la journée, il ne monte plus au deuxième étage qu'une seule fois, à l'arrivée du commissaire ; Gomin se charge de tout le reste, Gomin qui un soir, dans leur chambrette du rez-de-chaussée, lui demande, d'un air inquiet : « Tu ne trouves pas que le petit marche mal, qu'il traîne la patte ? — Bah, fait Laurent qui a bien autre chose à l'esprit, c'est courant chez les enfants qui grandissent... — Tu sais, reprend Gomin, j'ai remarqué qu'il rentre la tête dans les épaules, comme s'il craignait les coups. Crois-tu qu'au début on l'aurait battu ? — Penses-tu ! C'est la croissance. Il pousse trop vite. Peut-être qu'il lui faudrait un corset ? De toute façon, je n'ai plus de "crédit de corset", j'ai tout dépensé pour sa sœur. Tu n'as qu'à lui dire de se tenir droit, le gronder quand tu le vois... Enfin, débrouille-toi ! »

Tout occupé à ses répliques, suppliques et autres griffonnages, de plus en plus persuadé qu'on va à son tour l'arrêter (la roue tourne et la meule broie), Laurent a relâché son emprise ; son adjoint en profite ; il se risque à faire pour le petit garçon ce que « le chef » a fait pour son aînée : après tout, c'est une affaire de justice, et presque de politique — le principe d'égalité n'exige-t-il pas qu'on traite pareillement tous les enfants d'une même famille ? Dans la Petite Tour, où les enfants ont habité autrefois, le tapissier a retrouvé un vieux bilboquet et un baguenaudier. De ces jeux qu'on appelle « des solitaires » ; comme tels, parfaitement adaptés à la situation. D'ailleurs, le règlement n'interdit pas les bilboquets. Quant à l'Assemblée... Si Gomin pose ces deux objets dans un coin de la chambre, sans commentaire, et si l'enfant, par hasard, s'en empare, que pourrait-elle lui reprocher, l'Assemblée ? Ce n'est certainement pas comme s'il jouait lui-même avec l'enfant, comme s'il lui apprenait un jeu (auquel cas, bien sûr, il trahirait sa mission de non-éducateur). Là, on ne pourra pas l'accuser d'instruire en quoi que ce soit l'enfant, il ne l'instruira pas. Et même s'il décide, brusquement, d'ajouter à son cadeau un des nombreux jeux de cartes qui traînent dans la salle du Conseil, ce ne sera pas pour montrer au petit comment gagner à la manille ou au piquet, mais seulement parce qu'on peut toujours, sans partenaire et sans règles, s'occuper les mains avec des cartes ou des dominos.

Tirer de son prisonnier un merci ou un sourire, voilà sans doute ce que Gomin espérait : c'est raté, l'enfant n'a pas marqué le moindre signe d'intérêt pour les marchandises introduites en fraude dans son royaume.

Il est possible que le bilboquet soit déjà, pour lui, trop lourd à soulever : faute d'exercice, ses muscles ont fondu. On dirait quelquefois qu'il a peine à soulever son verre, à ranger ses assiettes sales dans le panier. Tous ses gestes sont lents, inachevés... Pourtant, quand fin décembre Harmand, député de la Meuse, futur préfet, a accompagné Mathieu, le représentant du Comité de sûreté, pour s'assurer de visu qu'on ne cherchait pas à « améliorer la captivité des otages ni à leur donner des instituteurs », il a vu (du moins l'assurera-t-il vingt ans plus tard) le petit, assis devant sa table, qui empilait des cartes, dressait imperturbablement des édifices qui s'effondraient... A-t-il menti, a-t-il rêvé ? Non. Les cartes (un jeu dont Mathieu a vérifié qu'il ne comportait aucune représentation de tyrans ni de valets, un jeu politiquement épuré où ne figurent que des abstractions — la Sûreté, la Nation, la Victoire), ces cartes que le gardien-adjoint a fini par mettre directement entre les mains du gamin, le captif s'en amuse parfois, mais en silence et machinalement. Il en fait des tas, des éventails, les étale sur toute la surface du maroquin, les brasse, les brouille et finit souvent par les balayer. Il ne s'en est pas servi, en tout cas, pour réapprendre à lire ou à compter, il ne regarde même pas les images. Quand il les pose, c'est au hasard, de face ou de dos, parvenant, au mieux, à en placer quatre ou cinq en équilibre — pas un château, non, tout juste une casemate, un terrier... Ou une caisse : il lui arrive de plier quelques cartes en deux pour les assembler. Il fabrique une boîte. Les boîtes, il connaît : ne vit-il pas dans une boîte carrée, posée dans une deuxième boîte, elle-même placée à l'intérieur d'une boîte plus grande ? Mais dès qu'il est parvenu à former un cube, il le renverse d'un geste las et retourne, en traînant les pieds, s'asseoir devant son poêle.

Il use avec la même désinvolture, la même paresse, du baguenaudier : une simple tringle sur laquelle il s'agit d'enfiler des anneaux dans un certain ordre, croissant ou décroissant, complexe parfois. L'enfant, que Gomin, là encore, a fini par houspiller (« Jamais vu un marmot aussi feignant que toi, petit père ! Toujours avachi au coin de ton feu ! Secoue-toi, bon Dieu ! Non, pas en te balançant, abruti ! Arrête, je te dis ! Lève-toi et marche jusqu'à la table, allez. Prends les anneaux — des anneaux, tu sais ce que c'est au moins, bougre de crétin ? Oui, empile-les, c'est ça, tu te souviens ? Il a dû être à toi, ce jeu ! Dans la Petite Tour, à côté, tu te rappelles la Petite Tour ? »), l'enfant, obéissant, passe les anneaux sur la tige sans se soucier de leur taille ni de leur couleur. Il ne cherche aucune logique, ne va même pas jusqu'au bout de l'effort qui consiste à les enfiler tous : avant d'avoir fini de placer, n'importe comment, les cercles de fer, il retourne le baguenaudier et renverse l'ouvrage entrepris. Peut-être aime-t-il le bruit que font les anneaux en tombant sur le carrelage ? Certains jours, rarement, il se baisse, ramasse avec lenteur ce qu'il a fait glisser, et recommence. Recommence sans autre but apparent que de produire, après deux ou trois minutes, le même cliquetis. Comme une chaîne qui se défait...

Mais Gomin aime encore mieux le voir s'amuser de cette façon que de le trouver serré contre son poêle, occupé à se bercer ou à tortiller une mèche de ses longs cheveux pour s'en caresser les lèvres ou le nez... Quelque chose lui dit alors que cet enfant s'en va, qu'il leur file entre les doigts. Est-il souffrant ? « Ça se peut, convient le gros Gourlet. Il aurait même fait deux, trois fièvres dans le gros de l'hiver que ça m'étonnerait pas ! Des soirs, quand je le déshabillais, je le trouvais chaud. Pas chaud comme un œuf qui sort du cul de la poule, hein ? Chaud comme un œuf qui sort de la casserole ! Maintenant, va savoir si ce chaud lui venait plutôt de l'intérieur, ou plutôt de l'extérieur. Va démêler le fin du fin quand il a resté, comme ça, collé au fourneau toute une sainte journée ! »

Laurent — que les initiatives pédagogiques de son adjoint, quand il les découvre, changent agréablement des accusations de sa section, des suspicions des Comités, des revendications du petit personnel, et des justificatifs qu'il passe ses journées à rédiger — a retrouvé dans d'anciennes factures la preuve que l'enfant avait possédé du temps du couple Simon quatre pigeons, deux tourterelles, deux poulets et une douzaine de serins hébergés dans une cage de luxe : guirlandes et nœuds d'argent, ressorts chanteurs et mécanismes variés — il en avait coûté au peuple plus de trois cents livres en réparations ! « Donne-lui de la compagnie à ton protégé : offre-lui des tourterelles. Ce ne sont pas quelques mesures de grain qui vont nous ruiner ! Le dictateur, le "Cromwell" comme on dit maintenant, celui qu'on me soupçonne d'avoir soutenu, lui laissait bien nourrir toute une basse-cour... Allez, citoyen, puisque tu meurs d'envie de l'amuser, commande-lui des tourterelles. Passe par notre cuisinier : il doit connaître les marchands de pigeons du quartier... » Mais les tourterelles ont eu moins de succès encore que le baguenaudier : l'enfant ne les regardait jamais, semblait insensible à leur roucoulement, il les aurait même laissées mourir de faim si Gomin n'y avait veillé. Le prisonnier ne désire plus, n'est plus capable de désirer. Pire : il ne s'oppose pas, ne résiste à rien... Un automate qui se meut sur ordre, mécaniquement.

Quant à la visite impromptue, fin février, de deux députés — dont celui de la Meuse, Harmand, déjà venu en décembre avec Mathieu —, elle a moins dérangé le petit prisonnier distrait, « absorbé », qu'elle n'a ému ses gardiens : Gomin, parce qu'il n'avait pas eu le temps de cacher ses tourterelles ; Laurent, parce qu'il savait que les hommes venaient pour lui, ne venaient que pour lui... Dans le combat qu'il mène depuis des mois contre sa section, ses « camarades » tapent de plus en plus haut, de plus en plus fort : après l'avoir accusé d'usurpation d'identité (il aurait menti sur son nom, triché sur son âge — qui est-il ? Un espion ? Un planqué en tout cas, puisqu'il s'est vieilli de deux années pour échapper à la mobilisation des moins de vingt-cinq ans !), après l'avoir convaincu de mensonge et de désertion, la section du Temple a envoyé, le 20 février, une députation à la tribune de l'Assemblée pour prier les élus de *« dissiper les craintes des citoyens sur le rejeton du dernier tyran français, confié à la surveillance de Christophe Laurent, membre de leur ancien comité révolutionnaire et zélé dispensateur des actes les plus arbitraires et sanguinaires ; ce qui devrait faire juger que cet enfant pourrait être confié en de plus sûres mains »*... Inspection. Les mêmes députés, qu'on avait envoyés trois mois plus tôt pour s'assurer que l'enfant n'était pas traité trop bien, viennent vérifier qu'il n'est pas traité trop mal. Un coup de barre à gauche, un coup de barre à droite : l'Assemblée navigue entre Charybde et Scylla ! De ce programme hasardeux, elle a même fait une devise inscrite en tête des formulaires du Comité de sûreté, de part et d'autre de la devise officielle : à gauche *« Guerre aux partisans de la Terreur »*, à droite *« Guerre aux partisans des émigrés »*...

Le rapport ne sera pourtant pas défavorable au gardien-chef : Harmand « de la Meuse » assurera avoir trouvé la chambre propre, et l'enfant, assis sur son tabouret, occupé avec des cartes. Silencieux, bien sûr. Immobile. Le regard vide. Indifférent. D'une indifférence royale ! Il est là, certes, mais sans y être : l'Assemblée pouvait-elle souhaiter mieux ?

Mais rien, ni la protection du secrétaire de Barras ni le rapport d'Harmand, ne sauvera plus Christophe Laurent. Trop de passions, de haines accumulées : *« Votre cercueil est ouvert,* crie-t-on dans les rues aux jacobins de la veille, *vous sentez la mort ! »* Vaincu par la jalousie de ses pairs, rattrapé par les obscurités de son passé, Laurent abandonne. Il démissionne de ses fonctions, en soupçonnant d'ailleurs que ses ennemis ne s'en tiendront pas là : c'est sa peau qu'il leur faut ; bientôt (deux mois après, en effet) ce sera la prison ; et ensuite ? Exécution ? Déportation, comme Billaud-Varenne, Collot d'Herbois ? La Guyane, les îles... Retour à la case départ.

« L'otage » s'est-il seulement rendu compte, fin mars, que Laurent s'en allait ? Il avait peut-être fini par distinguer le Créole des autres : plus jeune, vêtu de couleurs plus claires, et toujours très parfumé... Le geôlier est venu faire ses adieux à ses pensionnaires, en même temps qu'il leur présentait son successeur, Étienne Lasne, un peintre en bâtiment, commandant du bataillon de la section des Droits de l'homme, un célibataire de trente-sept ans : pour l'âge, il est le « conscrit » de Gomin, qui s'en réjouit ; et pour les idées, il est parfait : « Va dire à la Commune que ma section n'obéit qu'à la Représentation nationale » — c'est dans ces termes que, le jour décisif, il a refusé de mettre ses canons au service de l'Hôtel de Ville et du Vertueux, dont les partisans, furieux, l'ont arrêté ; le lendemain, l'Assemblée victorieuse le libérait : on ne saurait trouver plus « sûres mains »...

Du brusque départ du jeune homme la demoiselle du troisième s'est émue ; car elle est encore capable de reconnaissance et d'appréhension, et, d'ailleurs, tellement fatiguée de sa solitude que si l'on finissait par mettre auprès d'elle quelqu'un qui ne soit pas un monstre, elle ne pourrait, elle le sent, s'empêcher de l'aimer. Laurent, c'est certain, n'était pas un monstre ; et, quoiqu'elle tourne sans cesse ses regards vers Dieu, ce jeune homme lui avait paru — vu de biais — plutôt bien fait... L'enfant, lui, n'a regardé ni le partant ni l'arrivant.

C'est le printemps. Un autre printemps après un autre hiver. Du nouveau. Du nouveau qui se répète. Les changements se ressemblent : de même que, juste avant de s'en aller, Antoine

Simon, l'instituteur, avait fait réparer la belle cage à serins, de même Christophe Laurent (pris d'un vague remords ?) a voulu faire un geste pour le prisonnier du deuxième — il a fait raccrocher aux murs de la chambre jaune les deux estampes gris-bleu que l'explosion de la poudrière avait soufflées et qu'on vient de réencadrer à ses frais.

Qui sait si à cette compagnie-là (deux parents couleur de bleuet, deux grands-parents azuréens, un chien) le garçon ne s'était pas habitué autrefois ? *La fête de la Grand-Maman*, *La matinée du jour de l'an* : des personnages de papier tendent leurs bras immobiles à un enfant de cire.

23

Estampes bleues. Au commencement était le bleu. Bleu ciel, bleu layette, bleu pastel : la famille, douce famille monochrome. Le Gotha et le ghetto, la « chapelle », le Parti, la dynastie. Lignée, tribu, clan. « Annuaire des anciens élèves », « nos auteurs », « mon Cousin », « camarade » — la communauté.

Machine à fabriquer du même et de l'autre. Eux et nous. Groupe ton sur ton, protégé par un verre épais. Du bleu. Couleurs non conformes, s'abstenir. Une vitre. Pas moyen d'entrer sans casser...

Pour séparer le bon grain de l'ivraie, empêcher le mélange, nous disposons d'un vaste choix de cribles, du plus simple au plus subtil. Bien sûr, il serait commode que « l'autre » ait un œil au milieu du front ou les pieds palmés (« Se peut-il que vous ayez cinq doigts comme moi ? » s'étonnait, à six ans, la grande sœur du prisonnier après avoir compté, et recompté, les doigts de sa femme de chambre). Restent, par bonheur, la peau (plus ou moins fine, plus ou moins claire), les cheveux (plus ou moins crépus, plus ou moins roux), le costume, le nom, la langue, les papiers — passeport, certificat de civisme, carton d'invitation, certificat de baptême, livret ouvrier, numéro d'immatriculation, « t'as la Carte ? »... Du plus concret au plus immatériel. Et dans l'immatériel, ce qu'on a trouvé de mieux, c'est encore le sang — pas le sang visible ni « scientifique », mais un sang abstrait, supposé plus ou moins pur, et qu'il faudra bien, dans l'espoir de vérifier, finir par faire couler... Car on doit sans cesse démêler, émonder : exclure pour être ensemble, bien au chaud ; exclure pour qu'ailleurs il fasse froid ; exclure pour être tout à fait sûr d'avoir tout à fait chaud.

Familles, coteries, sectes — communautés. Refus du dehors. Fermeture à l'étranger. Même si, à l'intérieur, on trie aussi, on excommunie : il faut des favoris et des souffre-douleur ; pas de vrai groupe sans sa petite Cendrillon, son petit Caïn — celui dont les sacrifices ne plaisent jamais au Père... « Lorsque l'enfant paraît », le cercle de famille, avant « d'applaudir à grands cris », se prononce sur sa conformité. À peine né, le vilain petit canard est exilé dans la chambre du fond. Derrière trois portes fermées. On le range dans le placard, on le cache dans le grenier. S'il pleure, ça ne dérangera pas ; au contraire : on va le dresser ! Il n'est pas de sa famille.

« Mon père et ma mère m'ont abandonné » : pour sa famille, Louis-Charles, neuf ans, n'est plus de la famille. La preuve : Prusse et Toscane, alliées de ses oncles, viennent de signer la paix avec ses geôliers sans exiger que l'enfant leur soit restitué. La Vendée, oui même cette « Vendée en armes » qui se réclamait du jeune prince, a préféré l'oublier au moment de traiter : pas un mot, dans les accords du 17 février, pour demander sa libération, ni suggérer simplement qu'on le traite mieux. N'aurait-il pas suffi pourtant que, réintégrant la Nation, les rebelles sollicitent l'application au « louveteau » de la légalité que cette nation s'était donnée ? Article sept de la vieille affiche tricolore fixée au mur de l'antichambre : *« Nul homme* (il est vrai qu'on ne parle pas des enfants), *nul homme ne pourra être arrêté ni détenu que dans les cas déterminés par la loi et selon les formes qu'elle a prescrites. »* Où est le jugement dans son cas, où ? Il n'est pas « détenu », il est captif ; pas « incarcéré », enlevé ; pas « prisonnier », otage. Mais des droits de l'homme et de ceux de ce gamin de neuf ans, la Toscane, la Prusse, la Vendée, et bientôt l'Espagne, se foutent éperdument ! L'enfant n'est plus de sa lignée, il n'est plus de son parti.

Pour autant, n'allez pas croire que « ceux d'en face » l'ont adopté ! Il reste, restera jusqu'au bout, *« l'avorton maudit », « le sang impur », « la race de tigres ».* Ni citoyen ni sujet de droit. Différent. Différent d'eux et de leurs enfants. Aucun point commun, c'est évident, avec Scipion-Barrabas qui « a mis trois nouvelles dents » ou Francine Clouet qui joue, comme n'importe quel mioche, aux osselets et à chat-perché ! Lui, là-haut, c'est le fils d'un rhinocéros et d'une guenon : un monstre.

Familles. Rejetons et rejetés. Le petit prince découronné n'est plus à personne : c'est la chambre qui l'élève, qui le protège, qui le nourrit. D'ailleurs, il n'entrera pas dans l'Histoire comme le fils de ses parents, il y entrera comme le fils de ces murs : on dira « l'Enfant de la Tour », « l'Enfant du Temple »... *« Qu'est-ce qu'on garde ici, des pierres ou quoi ? »* Une petite pierre, une pierre de la famille des tombeaux.

24

Le 11 germinal, primidi (jour dédié à la pervenche, la Sainte-Pervenche, qui a remplacé la Saint-Richard), le « tombeau » est on ne peut plus gai. Bouffée de soleil sur tout l'Enclos, enfin sur ce qui peut s'éclairer, refléter, éblouir : les canons de bronze, les baïonnettes, les éperons, le poil des chevaux, les hautes fenêtres de l'ancien palais, ses gouttières neuves et, dans les cours, les vitres des guichets, les hampes des drapeaux, les girouettes, les flaques d'eau... Seule la Tour, au milieu, n'accroche pas la lumière : rien n'y brille, ni les créneaux de pierre noire, ni les tuyaux couverts de suie du père Firino, ni les abat-jour de bois qui, à tous les étages, pourrissent lentement.

Un homme à la peau sombre mais au sourire éclatant (parce qu'il fait beau et qu'il a de belles dents) se présente au portail de la « Maison d'Artois » : ainsi nomme-t-on depuis trois ans l'ancien palais du Grand-Prieur qui fut autrefois la propriété du comte d'Artois, frère du défunt Tyran, et dont la cour demeure, depuis la rue, le seul accès possible au donjon, son esplanade, son enceinte, et ses cuisines ; c'est aux cuisines, justement, que ce petit « nègre » prétend accéder. Malheureusement, toutes les recommandations qu'il présente sont adressées au citoyen Laurent : « Et le citoyen Laurent, mon gars, il a quitté la maison depuis trois jours. — O l'est bin dommage ! Me reste plus qu'à en voir un autre, pas vrai ? » Il est drôle, ce nègre-là avec sa veste en carmagnole et son pantalon rouge ! Les gardes nationaux décroisent leurs fusils pour pouvoir rigoler à l'aise : un nègre qui parle avec l'accent poitevin ! Et, en plus, il ne doute de rien, l'olibrius ! Voir comme ça, d'entrée de jeu, le gardien-chef, et sans permission, sans tampons ! Mais comme il a l'air plutôt bon gars, les soldats de la Nation lui font un brin de conversation : « Je te connais, toi ! T'es le charbonnier ! » ou « Depuis que le citoyen Laurent a réduit le train de la maison, faut que tu saches qu'ici on prend plus de chocolat ! ».

Ces bêtises, Charles-François y est habitué. Du reste, il est persuadé de n'être pas aussi foncé que les autres le croient : à son avis, il est métis. Dans quelle proportion, c'est difficile à dire vu qu'il n'a jamais su de quel père il était né... Marie, sa mère, esclave aux Indes puis à l'île Bourbon, n'était pas blanche, c'est un fait. Négresse — c'est ce qu'on a mis sur le livre de bord ce jour où, il y a près de trente ans, la mère et son petit garçon ont embarqué à destination de Lorient pour servir leurs nouvelles maîtresses : deux petites demoiselles de la noblesse, filles de la grande dame qui avait accepté de porter le nourrisson « caramel » sur les fonts quand le curé l'avait baptisé. Finalement, ses deux jeunes maîtresses, le négrillon les a servies seul, parce que Marie, tombée malade au début du voyage, est morte à Sainte-Hélène. Il avait neuf ans et demi ; les fillettes, dix et douze. Le voyage était long (plus d'un an avec les escales), tellement long que les enfants avaient perdu la mémoire de leur point de départ avant d'avoir atteint le point d'arrivée. À la fin de la traversée, ne sachant plus rien de sa mère, et peu de choses de sa marraine, Charles-François (que les matelots avaient surnommé « Bengale » ou « Les Indes ») confondait les deux femmes dans une même figure tutélaire, confuse et bienveillante. Plus tard, il se persuaderait qu'il était arrivé en France accompagné de sa marraine, et que cette marraine était sa vraie mère... Bien que tout fût faux dans ce « roman familial », tout aussi y était juste — Charles-François devait à sa marraine plus que la vie : la liberté. En touchant le sol de France, l'enfant serait affranchi sans formalités. C'était la règle, et la marraine le savait.

Noir, mais Noir de métropole désormais, « Noir libre » — libre comme l'air, sans famille, sans toit, sans racines —, « Bengale » s'était engagé comme marmiton dans un château du Nord ; puis, toujours cuisinant, il était descendu vers le sud, se fixant enfin dans le Poitou au service d'une noble famille. Il y avait connu, derrière ses chaudrons, son heure de gloire lorsque le comte d'Artois avait passé deux jours au château : à la cuisine le négrillon avait frayé avec ses serviteurs — pour un esclave venu du bout des mers, rencontrer le valet d'un prince c'était toucher aux étoiles ! Puis, tout s'était gâté : les troubles avaient éclaté, la « grande peur » avait balayé le château, et les propriétaires s'étaient hâtés d'émigrer.

« Vouéci l'affaire, expliquait-il aux gardes du Palais avec cet accent chantant des Poitevins qu'il avait fini par adopter, depuis que je suis égaux et que j'ai plus de maîtres, ben, fi de garce ! j'ai plus de gages non plus ! » Républicain mais domestique, Bengale regrettait de devoir avouer que — comme les dentellières, les ouvrières en gaze, les généalogistes, les doreurs, et les éventaillistes — depuis trois ans il crevait la faim et battait le pavé.

En vain avait-il tenté de survivre en louant ses services aux bourgeois du pays pour les noces et fêtes carillonnées, « mais ces biaux messieurs, y z'auront jamais besoin de ce qui s'appelle un vrai cuisinier, pour fines goules et bounes compagnies ! ». Notaires, médecins, avocats, tous ceux-là qui pensent bien et qui gagnent gros vivent sur un petit pied. Alors, Bengale est remonté à Paris, où il avait acheté autrefois deux livres dont il ne se sépare jamais : *Le maître d'hôtel cuisinier* et *Le confiturier royal*. Par d'anciens domestiques du frère du ci-devant Tyran, ceux-là mêmes qu'il avait rencontrés dans le Poitou, il vient d'apprendre que le citoyen Laurent cherche quelqu'un pour la cuisine du palais : « Dis plutôt "de la Tour", citoyen — oui, là, tu vois ? ce grand donjon au-delà du mur — parce que, pour le palais, c'est nous, les Nationaux, qu'on y est de service et on n'a jamais été nourris... — La Tour donc ! Boun an, mal an, je m'accommode de tous les pays, tous les noms, toutes les façons... O serait seulement pour rempiacer à la journée l'aide-cuisinier, qu'est malade d'une échauffure. Faut vous dire que le citoyen Laurent, il a jamais eu peur que les nègres déteignissent dans la soupe : il était des "Amis des Noirs", ce boun houmme »... Et une fois encore Charles-François « s'acertainise » : il exhibe les précieuses recommandations des militants abolitionnistes auxquels son président de district, ému par sa détresse, l'a adressé. « Oh, dis donc, toi, le père Chocolat, fait un caporal agacé, on te répète qu'ami des Noirs ou pas, le citoyen Laurent a quitté son commandement. À l'heure qu'il est, il se pourrait même qu'il loge à la Force ou à Saint-Lazare, aux frais de la Nation ! » Charles-François, peu au fait de la géographie parisienne, ne comprend rien à l'allusion, mais son entêtement, son audace, lui tiennent lieu de génie : « Si o l'est plus Laurent, faut que je me rencontre avec son suivant... — Lasne ? — Lasne, oui ! Lasne, o l'est justement le nom que m'aviont dit les bounes têtes de nout' département ! "Bengale, faut que t'alles voir le citoyen Lasne, qu'est d'nos amis aussi !" »

Son bagout ne trompe personne, mais il amuse. Il a parfaitement compris, Charles-François, le principe du monochrome, des familles « sous verre » : pour être sûres de faire bloc, elles doivent rire et haïr ensemble, trouver, en leur sein ou au-dehors, un bouc émissaire et un bouffon. Le petit nègre, qui n'est d'aucune famille, sera le bouffon de tous — une excellente situation. En bout de table, on a les restes... Comme le chien Coco, Bengale, qui n'a jamais connu que l'errance et l'abandon, est taillé pour la survie.

Les gardes nationaux ont fini par l'accompagner à travers la loge du portier, la cour d'honneur, le vestibule du vieux palais, la deuxième cour, et le bâtiment des guichets. Jusque chez l'économe. Pas chez Lasne, non, quand même ! Liénard, qui cherche quelqu'un, en effet, pour remplacer le jeune Lermuzeaux à la cuisine, se chargera de vérifier les compétences de l'impétrant et sa moralité.

Pour les compétences, rien à redire : ce Poitevin noir sait tout accommoder, le rare (huîtres chaudes farcies) et le tout-venant (queue de bœuf rémoulade), le politiquement incorrect (cailles au duc) et le parfaitement conforme (potage de croûtes à la bourgeoise). Côté moralité, en revanche, il est clair qu'il n'a pas d'idées bien arrêtées, qu'il va où le vent le pousse, ce foutu sang-mêlé ! Sang très mêlé même : au moins autant d'indien que d'africain, c'est l'avis de Liénard qui connaît le nom de nos colonies et de nos comptoirs. Or, aujourd'hui, qui dit « Indien » dit « Anglais », et qui dit « Anglais » dit « ennemi » : s'appeler Bengale ou « Les Indes » au moment où les rosbifs viennent de s'emparer de Pondichéry, c'est suspect, très suspect ! S'agirait-il d'un espion qu'on veut introduire dans la place ? L'économe se sent tenu de pousser l'interrogatoire à fond. Les réponses qu'il obtient sont sommaires mais bien orientées : « Qui sont nos ennemis ? — Les glorieux qui nous regardiont de haut ! — Qu'est-ce qu'un sans-culotte ? — O l'est un houmme qui va toujours à pied et que se loge avec sa nichée dans un cinquième étage ! » Voilà Charles-François embauché. Il habitera « dans les murs » — avec interdiction formelle d'en sortir : c'est le règlement applicable aux cuisiniers, un arrêté vieux de vingt-huit mois.

Bengale espère-t-il que « le village » formé par les permanents et leurs familles va l'accepter ? Qu'il va être enfin inclus, approuvé, adoubé ? Peut-être... À l'égard des « nègres » les Parisiens ont peu de préjugés — les gens de couleur sont si rares sur les bords de la Seine qu'ils suscitent l'étonnement, le quolibet, parfois la pitié, jamais l'hostilité. On joue alors avec succès, à l'Ambigu-Comique, *Le nègre comme il y a peu de blancs*, où, d'après la critique, *« la confiance, la naïveté, le courage, la patience des Noirs sont très bien développés »*... « Espérons que ce bougre-là n'ajoutera pas du poivre et du safran dans tous mes plats ! » s'est borné à grogner le père Meunier en découvrant son nouvel aide.

Bengale a eu tôt fait de constater que ce chef qui craint le poivre n'entend rien, mais ce qui s'appelle rien, à la cuisine ! C'est bien simple, il ne connaît que deux menus : un jour il sert du porc salé avec du chou ; le lendemain il fait du bœuf bouilli avec des lentilles. Un demi-boisseau de lentilles sans herbes ni lardons ! Pour les potages, il casse du pain tantôt dans le bouillon de sa viande, tantôt dans le jus de son chou. Desserts ? Des châtaignes après le porc, des pruneaux après le bœuf. Et il semble bien parti pour continuer sur ce rythme binaire jusqu'à la fin des temps, sans introduire la moindre variante, le plus petit extra... Même le jour du décadi on n'évite pas le porc au chou ou le bouilli aux lentilles : ce chef-là est une cantinière !

Quand après une décade et demie de ce régime, le « citoyen nègre » a essayé de suggérer quelques changements, il s'est fait rabrouer : « Qu'est-ce que tu crois ? Maintenant que les députés nous ont envoyé deux godelureaux pour tout régenter, notre budget de cuisine a été réduit de moitié ! "Une nourriture saine et frugale" : v'là le programme du citoyen Liénard, notre nouvel économe. Moyennant quoi, il me laisse commander que ce qu'y a de plus bas dans les bas morceaux... »

Bon, se dit Charles-François, mais, avec les bas morceaux et les légumes fanés, un cuisinier, un vrai, peut faire des miracles !

C'est même la pierre de touche du métier ! Un virtuose du gril et de la marmite s'amusera toujours mieux d'un hareng que d'une sole ! Il suffit de ne pas épargner sa peine : le temps passé rachète la pauvreté de la denrée, comme la manière du peintre rattrape la banalité du sujet.

Ce langage d'artiste, Bengale a tenté de le tenir au chef. Il a proposé de préparer pour les « permanents » et les prisonniers un peu de gras-double à la ravigote, des queues de morue farcies (« o l'est pas coûteux du tout ! »), des potages à la purée de navets, des langues de cochon fourrées (« pas la hure, rin que la langue ! »), ou, moins cher encore, des queues de veau à la flamande, et, tiens, pour le meilleur rapport qualité-prix, de la tête de mouton à la Sainte-Menehould ! « Tu bianchis tes têtes à l'eau bouillante, puis tu zou mets cuire au court-bouillon avec un bouquet garni ; tu ôtes les cervelles, tu t'y en fais un ragoût de salpicon avec trois jaunes d'œufs et de la ciboule ; tu détaches vitement les joues des crânes, tu zou passes à la casserole avant de les mêli-mêler au salpicon, et... » Meunier l'avait interrompu : « Trop compliqué ! T'aurais plus assez de temps pour laver la vaisselle ! Et puis tu parles en charabia, père Chocolat, et je comprends pas le quart de ce que tu me racontes ! » Alors Charles-François a osé sortir sa bible, ce *Maître d'hôtel cuisinier* qui l'accompagne dans tous ses voyages : « Vois donc là-dedans, citoyen : c'est tout bien expliqué pour nous autres, qui y-aimons tant à cuisiner... » Mais à peine a-t-il glissé le gros livre brun sous le nez de Meunier qu'il a compris, foudroyé, que l'autre ne sait pas lire ! Le marmiton sait lire et le chef ne sait pas ; le Noir sait lire (ses petites maîtresses lui avaient appris ses lettres, au cours de leur longue traversée), le Noir sait lire et le Blanc ne sait pas... « Égalité » tant que tu voudras, mais il y a des hiérarchies qu'il en coûte cher de transgresser ! Ah, Bengale bade-goule, bavassou de malheur, dans quel guêpier t'es-tu fourré !

Par chance, même lorsqu'il a oublié le créole, un ancien esclave sait encore éviter le fouet ; Charles-François, prompt à l'esquive, a déjà refermé son livre et joué les niais : « Je suis qu'une bête, citoyen-chef ! J'ai plus pensé, cré couillon, que ces paperasses, elles sont écrites dans le jargon de cheu nous ! Un homme de Paris y entend rien, à ce prêcher-là ! »

Meunier a le triomphe modeste et généreux : « Père Moricaud, si tu t'apprends pas à parler autrement qu'en petit-nègre ou en langue des singes, tu pourras jamais avancer dans notre métier ! Bon, va quand même trouver l'économe pour lui conter cette histoire de ragoût de têtes... Et tâche un peu à l'amuser : c'est un homme qu'est plus triste que du linge sale ! »

Liénard est triste parce qu'il a des douleurs d'estomac : fonctionnaire sérieux, il a non seulement réduit son salaire mais s'impose le menu économique qu'il inflige aux prisonniers et employés. Résultat : il a l'air d'un chat qui aurait bu du vinaigre ! Ah non, il n'est pas gai... Et ce n'est pas la perspective d'une ratatouille aux têtes de moutons qui va le dérider ! Plutôt que d'écouter l'ancien esclave lui détailler ses recettes barbares, il préfère l'interroger sur sa première condition — dont Bengale se garde bien d'avouer qu'il n'a plus de vrais souvenirs. Liénard qui, entre deux rapports au citoyen « chargé des administrations de police et des tribunaux », a parfois des doutes sur le sens de sa mission et l'opportunité de tous les sacrifices, marches et contremarches, décisions adoptées et rapportées en moins de six ans, Liénard se raccroche à des textes indiscutables, des élans magnifiques : la Déclaration des droits de l'homme, l'interdiction de la traite, celle de l'esclavage. Le 16 pluviôse an II, l'Assemblée n'a-t-elle pas déclaré « l'esclavage des nègres aboli dans toutes les colonies » ? *« Tous les hommes sans distinction de couleur, domiciliés dans les colonies, sont citoyens français et jouiront de tous les droits assurés par la Constitution »* : quand il n'y aurait, pense Liénard, que ce seul décret, composé d'un unique article, nous serions tous justifiés d'avoir vécu si peu, si vite, si mal...

Emporté par l'émotion discrète de son vis-à-vis, Charles-François a glissé sur le fait que, n'étant plus lui-même « domicilié dans les colonies » depuis longtemps, il ne doit pas sa liberté à l'action de l'Assemblée. Quant à cette Société des Amis des Noirs, dont le jeune Laurent était membre, elle a disparu avant que ses idées aient triomphé, disparu parce qu'au moment même où le Vertueux libérait les Noirs il asservissait les Blancs : des abolitionnistes de la première heure, deux seulement ont survécu. Les autres sont morts — exécutés, assassinés, suicidés. Et le petit Laurent lui-même croupit au fond d'un cachot...

Pourtant ces deux hommes, le Blanc triste et le joyeux métis, communient un instant dans la même illusion. Et Charles-François, venu pour parler de mouton et de salsifis, se laisse aller à répéter, pour leur fierté commune, que *« tous les hommes sans distinction de couleur sont citoyens français »*...

Tournés vers les lendemains qui chantent, ni l'un ni l'autre n'ont parlé des prisonniers : ceux-là, déjà, appartiennent au passé. Le Poitevin n'a de toute façon qu'une idée vague de ce qu'on garde dans le bâtiment du fond (« un précieux dépôt », disent les uns, « des pierres », disent les autres) ; tout juste sait-il que rien, pas même une carotte, ne peut arriver jusqu'aux cuisines sans avoir été examiné, fendu, épluché, vérifié jusqu'à la racine, jusqu'à la moelle, et que rien n'en peut ressortir en direction de « l'esplanade » (comme on nomme la troisième cour, le saint des saints) sans être inspecté — les pains sondés à la fourchette, les noyaux ouverts, les serviettes dépliées... Quant à l'économe, il n'a jamais vu ses pensionnaires, n'entre pas dans le donjon, n'y est pas autorisé par le règlement.

Son bureau pourtant, adossé au mur d'enceinte, donne sur les deux tours accolées, la Grande enveloppant la Petite, qui a poussé dans son ombre. Depuis huit mois qu'il travaille en face, Liénard ne s'est pas encore habitué à ce monument d'obscurité, sa puissance, sa laideur... Comment vit-on là-dedans ?

De sa fenêtre il voit la porte d'entrée, encadrée par les guérites des factionnaires. Il remarque les écharpes, toujours dépareillées, et les chapeaux, plus ou moins bourgeois, des deux commissaires civils, l'entrant et le sortant, quand ils se croisent sur le pas de la porte à midi pile, comme les automates d'une pendule suisse. Mais ce sont surtout les « habitués », avec leurs petites manies, qu'il se plaît à observer : le garçon d'office par exemple, qui vient des cuisines trois fois par jour avec son chariot, ses chauffe-plats et ses couvercles, un attirail sonore et brinquebalant que suit de près un chien bâtard efflanqué : le corniaud — qui espère bien qu'un de ces empilements hétéroclites va s'effondrer — ne lâche pas les mollets du vieux Caron, lequel, au lieu de lui filer un coup de savate, accélère le pas et finit par pousser sa charrette au galop tandis qu'à l'autre bout du parcours le guichetier de la Tour encourage le chien de la voix et du geste : ce trio de fous devrait se produire dans les foires !

En revanche Lasne et Gomin, les geôliers en titre, ne sont

guère dérangeants : on ne les voit jamais ! Baptiste Gomin, qui a transporté ses pénates dans la Petite Tour (il a trouvé, au deuxième, une chambre sans « abat-jour », claire et propre), ne circule qu'à couvert, par la porte basse percée dans la double muraille, au pied de l'escalier à vis. Quant à Lasne, c'est l'opposé de Christophe Laurent : la discrétion même, un homme invisible. Attaché à son poste comme une moule à son rocher, il a de ses fonctions une conception restrictive, presque subalterne. Non seulement il ne se mêle pas de la gestion, mais, bien qu'ancien soldat, il assiste rarement à l'exercice des troupes. Ceux du « village » l'ont surnommé « le soliveau », persuadés que ce trop bel homme (six pieds de haut) est dépourvu d'autorité. Voire...

Lorsque, dérogeant à ses habitudes, Lasne a traversé l'esplanade l'autre jour pour venir, lui aussi, poser à Liénard le problème des menus du père Meunier, il a parlé sans élever la voix mais avec fermeté. Oh, il ne parlait pas pour lui, bien sûr : on voit tout de suite que ce n'est pas le genre de citoyen à se plaindre de l'ordinaire — dix-sept ans de bivouac lui ont endurci l'estomac. Mais pour ses prisonniers qui sont d'âge à grandir encore il suggérait (« suggérait », c'était son mot) une volaille tous les cinq jours, du merlan de temps en temps, une assiette de confiture un soir sur deux et une brioche par quinzaine. La requête était si précise qu'il n'y avait plus qu'à passer la commande ! Liénard n'avait pu s'empêcher d'ironiser : « Et du sirop de guimauve pour ces enfants, tu ne me demandes pas aussi un peu de sirop de guimauve ? — Si, justement, avait rétorqué l'autre sans sourire. Pour ne pas rompre l'équilibre de ton budget, citoyen, je suggère (toujours ce « suggère » !) qu'on remplace la carafe de vin du plus jeune — qui est sans doute bue à la cuisine puisque lui ne la boit jamais — par un verre de sirop de guimauve après son dîner. Voilà qui était parler !

Allons, Liénard va donner satisfaction au gardien blanc et au cuistot noir : les prisonniers auront leurs extras, et Bengale est autorisé à mettre au menu le « potage à la purée de navets ». Quant à son ragoût aux têtes de moutons, pas question ! Outre que la recette n'a rien d'alléchant, le temps manque : entre le moment des épluchages et celui de la vaisselle, on a besoin de l'aide-cuisinier pour aider Caron, qui vieillit, à trimballer chariots et réchauds depuis les deux étages de « la Bouche », installée au-delà de l'enceinte, jusqu'au rez-de-chaussée de la Petite Tour.

« O me paraît un boun usage des qualités, lance Charles-François avec un grand rire, celui-ci qui sait cuisiner on le met à pousser la brouette, et le gâte-sauce qui sait rin d'une meringue ou d'un échaudé on le garde pour préparer le dîner ! »

Pour un domestique, ce métis est d'une insolence ! Liénard sent ses aigreurs d'estomac redoubler ; mais il ne sévira pas : il faut songer à tout ce que ce malheureux a dû souffrir... Il l'imagine les bras cerclés de fer, les chaînes aux pieds. Il échauffe si bien son imagination qu'à l'instant de congédier son aide de cuisine sur la formule habituelle, « Salut et Fraternité », lui, l'économe sec et froid, serre l'intérimaire dans ses bras et lui donne l'accolade.

Bengale repart vers ses cuisines tout pensif. Il est content, certes, de pouvoir montrer sa science en mijotant un potage aux navets ; ce qui l'attriste, c'est l'accolade. Il sait bien que l'économe n'aurait pas embrassé un Blanc de cette façon-là. Si Liénard, qui n'aime que les chiffres et les idées, l'a embrassé, c'est parce que lui, Bengale, a été esclave et qu'on ne peut le voir sans se le représenter enchaîné, bref parce qu'il est noir. En lui donnant l'accolade alors qu'il méritait une réprimande, ce patriote vient de lui faire sentir, une fois de plus, qu'il n'est pas de la Famille. Un chien, voilà ce qu'il est pour « eux » ! Toujours traité comme un chien, un chien qui dérange — à coups de botte dans le train — ou un chien à la mode — avec des caresses exagérées... Jamais content ?

Sans doute, oui, jamais content puisqu'il reste avide de ce que nul ne peut lui donner : l'illusion qu'il est pareil aux autres, cette reconnaissance (« tu es des nôtres ») qui ne viendra pas, viendra d'ailleurs d'autant moins qu'il ne saurait plus l'accepter avec la confiance requise... Affamé pourtant, il reste affamé de ce qu'on lui a refusé ; et toujours prêt à espérer, quémander, toujours prêt à y « retourner ». En gémissant ou en faisant le beau. Comme un chien décidément, ce grand chien brun, dans la cour, que la famille Rockenstroh appelle Coco.

Les Rockenstroh connaissent le nom de chacun ici, même celui du chien. Parce qu'ils sont là depuis le début : la femme était lingère au palais avant les « événements », et le fils aîné a travaillé pour la Commune comme aide de l'économe. Était-ce au temps de Mathey, de Coru ou de Lelièvre ? N'importe, ces trois-là sont morts, ils ont « fait la bascule », « joué à la main chaude », « tâté du rasoir national », « mis la tête à la fenêtre », « passé la cravate », « éternué dans le sac »... Un jour, un autre chef nommé Laurent, disparu depuis, lui aussi, a supprimé les emplois de la mère et du fils ; mais par charité on leur a laissé leur logement. De même qu'on a laissé son appartement, au-dessus des cuisines, à l'ancien chef de la Bouche, le père Gagnié, qui a un fils aux armées. Nombreux sont ceux qui vivent ainsi autour des trois cours dans des appentis, des galetas, des remises, des annexes, des réduits... Enfin « vivre » est un grand mot : ils vivotent — logés, mais plus nourris ni payés.

À moins qu'ils n'aient réussi à changer sans cesse d'idées et de fonctions pour ne pas changer de maison. De ces vétérans, Angot est le seul à avoir lié un semblant d'amitié avec « le Sauvage », « le Remplaçant », « l'Autre »... Angot, aujourd'hui balayeur des corps de garde, fut autrefois dans la Maison un serviteur qualifié : gardien de l'argenterie du prince de Conti, puis du comte d'Artois, il a porté leurs livrées, comptait leurs cuillères, fermait leurs armoires et frottait à la peau de chamois les pièces rares, délicates — rafraîchissoirs, jardinières, milieux de table. Un grand seigneur de la domesticité. Et un vieux de la vieille : lui aussi connaît le nom du chien pelé qui traîne dans l'Enclos.

« C'était le chien d'un commissaire, le Toine Simon, un brave gars un peu pochard, un peu couillon, un peu bavard, une espèce de "fusil à vent", si tu vois ce que je veux dire... Il est mort, rasé de trop près en Thermidor... Avant ses ennuis il avait adopté ce toutou pour le petit Capet, que la Commune l'avait chargé d'élever. Si le chien est resté là, c'est peut-être que le petit n'est pas parti. Officiellement, toujours ! Parce qu'on ne nous dit pas tout, à nous !... Quand je passe dans les corps de garde avec mon balai, je peux t'assurer, mon vieux Bengale, que j'entends quelquefois de drôles d'avis sur nos pensionnaires ! Savoir même s'il y a encore des pensionnaires... On a vu tant de gens, ici, apparaître et disparaître ! À propos, il paraît que toi, tu nous quittes la semaine prochaine ?

— Ça se pourrait. O se dit que Lermuzeaux va mieux.

— Eh bien, je te regretterai ! Enfin je regretterai ta purée de navets. Et ces petites rôties à l'œuf que tu m'avais accommodées un soir avec du vieux pain et de la cassonade, sur un coin de fourneau...

— J'aurais pas pu t'en faire souvent, mon camarade : avec un cent d'œufs par quinzaine, les gars qu' nous commandent nous donniont même pas ce qu'o faudrait pour accommoder de bounes sauces...

— Au lieu d'épargner maintenant sur la cuisine, ces beaux commis auraient mieux fait de serrer la vis au début ! Moi qui te parle, si tu savais ce que j'ai vu dépenser ici, rien que pour l'argenterie de service ! Un beau jour, qu'est-ce qui débarque dans notre ci-devant palais ? Huit hommes avec des écharpes en rond et en travers qui raflent tous nos couverts pour les envoyer à marteler : les armoiries, les écussons, fallait les ôter si on voulait rester "légaux" ! Ça nous a coûté chaud : tu en connais, toi, des orfèvres qui travaillent pour des prunes ? J'avais à peine remis en service ces couverts nus qu'arrive une nouvelle équipe, qui décrète qu'on ne doit plus se servir d'argenterie du tout, même martelée : faut qu'on reste "égaux". Légaux-égaux, tu me suis ? Ces Jean-foutre ordonnent que chacun, même les prisonniers, mangera avec une fourchette en fer et une cuillère d'étain. Comme on en possédait pas assez de cette espèce-là au palais, a fallu en acheter. Total, des milliers de livres dépensées, un jour pour l'argenterie, le lendemain pour le fer-blanc !... Et les poêles ? Un matin, il nous tombe l'ordre de changer le décor des poêles : plus une seule faïence à fleurs de lys ou à couronne. Nos poêles les plus unis avaient toujours un ou deux carreaux à motif : pas moyen d'enlever ce carreau sans démonter et remonter le tout... Eh bien, on l'a fait, tu m'entends ! On l'a fait ! Le seul qui a gagné dans l'opération, c'est Firino, le poêlier. Celui-là, ordres ou contrordres, il en tire toujours profit...

— Et toi, lance la mère Rockenstroh qui passe en rapportant dans son tablier des provisions pour son dîner (deux poignées de pissenlits qu'elle est allée ramasser dans le jardin abandonné de l'hôtel de Boufflers, derrière l'ancien cloître), toi, le chef argentier, si tu veux pas le perdre, ton "profit", tu ferais mieux de tenir ta langue et de balayer le pavé ! »

Une façon de dire à Angot qu'il devrait se méfier : ce bonhomme n'est pas de leur « famille », leur société, leur milieu.

Sait-on même, avec cette teinte crasseuse que la Nature lui a donnée, s'il a les mains propres quand il touche aux viandes ? Tandis qu'avec Lermuzeaux, au moins, on savait...

Bengale a refait son balluchon. Pas grand monde à saluer avant de partir. Mais avec Liénard, au moment de la paye, interminable accolade.

Le nègre jette un dernier regard sur l'esplanade, traverse les deux autres cours, croisant les uns, les autres, indifférents et distraits. Salue-les quand même, Charles-François, salue-les bien bas : des courbettes, des sourires, on ne sait jamais, sois souple, sois gai. Soumis. Sur le dos, comme le chien Coco. Encore qu'à voir celui-là qui, entre deux « miaulements », deux plaintes à fendre le cœur, harcèle le pauvre monde, il est difficile de savoir s'il est un chien soumis ou un chien dominant ! En tout cas, c'est un chien survivant... Adieu donc le chien, les guichetiers, le vieux palais, les factionnaires : voici la rue du Temple, celle de la Corderie, l'allée des Enfants-Rouges. Peut-être le mal blanchi, Poitevin de rencontre et Parisien d'occasion, redescendra-t-il vers le sud ? Ici ou ailleurs, il s'en moque, pourvu qu'il trouve un tourne-broche, une crémaillère et des casseroles. Les marmites sont sa vraie famille, la cuisine était sa patrie. Pourquoi l'en avoir chassé ? Depuis que les châteaux sont vendus, que les auberges ferment, que les marchés se vident, que les pauvres maigrissent, et que les indigents meurent, Bengale se sent orphelin.

25

« Un grand “roman familial”, hein ? C’est comme ça que vous voyez l’époque ? Dans cette aventure, il y a bien une histoire de “roman familial” en effet, mais elle ne se trouve pas, chère madame, où vous la cherchez avec votre Bengale et vos estampes bleues... »

Plus de procès criminel sans expert psychiatre, il m’en fallait un à la barre : sur la famille, le rejet et « l’appartenance », qu’a-t-il à me dire ?

« C’est d’une affaire de parricide qu’il s’agit. Même si le sort fait à l’enfant n’en semble pas la conséquence directe : plutôt une conséquence seconde... Au commencement, le père du petit était aussi le père de la Nation, le “bon père”. En théorie seulement, puisque ce père-là s’est vite révélé impuissant. Incapable de bien baiser sa femme et de châtier ses sujets, “ses grands fils”. Un cochon-coupé, comme ils disaient... D’où mépris, désordre, révolte, et meurtre du “Gros-Louis”, le pseudo-père. La bande des frères s’empare alors de la scène politique — rien que des jeunes, des hommes, et des célibataires : rappelez-vous à quel point, dans l’environnement de votre jeune reclus, la proportion d’hommes sans femme et sans enfants vous avait paru élevée. Dans ce nouveau modèle, les frères partagent l’ancien pouvoir du père, comme ils partagent la responsabilité du parricide : c’est ensemble qu’ils ont tué et dévoré — symboliquement — le corps paternel. Bien. Mais reste la mère. Ah, la mère... Maintenant que le père a disparu, elle devient dangereuse pour la vertu de ses fils : qui fera respecter le tabou de l’inceste ? La sexualité de celle que les journaux du moment n'appellent plus que "la salope", "la putain", paraît menaçante : on la dépeint comme la "mauvaise mère", atteinte de *"fureurs utérines"* et qui donne sans cesse à voir ses parties sexuelles, *"folâtre comme une chienne chaude"*. Elle est aussi celle qui, dans l'amour, transgresse l'ordre des générations, *"les démarcations prescrites par les lois de la nature" :* déjà maîtresse supposée de son beau-frère, de son grand-père et de son père, ne va-t-elle pas maintenant s'attaquer aux "fils" ? Comment la bande des frères pourrait-elle résister aux avances de cette *"Messaline"*, une *"tigresse"* qui se fait *"chatte"* pour mieux les séduire ? Ils sont terrorisés, les malheureux ! Les voilà, en l'absence d'autorité paternelle, effrayés par la vigueur de leurs propres fantasmes ! Alors, ils vont les rassembler, ces fantasmes, et en charger un seul des fils, le plus petit. Trop jeune, lui, pour faire partie de la "bande des grands", la bande des chefs — l'inceste qu'ils redoutent, ils vont le consommer à travers lui. C'est lui qui, parlant pour eux, va dénoncer au cours du procès "la mauvaise mère", *"immorale sous tous les rapports, nouvelle Agrippine, si perverse qu'oubliant sa qualité de mère elle n'a pas craint de se livrer avec Louis-Charles, son fils, et de l'aveu de ce dernier, à des indécences dont l'idée et le nom seul font frémir d'horreur"*. L'enfant devient leur porte-parole à tous, c'est par son entremise qu'ils tuent la mère. Second crime après lequel ce porte-parole, devenu porte-péché, doit à son tour être éliminé. Car, la crise passée, les autres veulent oublier, vous comprenez ?

— Il faut qu'il meure ?

— Il est difficile tout de même d'exécuter un enfant de huit ans ! Ils voudraient seulement le "supprimer", l'effacer : qu'il disparaisse de leur vue, de leur conscience, de leur passé...

— L'oublier, oui. Avec la chambre interdite, l'emmurement, le règlement, ils y sont presque arrivés... Pardonnez-moi, docteur, mais ces théories psychanalytiques élaborées pour un individu, peut-on les appliquer à une nation, un être collectif ?

— On parle bien de la "psychologie des foules" ! Psychologie d'enfant de trois ans, d'ailleurs. Une foule : un géant de trois ans... Quant aux nations, je note qu'elles ont coutume de parler d'elles-mêmes comme on parle d'un individu. Spontanément, elles s'incarnent. Dès lors, pourquoi ne pas les coucher sur le divan ? Combinez cette psychanalyse collective à la théorie propre au fonctionnement des groupes, celle du “bouc émissaire”, et vous comprendrez pourquoi, dans cette approche aussi, l’enfant qu’on a chargé du péché de tous doit disparaître. Pour le bien des autres... Quant au comportement de la base, ces hommes dont vous vous étonniez que, pris un à un, ils ne soient pas des monstres, des expériences comportementales nous ont depuis longtemps montré que moins d’un tiers d’entre nous est capable de désobéir à un ordre absurde ou monstrueux s’il est donné par une autorité légitime. Cette proportion tend vers zéro quand chacun des ordres criminels, pris en lui-même, a l’air anodin : pour cela, il suffit de diviser les tâches. Souvenez-vous : plusieurs des commissaires interrogés ont insisté sur le morcellement des fonctions confiées aux employés — ainsi chacun a-t-il pu accomplir son petit travail avec compétence et sans états d’âme. Le lampiste, qu’a-t-il fait ? Presque rien : fermé une porte, condamné une fenêtre, ôté les crayons, confisqué les livres...

— Dans cette histoire-là on ne trouverait pas un tiers de réfractaires, en effet...

— Rien de plus naturel ! Même s’il y eut quelques “Antigone” : trois ou quatre commissaires, Crescend, Lebœuf, Debierne peut-être ; trois ou quatre qui ont dit “c’est mal” et risqué leur vie en le disant. Une bonne proportion...

— Trois ou quatre sur combien ? Sans même compter les “permanents” successifs, on voit passer, au cours de la deuxième année de réclusion, deux cent vingt-deux commissaires civils d’octobre à juin. Auparavant, quand de janvier à août, ils effectuent leur service par fournées de quatre, on en compte au moins huit cent quarante ! Et, encore avant, lorsqu’ils étaient par équipes de huit, combien ? En fait, il est passé dans la Tour plus d’un millier d’hommes dont la mission était de constater la présence et l’état de l’enfant, et vous trouvez satisfaisant que trois ou quatre seulement aient...

— Je ne le trouve pas satisfaisant, chère madame, je le trouve statistiquement normal ! Qu’adviendrait-il d’une société où les insoumis seraient légion ?... Pour le reste, n’oubliez pas : je ne suis qu’un thérapeute ; l’Homme, ce n’est pas moi qui l’ai créé. »

26

La douleur l'occupe. Il est occupé. Occupé et envahi.

La douleur le travaille. Tel que vous le voyez, debout devant le gardien-chef, immobile, droit comme un i, il est en souffrance, en gésine. En travail, mais pas à temps plein. Ce n'est qu'une douleur à temps partiel, qui se lève tard : à l'heure où Lasne entre dans la chambre, où Lasne le tire de son lit.

Le nouveau gardien considère en effet qu'il n'appartient pas au porte-clés d'habiller l'enfant, il s'en charge lui-même. Sens du devoir, goût du service. Un militaire.

Au début, le petit n'a pas aimé ce changement ; il craint tous les changements. Ne craignait plus la tête de Gourlet, s'y était habitué ; mais Lasne, lui, n'a pas encore de tête : juste des yeux — semblables aux mille paires d'yeux qu'il a déjà vus, billes de verre enfoncés dans l'un de ces mille visages malléables, transformables, éphémères, qui depuis deux ans ont traversé sa chambre... L'enfant prête si peu d'attention maintenant à leur forme, à leur couleur, qu'il met longtemps à repérer un détail récurrent, remarquer une présence plus fréquente, identifier une permanence, il met longtemps à s'intéresser. On dirait qu'il ne voit pas, ne voit plus. À moins que la stabilité des personnes ne le dérange ; autant que le dérangerait aujourd'hui un changement de lieu... Les êtres passent, les murs restent : il est l'enfant de la chambre.

Lasne, pourtant, n'a pas tardé à déranger ses habitudes. Non seulement il l'habille lui-même, lui coupe les cheveux (il a congédié Danjout), mais souvent il monte seul, sans le porte-clés, presque sans bruit. Le trousseau de l'escalier et des appartements (quinze clés) ne reste plus accroché en permanence à la ceinture de Baron ou de Gourlet : on l'enferme maintenant dans une armoire de la salle du Conseil ; Gomin et Lasne peuvent l'emprunter sans intermédiaire s'ils ont besoin de monter.

Le nouveau gardien-chef n'hésite pas à s'octroyer ce genre de liberté : sa parfaite orthodoxie politique le met plus à l'aise que ses prédécesseurs ou son adjoint pour prendre des initiatives dans le domaine qui est le sien. Un domaine qu'il borne au donjon, qu'il réduit même aux espaces intérieurs du bâtiment : ni la clé de la porte d'entrée ni celle des couloirs d'accès à la Petite Tour n'ont été rangées dans l'armoire du rez-de-chaussée ; elles demeurent attachées aux portes-clés, au corps des portes-clés — Lasne s'est enfermé dans la Grande Tour avec ses prisonniers.

Mais, du coup, il se sent chez lui jusque dans leurs chambres. Surtout dans la chambre du deuxième. Avec Baptiste Gomin, tacitement, ils se sont réparti le travail : c'est le tapissier qui a repris près de la jeune fille (mais avec moins de succès) la place qu'y occupait Christophe Laurent. Quant à l'ancien militaire, il se réserve, en tant que chef, le travail le plus délicat : la garde du garçon, un prisonnier dont il connaît l'importance et commence à soupçonner la fragilité.

Le comportement de l'enfant l'étonne, en effet. Lasne n'est pas encore inquiet (pas plus que les gardiens précédents, il n'a la moindre expérience des enfants), mais il est quand même surpris, presque gêné, lorsqu'il voit le petit rester tassé sur son tabouret auprès du poêle alors que le poêle est éteint : en avril, quoiqu'il ne fasse pas bien chaud, on a par économie cessé d'allumer le feu, ce qui n'empêche pas le garçon de retourner dans la niche de briques aussitôt qu'il a déjeuné et de se coller contre les faïences du fourneau comme s'il en espérait quelque chose... Pour l'obliger à bouger, Lasne a déplacé le tabouret. D'autorité, il l'a posé dans l'embrasure de la muraille, sous la fenêtre : au moins l'enfant pourra-t-il apercevoir le ciel, observer les nuages.

Docile, le petit a suivi son siège... Et s'est rassis. Le dos à la fenêtre. Il regarde la chambre, comme avant. Certes, en renversant la tête, il pourrait voir, au-dessus de l'abat-jour, des ciels froissés, rayés de rose, des nuages laineux qui s'enfuient affolés,

« rentre tes blancs moutons, bergère, vite allons ». Il les voit peut-être, ces nuages, mais il ne les contemple pas, ne les compare pas, ne rêve pas. Et le vent coulis qui passe sous la fenêtre, entre le dormant et l'ouvrant (ouvrant qu'on n'ouvre jamais, pour cause de cadenas), ce mince courant d'air qui glisse sur ses reins, le sent-il ? En tout cas, il n'en dit rien. Ne pas se plaindre, ni réclamer. Se taire. Il ne veut pas « causer d'ennuis » ; il n'a que ce reproche en tête, obsédant : « Tu voudrais pas me causer d'ennuis, hein, Charles ? Tu vas être gentil, pas vrai ? » Une phrase qu'il croit entendre dès son réveil, toujours lancée par une voix claire : Maman ? Tourzel ? Marie-Jeanne ? C'est l'occasion, il est vrai, de se rappeler qu'autrefois il existait des êtres sans bottes ni bonnets à poil, des êtres légers dont les souliers étaient cachés par de longues jupes et les cheveux par des dentelles et des volants. Leur voix n'était pas rugueuse, mais argentine comme le tintement d'une cuillère, « bergère, vi-ite allons ». Le souvenir de leur voix, c'est tout ce qui est resté d'elles, car leur espèce a disparu de la surface de la terre, elles sont mortes, toutes ; et par sa faute. « Tu voudrais pas me causer d'ennuis ? » Oh non, il ne voulait pas ! « Monstre »... Ne rien demander, rester sage, s'effacer, obéir.

Il obéit aussi (du moins, aspire à obéir) quand Lasne décide soudain de lui faire prendre l'air au sommet de la Grande Tour. Une vieille idée de Gomin, que le nouveau, aux beaux jours, reprend à son compte. Ni l'un ni l'autre ne savent que cette promenade de la plate-forme, l'enfant la connaît déjà, qu'on l'emmenait là-haut du temps de ses parents et encore dans les premiers mois du gouvernement d'Antoine Simon. Les deux gardiens, eux, croient innover, ils craignent presque de s'aventurer, personne ne peut les détromper : autour d'eux il ne reste plus un homme, un seul, qui ait connu cette époque-là. Pas même Baron ni Gourlet. La Tour n'a plus de mémoire...

Mais elle garde un règlement. Or, selon Lasne qui l'a beaucoup étudié (il a relu, pendant les longues soirées, tous les registres conservés dans la chambre du Conseil — le journal des commissaires, les arrêtés de l'ancienne Commune, et les instructions des Comités), selon Lasne rien n'interdit d'emmener — sous bonne garde évidemment — le jeune reclus jusqu'au quatrième étage et de le faire marcher, une petite demi-heure, sur le chemin de ronde : « Paraît qu'à la Bastille, au temps du Tyran, on pratiquait de cette façon », a renchéri Gomin lorsqu'ils ont débattu la question (Gomin, vieux Parisien, croit toujours que Lasne, natif du Jura, ignore les « mystères de Paris », mais l'autre a passé plusieurs années au dépôt de son régiment, près de la rue d'Antin... Il n'en dit rien, a pour principe de laisser causer). « Ces malheureux — ah, je les ai vus, tu sais, j'y étais, moi, le 14-Juillet ! —, ces malheureux qu'on enfermait sans jugement dans des culs-de-basse-fosse, certains soldats leur donnaient le droit de se promener en haut des tours, histoire qu'ils se maintiennent en vie, mais je te garantis qu'aucune des victimes du Despote n'a pu en profiter pour s'échapper ! Même Latude, ce n'est pas en se jetant par-dessus les créneaux qu'il s'est évadé ! Ajoute que notre plate-forme est deux fois plus haute que celle de la Bastille...

— Et qu'un enfant de dix ans n'est pas Latude...

— Tu vois qu'on ne risque rien ! »

Qui ne risque rien n'a rien : l'action de ces gardiens de bonne volonté n'a pas eu, sur le physique et le moral du prisonnier, les effets heureux qu'ils en escomptaient. D'abord, le petit a éprouvé le plus grand mal à monter l'escalier — cent vingt marches jusqu'à « la terrasse ». En prévision de l'expédition, Lasne lui avait pourtant racheté quatre paires de bas, quatre bonnets, et il lui avait fait refaire des souliers. À sa taille, ou à peu près (on n'osait pas laisser entrer le cordonnier). Malgré ça, on aurait dit que l'enfant avait des semelles de plomb. Les marches semblaient trop hautes pour lui, il se traînait en soupirant (le commissaire du jour, qui fermait la marche, soupirait aussi, d'agacement). Surtout, le gamin ne parvenait pas à franchir le seuil — assez haut, c'est un fait — des guichets de bois disposés dans la tourelle à intervalles réguliers pour rétrécir le passage et ralentir la progression d'éventuels assaillants. Lasne a dû l'aider à franchir ces pièces de bois en l'attrapant sous les bras. Pas inquiet cependant, le commandant, toujours pas : d'où aurait-il su que, deux ans plus tôt, l'enfant — qui mesurait vingt centimètres de moins — enjambait allègrement ces obstacles-là ?

En soulevant le petit, Lasne a senti à quel point son corps était léger : une brindille ! Mais, bon, ce n'est pas à l'armée qu'on apprend ce que pèse normalement un garçon de dix ans. Et puis s'il ne chipotait pas tant ! Capricieux comme pas deux !

L'ancien soldat s'est juste étonné de le trouver encore plus maigre en le portant tout vêtu qu'en le voyant chaque matin en chemise avant de l'habiller.

Quand la troupe a débouché — enfin ! — sur le chemin de ronde, l'enfant, au lieu de l'élan de bonheur que ses gardiens espéraient, a eu un mouvement de recul : trop d'air, trop de lumière ? Il a fallu l'empêcher de s'enfuir, de retourner vers l'escalier, vers la chambre. Ah, cette fois, il retrouvait ses jambes, le sacripant ! Comme on barrait le chemin, il est reparti en avant, a fait quelques pas — hésitants — entre les deux rangs de créneaux obturés par des jalousies ; puis il s'est arrêté, et, s'appuyant résolument contre un des panneaux de bois, il a regardé les trois hommes, voilà. Enfin, dire qu'il les a regardés serait trop dire : il a regardé dans leur direction... « Eh bien, a fait le commandant Lasne en prenant sa grosse voix, tu ne vas pas rester là, planté comme une bougie ! Cours un peu, amuse-toi ! »

Certains (qui n'y étaient pas) écriront plus tard que dans ces corridors à ciel ouvert, ces coursives que le vent balaie, le petit a pu trouver, ici ou là, de quoi retenir son attention : une fleur poussée entre deux pierres, un joli soleil couchant, un nid. Un biographe qui avait connu Gomin âgé a même raconté, soixante ans plus tard (soixante ans !), une histoire d'eau stagnante, de mare suspendue auprès de laquelle l'enfant se serait installé pour regarder boire les oiseaux. Quels oiseaux, à votre avis ? Pas des pigeons. À cette époque il n'y a pas de pigeons sauvages à Paris ; s'il y en avait eu, on les aurait mangés. Pas des mouettes : elles ne remontaient pas encore la Seine. Pas des merles, la plate-forme est trop haute pour eux. À cette altitude, dans les villes, et quand le lieu n'est pas fréquenté (depuis le départ de Mathey personne n'y monte plus), on ne trouve guère que les choucas des tours et les faucons crécerelles : là où sont les faucons, les moineaux ne s'attardent guère... Laissons tomber cette histoire d'oiseaux et les bluettes assorties : là-haut, il n'y a rien. Paysage exclusivement minéral. Pas un signe du passage des saisons. Trop au-dessus des vivants, et hors du temps. On y est encore au treizième siècle, dans un désert, et toujours en hiver.

Puisqu'on ne peut regarder vers le bas, vers la ville (créneaux de pierre, panneaux de bois), il n'y a rien à voir ; du reste, si par extraordinaire il y avait eu quelque chose, l'enfant ne le verrait pas : un problème d'accommodation, comme disent les spécialistes. Confiné entre quatre murs depuis deux ans, il n'utilise plus sa « vision de loin » : il devient myope — d'autant que son père, affligé lui-même d'une sévère myopie (d'où sa timidité, son horreur des cours et des foules, et son goût pour la mécanique de précision), son père lui en a probablement légué le gène...

La promenade du chemin de ronde ne lui offre donc que des sensations confuses, effrayantes : le vent qui le lèche, l'étourdit, le bouscule ; l'air frais qui l'enveloppe comme une serviette mouillée ; et les odeurs, des odeurs qu'il ne reconnaît pas car ce ne sont pas les siennes. Il préfère sa propre odeur — sa sueur, ses excréments, et le parfum rassurant de poussière et de tissu moisi qui émane de ses vêtements. Il a hâte de rejoindre sa tanière, a peur de ne plus retrouver son royaume, sa nourrice, sa maman : la chambre.

Aussi les jours suivants n'a-t-il manifesté aucun entrain particulier à l'idée de « s'aérer ». Il obéit (« Tu voudrais pas me causer d'ennuis ? »), il soupire et obéit. Mais si on veut lui faire passer dix minutes au sommet — car il ne tient pas plus de dix minutes, tente sans cesse de redescendre, grelotte, interroge d'une petite voix geignarde « chambre ? » — il faut compter une bonne demi-heure d'ascension : il bute contre chaque marche, bute comme on bégaie, et souffle, et gémit, s'arrête, s'allonge même : il s'allonge sur les paliers ! Et ce n'est pas une mince affaire que de l'en décoller ! Jamais Lasne, qui est patient, n'aura tant contemplé l'escalier, la spirale noire de l'escalier, cette vis sans fin. Et les strates de suie, de crasse, superposées. Des couches de siècles, couches de charbon : on monte dans la Tour comme on descendrait dans un puits de mine...

Une épreuve ! Le gardien-chef a bien essayé d'en dispenser Gomin (l'attitude de l'enfant, sa faiblesse, excluent toute tentative d'évasion), mais, s'il veut gagner du temps, il doit se résoudre à porter le petit dans ses bras tout au long des deux étages et, dans ce cas, a besoin de son adjoint pour tourner les clés et pousser les portes.

Cette lenteur de l'enfant, sa mauvaise volonté, ne surprennent d'ailleurs Gomin qu'à moitié ; il a des explications, et même des suggestions : « Ces enfants de princes, vois-tu, c'est de l'espèce des plantes de serre : ça n'aime pas le grand air ! »

ou « Si on lui trouvait un cerceau, je parie qu'il courrait derrière sans se donner le temps d'y penser ! »...

Balivernes. Quand Lasne, après avoir en 1782 reçu son congé des Gardes françaises et lâché le fusil pour le pinceau, est redevenu, en 89, capitaine de grenadiers (bataillon du Petit-Saint-Antoine), il a aperçu plusieurs fois le gamin aux Tuileries : costumé tantôt en jardinier, tantôt en colonel du Royal-Dauphin (son régiment d'enfants, que les briscards appelaient le Royal-Bonbon !), le petit ne semblait craindre ni le grand air ni la manœuvre. Il sortait par tous les temps, même sous la pluie : une solide santé... Non, il y a autre chose : comme disait Sabre-Tout, un vieux sergent de sa compagnie (Lasne s'est engagé à douze ans, ce sergent-là a fini de l'élever), « Quand tu vois un traînard, mon gars, te demande jamais si c'est un soldat qu'a le mal du pays, regarde d'abord s'il a pas un caillou dans son soulier ! ».

Pour les souliers du marmot, le gardien-chef sait ce qu'il en est. Mais le reste... Un matin où il avait décidé de changer le linge du prisonnier, au lieu de lui passer tout de suite une chemise propre il l'a laissé nu pour l'examiner de la tête aux pieds, le tâter même. Et il a trouvé : sous le genou droit une petite boule, de la taille d'un œuf de caille ; et le poignet gauche est enflé ; quand on appuie dessus, l'enfant crie. Crie tout bas, bien sûr ; couine plutôt ; il ne fait jamais grand bruit (« Tu voudrais pas me causer d'ennuis, pas vrai ? »). Lasne insiste : « Je te fais mal ? » Le petit détourne les yeux. Le gardien perd patience, se fâche : « Où as-tu mal, bougre d'andouille ? » L'enfant le fixe ; pour la première fois depuis un mois il le fixe et, lentement, il dit : « Tu me fais mal, toi. »

Voilà : il a remarqué Étienne Lasne, l'a distingué des « passants », du tout-venant. Il aurait pu le remarquer avant, quand l'autre le sortait du lit (mais à cette heure-là il donnait toute son attention à sa douleur, sa douleur brusquement réveillée par le mouvement). Il aurait pu aussi — lorsque le gardien lui faisait face pour l'habiller — noter son teint hâlé, la balafre sur son front, ou encore ses cheveux nattés sur la nuque à la manière des militaires ; mais il était trop occupé, à ce moment, par le souvenir de la voix des femmes, un souvenir associé à ces mêmes gestes — enfiler, boutonner, chausser — et à cette phrase unique, obsédante, « Tu voudrais pas me causer des... », non, il ne voulait pas « causer des », il bloquait sa respiration, ne criait pas quand il lui fallait étendre les jambes pour passer le pantalon, la douleur montait jusqu'à sa gorge mais il ne criait pas, se concentrait pour ne pas ouvrir la bouche, serrait les mâchoires... Alors, dans ces conditions, la natte du militaire ! Comprenez bien : dès que la douleur le prend, il est obligé de tourner ses yeux vers l'intérieur ; il ne peut regarder qu'en lui...

Il n'empêche que, dans l'escalier, quand Lasne le portait et que lui, l'enfant, laissait retomber sa tête sur l'épaule de ce grand « six-pieds », il aurait pu — il était assez près ! — sentir l'odeur sucrée du savon à barbe, ou celle, plus amère, du tabac à priser, et reconnaître, tout en gardant les yeux fermés, que depuis quelques jours c'étaient toujours les mêmes odeurs qui le transportaient en haut de la Tour... Non, à cause de la douleur. La douleur encore, qui l'empoigne dès que le brave Lasne glisse son bras sous ses genoux, la douleur qui lui scie la jambe droite et gagne son ventre, sa poitrine ; il a trop mal, et a hâte d'être enfin lâché, remis sur ses pieds ; mais en même temps il a peur, peur d'être posé dans cet immense vide d'en haut, un vide plein de vent, un ciel tout blanc... Peur, mal. Mal et peur.

Ah, ne croyez pas que cet enfant ait jamais manqué d'attention et persévérance ! C'est un petit garçon courageux, volontaire. Une boule de vie. On le croit amorphe, absent, idiot, distrait, indolent. Erreur : il hiberne. Du jour où il a perdu ses derniers repères, où il a senti qu'il lâchait prise (il y a presque un an maintenant), il a commencé à hiberner. D'instinct, pour résister à la panique, à la folie, il s'est mis en boule, ramassé sur lui-même. Du lit au tabouret, toujours recroquevillé. La méthode de la marmotte, du loir, de la chauve-souris, excellente technique de survie : mauvaise saison, milieu hostile, maladie ? on économise ses forces, ses sentiments, on s'enterre, on attend. Épaississement du revêtement — peau, fourrure, carapace ; diminution des surfaces de contact avec l'extérieur ; engourdissement, sommeil. Il faut savoir ne plus bouger, fermer les yeux, respirer au ralenti : se laisser mourir en périphérie pour sauver son cœur. Et il y est arrivé, presque arrivé : il a déjà survécu à la plupart de ses gardiens. Il tient ; à sa manière, il tient. Une petite boule de vie.

Une boule de vie que la mort va dévorer, happer — petite

boule de vie dont elle ne fera qu'une bouchée... Pourtant, ce soir-là au souper, quand Lasne a exposé à Gomin et au municipal de permanence (un jeune homme à la dernière mode, coiffé en « oreilles de chien ») tout ce qu'il avait constaté, rien ne fut jugé alarmant. On ne parla même pas de consulter un médecin. D'ailleurs, aucun des hommes présents n'avait jamais, pour lui-même, recouru à un médecin — quelqu'un d'important et de coûteux, un médecin, qu'on ne dérange pas pour rien... Dès l'énoncé du symptôme de toute façon, leur opinion était faite : l'enfant « se nouait » ; à cet âge c'était fréquent — un instant d'inattention et hop, pour des raisons opposées (manque d'activité physique, ou excès d'activité), les enfants cessaient tout à coup de « profiter », leurs épaules saillaient, leurs articulations gonflaient, formaient des protubérances, et des gibbosités apparaissaient sur « la colonne » comme sur le tronc d'un vieil arbre. Pour sa santé, le jeune reclus devait donc être contraint à marcher, à escalader ; néanmoins, il était sage de ne reprendre ces exercices que lorsque les abcès découverts par Lasne se seraient résorbés. En ce qui concerne ces deux abcès (« enflures », rectifie Lasne qui, sur les plaies et les bosses, en connaît un rayon, « enflures : la peau n'est pas rouge autour, pas bien chaude non plus »), en ce qui concerne ces espèces de bulles, de gros boutons, Gomin a son idée : ce sont des piqûres d'insectes — puces, punaises, araignées — qui se sont envenimées, durcies ; la vermine ne manque pas dans cette Tour, allez ! Le municipal acquiesce : depuis qu'il est arrivé ici à midi, il n'a pas cessé de se gratter... Aussitôt on arrête un plan de campagne : sans savoir ce que « le Créole » avant eux avait déjà tenté (toutes les factures ont été envoyées à l'administration centrale), on ordonne, dès le 25 avril, de démonter les bois de lits des trois étages et de les nettoyer ; Lasne fait aussi détacher et désinfecter tous les rideaux, y compris ceux, en damas vert, de son grand lit, enfin du « lit de Laurent » — il ignore que cette couche a accueilli auparavant un dormeur plus illustre ; toujours le même problème : la Tour n'a plus de mémoire... Le commandant décide aussi de baigner le petit prisonnier pour le débarrasser de ses parasites : une mesure audacieuse (il en est conscient), téméraire peut-être ? Rien, dans le règlement, n'autorise à... Il ne voudrait pas outrepasser ses pouvoirs — c'est un homme à la fois déterminé et discipliné —, mais personne ne peut lui dire que ce qu'il envisage là, avec timidité, fut autrefois permis, expressément permis, et que la mère Simon comme le jeune Laurent l'ont pratiqué avant lui : depuis ce temps — pas si lointain cependant — même les garçons-servants qui feront chauffer les bassines, même le porteur d'eau avec sa fontaine sur le dos, ont changé. Plus de mémoire, et du point de vue de Lasne (élevé dans un régiment) pas assez de règlement : des vides juridiques, des gouffres à donner le vertige ! Dès son entrée en fonctions, les occasions d'embarras ne lui ont pas manqué ; ainsi, le jour même où il venait d'introduire dans le bâtiment l'ouvrier chargé de démonter les quatre lits, un député en écharpe, un certain Bourlier, membre du Comité militaire de l'Assemblée, s'est présenté à l'entrée, sabre au clair, pour s'assurer, disait-il, « que les enfants existent et sont toujours ici » ; Lasne, constatant que ce fier-à-bras n'était pas mandaté, lui a refusé l'accès de l'escalier ; l'autre, d'une voix de stentor, a exigé de voir le règlement : eh bien, dans les registres, il n'y a rien, pas une ligne, à propos des visites de députés ! Lasne, pourtant, n'a pas cédé (il se souvenait de son affaire de canons, au 9-Thermidor : n'avait-il pas bien fait de résister ?). Néanmoins, sitôt le bravache éloigné (furieux, le représentant du peuple : « Vous aurez de mes nouvelles ! »), le gardien-chef a pris sa plus belle plume et écrit aux Comités : *« Le citoyen Bourlier nous ayant requis d'examiner les pouvoirs qui nous autorisent à refuser de satisfaire à sa demande, nous n'avons pu lui en présenter aucun. N'ayant aucune instruction écrite, nous sommes dans une attitude qui nous met dans l'impossibilité de répondre catégoriquement à de pareilles demandes. Nous espérons que vous voudrez bien nous envoyer un plan de conduite. »* Oui, un plan de conduite sur ce sujet, et sur tous les sujets où les consignes sont restées verbales, contradictoires, incertaines.

Baptiste Gomin, lui, satisfait d'avoir un chef, quelqu'un qui endosse les responsabilités — bref, en cas d'orage, un paratonnerre —, continue à imaginer, proposer, inspirer : « Dis donc, si on lui donnait d'autres jouets, au marmot, pour l'occuper dans sa chambre jusqu'à ce qu'il guérisse ? » L'autre jour, pendant que Lasne essayait de maintenir, bon gré mal gré, son prisonnier sur la terrasse, le tapissier, qui furète partout, a découvert dans les combles, au milieu d'un tas de vieux meubles, un billard en acajou fait à la taille d'un enfant : un jouet de luxe que Lasne a accepté de descendre au deuxième étage. Il a même fait mine de pousser la bille avec Gomin pour montrer au petit la manière de s'y prendre. Comment sauraient-ils, tous deux, que l'enfant connaît déjà les règles du billard, du vrai billard, mais qu'il ne veut plus, ne peut plus, aimer des jeux dont il risque d'être privé... Il n'a même pas daigné s'intéresser aux efforts de « l'homme à la natte » ni du « petit chauve avec une verrue sur le nez » (il ne connaît pas leurs noms ; sa sœur, au-dessus, ne les connaît pas non plus ; ici, à part Christophe Laurent, fonctionnaires et factionnaires sont toujours entrés et sortis sans songer à se présenter aux détenus — il est vrai que nulle part les matons n'ouvrent les cellules en déclinant poliment leur identité...). Perdu dans son brouillard, la tête penchée, absorbé dans la contemplation de ses souliers, l'enfant de la chambre n'a pas regardé les mouvements des deux gardiens, pas entendu leurs éclats de rire un peu forcés. Gomin a eu beau l'apostropher : « Avoue que c'est plus drôle qu'un bilboquet, même quand on doit y jouer tout seul ! », il n'a pas réagi. Il a mal au poignet, le poignet que sa manche de chemise, trop serrée, comprime ; alors pour s'empêcher de crier, pour gémir en restant discret, il bourdonne : « Il va mieux, dit Gomin, il chante. »

Plus tard, quand les deux hommes sont redescendus (« Rien à signaler, écrit Lasne au Comité, *la plus grande tranquillité règne au-dedans de notre poste* »), plus tard le petit a fait rouler les boules. À la main. Machinalement. En soupirant. Dès qu'il est debout la douleur augmente, et c'est pire quand il essaie de marcher. Pourtant, de même que trois mois plus tôt il « jouait aux cartes » (empilant les figures au hasard, emboîtant sans méthode et sans but ces bouts de carton qui ne signifient rien), il jouera deux ou trois fois « au billard », ou avec le billard. Au fait, savez-vous que ce jouet de grand prix fut fabriqué pour son cousin germain ? Mais les deux garçons ne se sont pour ainsi dire jamais connus, à l'époque le petit était trop jeune ; de sa famille il ne sait rien, ne se souvient pas, n'a même plus de nom...

« Un autre cadeau ! » C'est Gomin, radieux, qui pose dans la chambre une collection de lettres en plomb qu'il vient de retrouver dans la salle à manger de l'appartement : « Une vraie petite imprimerie ! Tu sais lire ? » Silence. Ce silence a tellement l'air d'une insolence que Lasne, pourtant soucieux ce matin-là (au changement de chemise, il a trouvé le genou plus enflé, tout ne va pas si bien qu'il l'écrivait), Lasne, parce qu'il sent le poids de ses responsabilités et qu'il se tourmente, éclate brusquement, il secoue le petit par les épaules : « Répondras-tu, enfant de putain ! On te demande si tu sais lire ? » Alors le petit, dans un souffle : « Oui. » Ah, quand même ! En principe, quand on insiste, qu'on se fâche, « Monsieur » répond. Le plus souvent « oui ».

Toujours « oui ». Il ne veut pas causer d'ennuis...

« Eh bien, s'il sait lire, triomphe Gomin, je peux lui donner un livre ! Puisque au-dessus (du doigt il désigne le plafond), au-dessus "on" a de la lecture... » Grâce aux commandes que lui passe « la fille aînée », Gomin a découvert la bibliothèque de la Petite Tour, où Laurent s'approvisionnait. Une bibliothèque bien garnie, quinze cents volumes : celle d'un érudit, l'ancien archiviste du palais. Il est vrai qu'à part Angot, le balayeur des corps de garde, et les Rockenstroh, que Lasne et Gomin n'ont aucune occasion de croiser, nul ne sait plus dans la maison que cette bibliothèque fut celle d'un archiviste ni même que cet archiviste a existé. Mais sa bibliothèque, proche de la pièce où couche maintenant le gardien-adjoint, est encore ornée de gravures galantes qui en rendent, aux yeux d'un célibataire, la fréquentation attrayante... Sur les rayons, le gardien-adjoint a trouvé un livre dont le dos porte en lettres d'or le mot « Contes ». Tous les enfants aiment les contes : ce gros in-quarto réjouira le louveteau !

Gomin n'a pas eu la curiosité de feuilleter le bouquin : il sait lire, assez du moins pour déchiffrer la paperasse qu'on range en bas ; mais les livres, non, il n'a jamais eu le temps, et ce n'est pas maintenant, avec tout l'ouvrage dont on l'a chargé ! Pensez : balayer sa chambre, la double entrée, la salle du Conseil, boire un coup avec les guichetiers, houspiller les garçons d'office, et amuser le municipal de service — on a toujours avec celui-là quelque partie de dominos en train, quelque tournée de manille à achever... Non, la lecture, c'est bon pour les fainéants, ou pour les prisonniers !

Les contes qu'il a choisis sans les lire ne sont pas, contrairement à ce qu'il suppose, des contes de fées. Pas non plus des contes libertins. Ce sont des contes philosophiques, un produit de série : vingt ans plus tôt, les auteurs fabriquaient de ces « Almyre et Zindor » en un tournemain, comme les pâtissiers des pâtés chauds. Censurés par les autorités, applaudis par les salons, les *Contes* empruntés par Gomin ne se signalent plus aujourd'hui à notre attention que par le long nom de leur auteur, Cugnet-Dupré de Quiquincourt, un nom oublié dans la littérature mais qui restera dans la petite histoire comme celui d'un des clients de la maison Clouet : les caleçons de « l'illustre écrivain » passaient entre les mains de Blanche Fauchery... « Poète, il ne dépassa pas les limites de la médiocrité ; dramaturge, il ne fut qu'un pâle imitateur de Voltaire ; critique, il ne sut distinguer aucun des contemporains que nous admirons ; auteur, ses romans pathétiques et ses contes en vers ne supportent plus la lecture » : les dictionnaires biographiques, quand ils lui consacrent encore quelques lignes, ne ménagent guère cet homme de coteries, de cabales et d'académies. Ils devraient au moins lui reconnaître le talent d'un grand politique : successivement victime de la Tyrannie (un peu de Bastille), serviteur du Tyran (gazetier appointé), et zélateur des ennemis du Tyran (député régicide), il a su épouser toutes les courbures de son siècle. Quand le mouvement est devenu trop rapide, qu'il a craint de rater un virage, il s'est alité : malade, comme le croit sa laveuse attitrée ? Il a réussi à en convaincre le comité de surveillance de son quartier, espère en persuader le pays tout entier. Officiellement donc, il est mourant. Mourant depuis deux ans et demi. Au plus fort des événements, l'habile homme est à l'agonie. L'agonie le sauvera. Il n'y a qu'au couperet de son biographe qu'il n'échappera pas : « Il y eut de la facilité dans sa vie, il y a de la facilité dans son œuvre »...

Si « facile » qu'elle soit, cette œuvre n'est pourtant pas à la portée d'un garçon de dix ans. La scène eût été belle qui aurait conduit l'un des favoris de Blanche Fauchery à admirer l'autre, qui aurait confondu leurs esprits comme sont déjà mêlées, dans le panier, leurs chemises sales, mais cette scène-à-faire ne sera pas faite. Car le petit ne sait plus lire. Du reste, ce livre est trop lourd : quand l'enfant — étonné de voir sur la table un objet qui lui rappelle son père, ne lui rappelle que son père — a voulu s'en emparer, son poignet lui a fait si mal que le volume a glissé. Maintenant il n'arrive plus à le ramasser ; les forces lui manquent, il est fatigué ; il s'obstine pourtant, craint d'être grondé, mais a peur de s'accroupir, à cause de son genou, alors il se penche, se penche, la tête lui tourne, il bascule...

C'est le soir. On n'a pas encore éteint sa lumière. En bas, le commissaire civil désigné pour la journée est un ancien grenadier ; Lasne évoque avec lui des souvenirs de leurs régiments, de leur jeunesse, ils se laissent aller à chanter ensemble de tristes chansons de guerre : « Soldat, t'as déserté pour l'amour d'u-une belle »... Lasne a une voix ample et nostalgique ; pour ne pas rompre le charme, Gomin prend les clés dans l'armoire et décide de procéder seul, dans les étages, à l'extinction des feux. « Ceux-là qui me tueront, ce sera mes camarades », la voix se brise mais il faut tirer la dernière salve, « ils me banderont les yeux avec un mouchoir bleu, et me feront mourir sans me faire souffrir »...

Une cavalcade dans l'escalier, « À l'aide ! crie Gomin. Le "dépôt" est sans connaissance, il a vomi par en haut et par en bas, il a dégobillé cœur sur carreau, et le voilà étendu dedans, presque mort ! Je sais même pas s'il respire ! ». Les deux grenadiers se jettent dans l'escalier, grimpent les cent douze marches au pas de charge : « Faut avertir tout de suite les Comités, dit le commissaire, je ne voudrais pas que cette affaire-ci nous cause des ennuis ».

27

C'est l'histoire d'un enfant qui va mourir. Mourir après une maladie — longue et insidieuse ? courte et violente ? on ne sait pas. Cette maladie n'a guère d'importance : elle n'intervient qu'aux derniers chapitres. Il meurt après une maladie, il ne meurt pas de maladie.

Qu'y avait-il avant son agonie ? « Au commencement », qu'y avait-il ? Le rejet, la claustration, les murs. Et dans cette « quarantaine », après bien des mouvements, menaces et frayeurs, depuis plusieurs mois un curieux mélange d'inertie et d'esprit de système : est-ce ce brouet tiédasse qui a eu raison de l'enfant ?

Il faut sans doute remonter plus loin, plus haut ; à la chute du Dictateur ; au moment où « les autres » (ceux qui n'appartiennent ni à la famille du Tyran ni à celle du Cromwell) ont publié qu'ils empêcheraient *« qu'on ne provoque une perfide pitié sur un enfant orphelin auquel il semblerait qu'on veuille créer des destinées »*... Pas de destin, donc, pour cet enfant : on s'en doutait. Mais une destinée ? Une destinée n'est pas un destin, pas même un avenir. Tout juste un peu de futur, un futur quelconque, avec un petit bout de présent. Eh bien, pour lui, l'enfant, pas de destinée ! Ce jour-là, le verdict est tombé : aucun futur, rien à imaginer. Une horloge arrêtée. À jamais exclu du temps. « Que vouliez-vous qu'il fît ? — Qu'il mourût ! » Patientez...

L'enfant appartient à un monde englouti. C'est par hasard qu'il lui survit. Là-haut, suspendu dans le vide, il est aussi dépourvu de sens, aussi incongru qu'un manteau de cheminée accroché à l'ultime paroi d'un immeuble effondré. Meurt-on quand on ne sert à rien, quand on n'a plus, aux yeux des autres, la moindre raison d'exister ? Tout survivant est, comme cette cheminée, un morceau détaché du passé, absurde, gênant, mais il tient pourtant ; accroché au mur défait, il dure autant qu'il peut durer. Car ce qui le colle à ce pan de mur, le plaque à la vie, c'est la pression d'un sentiment violent — amour ou haine, selon ; mais passion, dans tous les cas.

Or de cette précieuse ressource, la rage, on a privé l'enfant bien avant sa séquestration : ceux qui l'aimaient lui ont interdit la colère.

La veille de son exécution, son père l'avait fait descendre dans la salle à manger pour lui parler ; il lui avait parlé de tout près, le tenait debout entre ses jambes, caressait son front, en lui demandant de ne jamais venger sa mort, de ne faire aucun tort à ceux qui allaient le tuer ; comme l'enfant n'avait que sept ans, le père lui avait fait lever la main et répéter chaque mot du serment qu'il exigeait ; et l'enfant, l'enfant qui se savait entouré de « méchants » (ceux « qui allaient faire mourir Papa » attendaient dans l'antichambre, il les voyait par la cloison vitrée de la salle à manger, parfois l'un d'eux venait taper au carreau), l'enfant, tout en pleurant, répétait, entre deux sanglots, deux hoquets, les mots du pardon, du renoncement... Voilà un petit garçon plein de santé, nerveux, ardent, qui depuis plus de deux ans ne connaissait que *« des larmes, des secousses, des saisissements et des terreurs continuelles »*, un petit garçon qui, dans la Tour, avait déjà entendu cent fois des menaces de mort, avait vu son père tenu au bout d'un sabre dans cette même salle à manger, savait qu'on ferait *« avec sa tête un boulet de canon »* et *« fondait en larmes, s'enfuyait dans la chambre »* dès qu'un « visiteur » hurlait, car il croyait aussitôt voir sa famille égorgée. En face de lui, le père — un homme mélancolique qu'on avait toujours *« eu du mal à intéresser à sa propre cause »*, digne, mais absent déjà, déjà mourant, et c'est cette bûche, cette momie, qui condamnait un petit garçon si vivant à renoncer à toute douleur, toute révolte, tout espoir de revanche ! Pour gagner son ciel, ce bon apôtre, ce bénisseur attache l'enfant. Oui, avec son serment, il l'a lié, ligoté ! Les pères sont des assassins ! Comment, après cela, le petit aurait-il pu s'accrocher ? Il n'avait plus de bras...

Et la mère ? Que faisait la mère avant que son fils ne lui soit arraché ? La mère ne faisait pas mieux. Non par excès de bonté ou de faiblesse, comme le père, mais par excès d'usages. Songez que cette femme-là, en montant sur l'échafaud, trente secondes avant de mourir, s'est encore excusée parce qu'elle venait de marcher sur le pied de son bourreau ! Quand, dans leur prison, son fils passait devant l'un des municipaux du jour (en ce temps-là — c'est l'époque de Bertrand Arnaud — les commissaires venaient à six par jour, souvent ivres et rien moins qu'amènes), quand l'enfant distrait passait sans les saluer, la mère le reprenait avec sévérité : « Mon fils, retournez et saluez monsieur en passant devant lui. » La politesse est la noblesse des vaincus. Une fleur exquise, mais une fleur de cimetière : elle aide à mourir, elle ne donne pas une raison de vivre.

Même lorsqu'on est venu en pleine nuit lui enlever l'enfant, le tirer de son lit, la mère, tout en se débattant, n'a pas tenté de lui crier : « Vis ! Un jour, tu seras le plus fort, tu les tueras, accroche-toi ! » Elle n'a pu ni crier ni murmurer parce qu'elle sanglotait, épuisée, et qu'elle n'a même pas eu la force de lui passer ses vêtements : c'est sa belle-sœur qui s'en est chargée.

Il paraît que de son côté le petit a pleuré deux jours entiers. Il a même vaguement tenté de résister — avec les armes de ses adversaires (en connaissait-il d'autres ?) : « Montrez-moi la loi qui ordonne qu'on me sépare de ma maman ! » a-t-il lancé aux commissaires de service à un moment où on le descendait dans la cour ; on l'a promptement ramené « à la niche », il n'a plus insisté. Docile, bien élevé : un excellent sujet...

Et les Simon, même les Simon, n'ont pu susciter un sentiment assez violent pour lui donner le désir de survivre. Il ne pouvait pas les haïr — ce n'étaient pas des tortionnaires, ils le nourrissaient bien, lui donnaient des bains, l'habillaient de neuf, lui apprenaient le billard, lui offraient des fleurs et des oiseaux ; il ne pouvait pas les aimer — ils disaient du mal de Papa, de Maman, n'embrassaient jamais, lui « mettaient la fessée », l'obligeaient à « déclarer », et lui laissaient dire de vilains mots pour parler des femmes de sa famille : *« Est-ce que ces sacrées putains-là ne sont pas encore raccourcies ? »* ; il avait beau ne pas saisir toute la portée des phrases qu'il prononçait, il sentait bien, malgré les rires et les applaudissements, que c'était plutôt méchant, plutôt laid, et qu'on aurait dû le gronder pour l'empêcher de se sentir trop triste après... Les Simon sont partis sans promettre qu'ils le reverraient, sans lui demander de les espérer : peut-être ne l'aimaient-ils pas, finalement ? Une bonne raison pour ne pas les regretter ; mais pas une raison suffisante pour avoir envie de les tuer.

Aucune véhémence dans cette petite âme entravée. Un survivant est un souffle, une flamme, un être dont l'esprit a transcendé la chair — du corps vaincu l'âme prend le relais. L'enfant de la Tour n'est pas un survivant : il tient par l'épaisseur de la matière ; parce que son cœur est neuf et sa chair ferme ; parce que son sang circule vite, que ses tissus cicatrisent bien, que ses poumons restent bons ; parce que ses connexions neuronales continuent de se développer, que ses dents poussent, que son hypophyse sécrète une quantité suffisante d'hormones. Mais plus d'élan vertical, d'aspiration, de colonne vertébrale : c'est son enveloppe qui le soutient. Lui s'est replié vers l'intérieur, tout petit, très loin...

Comme un pays sans capitale, qui n'a plus de soldats aux frontières. Invasion prévisible, défaite programmée : l'histoire d'un petit garçon qui va mourir.

28

« Le Comité de sûreté générale, instruit par les rapports des gardiens de l'enfant Capet qu'il éprouve une indisposition et des infirmités qui paraissent prendre un caractère grave, arrête que le premier officier de santé de l'hospice de l'Humanité se transportera auprès du malade pour le visiter et lui administrer les remèdes nécessaires ; il ne pourra faire ses visites qu'en présence des gardiens. »

« Le premier officier de santé du Grand Hospice de l'Humanité » (médecin-chef de l'Hôtel-Dieu), Pierre-Joseph Desault, cinquante ans, jouit d'une excellente réputation professionnelle : *« le premier dans la pratique comme dans l'enseignement de l'art qu'il a professé ; son nom est depuis longtemps célèbre dans tous les pays du monde où la chirurgie est en honneur »*...

Du « premier choix » sans doute, mais pourquoi, se demanderont plus tard les historiens, n'avoir pas fait appel à l'un des médecins qui connaissaient déjà l'enfant, l'un de ceux qui étaient venus à la Tour soigner ses bronchites et ses bobos quand il vivait avec sa mère ou le couple Simon ? Les docteurs Le Monnier, Brunier, Thierry ? Avait-on quelque chose à cacher ? Rien, si ce n'est qu'en deux ans il avait passé tant d'eau sous les ponts, tant de sang dans les rues, et tant d'hommes dans les bureaux, que plus personne n'avait conservé la mémoire des anciens noms, des anciennes adresses... Deux ans, rendez-vous compte ! Tout est neuf désormais, l'administration comme le calendrier, les poids et mesures comme la monnaie, la carte de France et les noms des rues. Un peuple d'enfants (quarante pour cent de la population a moins de vingt ans) s'éveille chaque matin délicieusement amnésique et dépaysé :

un présent lisse ; des hommes nouveaux, ou recyclés ; une perpétuelle aurore.

Seule la Tour est noire, la Tour est vieille. Dans les registres des délibérations du Conseil de la maison — des volumes déjà poussiéreux, poudrés comme de vieilles perruques —, Lasne aurait pu retrouver la trace du passage d'autres praticiens. Ce qui n'aurait d'ailleurs rien changé, car il aurait constaté qu'en cas de maladie des détenus ses prédécesseurs, comme lui, ouvraient grand le parapluie : la moindre fluxion dentaire donnait matière à des débats interminables, des motions chèvre-chou qui remontaient à l'autorité supérieure, laquelle refilait aussitôt le mistigri à l'échelon du dessus, et ainsi de suite jusqu'au « Sommet » : *« L'un des prisonniers ayant témoigné le désir que l'on fît venir un dentiste qu'il consulterait sur son mal, le Conseil des commissaires s'est assemblé, composé de tous ses membres. La chose mise en délibération, il a été dit par certains que l'humanité exigeait que l'on accédât à cette demande ; mais il a été objecté par d'autres que s'agissant d'une fluxion, qui est un accident passager, le secours d'un artiste ne serait d'aucune utilité ; qu'il en pouvait même résulter l'inconvénient que le mal augmentât, ce qui occasionnerait des reproches et des propos. Sur quoi, tous les délibérants se sont réunis à l'opinion qu'il était convenable que le Conseil des commissaires s'abstînt de statuer, et qu'il serait mieux d'en référer au Conseil général de la Commune qui, dans sa sagesse, saurait ce que nécessite la prudence », et cætera, ad libitum*, au choix, comme il vous plaira, ce n'est pas mon affaire, à votre bon cœur — surenchère d'irresponsabilités sans limitation de délai.

Donc Desault. Encore un visage que l'enfant n'a jamais vu et qu'il verra peu. Inutile de décrire le personnage : Desault vient pour la première fois le 7 mai et pour la dernière le 29 ; dès le 1er juin, il est mort — oui, lui, le médecin, pas le malade. Le petit orphelin, à demi fou, à demi muet, si maigre et si fragile, vient encore d'enterrer l'un de ses solides visiteurs... D'après les journaux, une *« fièvre ataxique »* s'étant déclarée à l'Hôtel-Dieu, le médecin-chef et deux de ses adjoints ont succombé alors qu'ils soignaient des patients. Un homme de mérite, finalement, ce Desault. Et, comme à l'époque il faut toujours démentir les rumeurs d'empoisonnement, la patrie reconnaissante va lui offrir une autopsie de première classe : avec Corvisart au scalpel ; rien de moins !

Quand le 7 mai ce futur cadavre avait examiné l'enfant, le petit semblait déjà mieux que le 4, lorsque Lasne et Gomin, affolés, avaient écrit au Comité pour signaler la perte d'appétit, la fièvre, « les enflures » et « les évacuations ». « On s'est inquiété pour rien », disait déjà Gomin (aime-t-il l'enfant ?, aime-t-il la place et le salaire ? en tout cas il cherche à se rassurer). « Notre louveteau, ce qui lui est arrivé, c'est tout bonnement qu'il n'a plus supporté la ratatouille que nous sert le père Meunier... Moi-même, si je n'avais pas un estomac à digérer des pierres !... »

L'ordonnance du médecin semblait aller dans le même sens : il y était surtout question d'alimentation. Pourtant, ce n'était pas à un dérangement de la digestion que songeait le docteur Desault en constatant le gonflement des articulations, l'entérite, et l'anémie. Ce qu'il craignait, on le devine à la lecture de ses prescriptions, c'est un début de scorbut, un mal alors endémique dans les prisons — trop de lentilles, de châtaignes, de haricots blancs... Pour lutter contre l'épuisement du jeune malade, il fallait lui proposer des fruits en quantité, des salades, des « herbages », des légumes frais ; le médecin avait même pris la peine de détailler les menus pour faciliter la tâche de l'économe et du cuisinier (les gardiens rirent sous cape). Desault voulut aussi qu'on ajoutât aux trois repas un solide goûter, il exigea du chocolat, de la confiture de groseilles et d'abricots ; et il rétablit le vin, « moins susceptible que l'eau de provoquer des dysenteries ». Quant aux remèdes, il suffisait d'un sirop antiscorbutique et de trois tasses par jour d'une décoction de houblon (dépuratif qui *« convient aux enfants pâles qui habitent des lieux humides »* et combat *« le manque d'appétit, le lymphatisme, l'anémie et la diarrhée »*) ; pour compléter le traitement, on frotterait le genou et le poignet d'un liniment composé d'huile d'amandes douces et d'alcali volatil. Le médecin exigeait en outre que l'enfant eût neuf heures de sommeil par nuit, qu'il fût levé chaque matin à six heures et promené pendant une heure dès son lever. Enfin, et c'était le point le plus délicat, *« il est à propos,* écrivait-il, *de le faire coucher dans une pièce qui reçoive son jour du côté du midi, et d'y entretenir un air pur en ouvrant souvent les fenêtres et les croisées »*.

Si, du cuisinier à l'apothicaire et du gardien-chef jusqu'au porte-clés, tout le monde eut à cœur d'exécuter ces instructions, la dernière resta lettre morte : aucune des fenêtres de la Grande Tour ne donnait au sud ; du reste la consigne était, depuis toujours, de tenir les fenêtres closes — et, dans le cas du garçon, cadenassées. On ne changea rien : l'enfant resta dans sa chambre moisie, derrière cette fenêtre grillagée, fermée de planches, cette fenêtre à demi pourrie qui donnait plein ouest, du côté des pluies.

Quand Desault revint à la mi-mai, bien qu'il n'y eût pas de mieux sensible il ne changea rien au traitement ; il regretta seulement qu'on n'eût pas transféré le malade dans une chambre éclairée, mais il le regretta sans insister : il connaissait les geôliers et les prisons, il les connaissait de trop près — dénoncé en 93 par un collègue, et mis à l'ombre par le Dictateur en un temps où l'on ne sortait des cellules que pour monter à l'échafaud, c'est à la révolte de ses malades qu'il avait dû son salut : on ne l'avait relâché que pour calmer les contagieux qui menaçaient de se répandre dans la ville si on ne leur rendait leur Hippocrate. « Au reste, avait conclu en privé l'Accusateur public mortifié, en rendant le citoyen Desault à son hospice je ne fais que le changer de prison : je me demande laquelle est la plus dangereuse des deux ! »

Le 29 mai, Desault fut froid, laconique, il examina l'enfant distraitement. Il était soucieux — pas pour son patient : pour le pays et sa propre vie : le grand donjon, figé dans la crasse et la routine, avait beau rester hors du siècle, autour de lui une fois de plus la terre tremblait ; à vrai dire, elle n'avait jamais cessé de bouger. Les rues, les bureaux, l'Assemblée, rien n'était stabilisé ; on avait beau enterrer sans cesse des despotes et des conjurés pour consolider le sol, bétonner les fondations, la terre tremblait, la mer montait : on allait de tempête en cyclone. Ces jours-ci, c'étaient les partisans du Dictateur (mort) qui se soulevaient contre un gouvernement soupçonné de regretter le Tyran (mort). Les 20, 21 et 22 mai, dans Paris en insurrection (c'est le moment délicat de « la soudure » entre deux récoltes, le pain est cher), les anciens jacobins, amis de Christophe Laurent, s'emparent de l'Hôtel de Ville et envahissent l'Assemblée. Un député tente de s'interposer, de raisonner la foule — comme si on pouvait raisonner un bébé, un bébé géant ! —, le député est massacré, un boucher lui coupe la tête, on la plante au bout d'une pique et on va en cortège la présenter en séance au président de l'Assemblée, Boissy d'Anglas ; lequel, heureusement, est bègue (on le surnomme « Babebibobu »), il ne peut rien dire, alors il se découvre : « chapeau bas » mais devant qui ? La tête du mort, ou les émeutiers en armes ? Personne ne le sait ; lui non plus sans doute ; en tout cas le geste apaise... Dans les heures qui suivent, l'armée, restée fidèle au pouvoir légal, envahit le faubourg Saint-Antoine ; on arrête six députés partisans des « bonnets de laine », on les condamne à mort, ils se suicident. Fin de l'épisode ; fin provisoire...

Le docteur Desault a peur : si l'émeute l'avait emporté, il retournait en prison. Les barreaux, les verrous, il ne les supporte plus ; la vue des serrures de la Tour a réveillé ses souvenirs et ses craintes ; *Le Moniteur* du 4 juin l'écrira : *« Desault fut un excellent citoyen ; nos derniers dictateurs l'avaient persécuté, leurs derniers complices ont causé sa mort : la journée du 1er prairial a déterminé la crise désespérée qui l'a précipité dans le tombeau. »* Dépression ? Méningite ? Les deux ? Le 29 mai, il a la mort dans l'âme ; il la porte aussi dans son corps : un contagieux affligé visite un doux agonisant...

Doux, oui, aimable. Car on ne s'est jamais tant occupé de lui. Frictions, potions, promenades, goûter : plusieurs heures par jour, le gamin a de la compagnie. « Les autres » sont revenus dans sa vie. Du coup, on dirait qu'il s'apprivoise. Montre un peu plus d'intérêt pour les jouets qu'on lui met dans les mains, suit du regard, répond plus souvent. Est-il agonisant d'ailleurs ? Il n'a pas repris de mine, mais il mange mieux — surtout ses confitures et le bol de chocolat. La fièvre n'est plus qu'intermittente, même s'il se plaint encore du ventre et reste, sur son tabouret, plié en deux. Le plus dur, c'est de le faire marcher : la promenade d'une heure en haut de la Tour est désagréable pour tout le monde — il ne veut pas se redresser, pas avancer (trop mal au genou), il frissonne, il gémit (« j'ai froid ») ; Lasne finit par le garder au cou pour lui faire faire, en le portant dans ses bras, dix fois le tour de la galerie (une heure dans le néant, c'est long !), sans cesser de bougonner : « Tu n'es qu'un paresseux, mon petit gars ! Tu te déguisais en colonel, mais tu ne feras jamais un bon soldat ! Le docteur a dit de marcher, "marcher", comprends-tu ?, te remuer les os, te secouer, sac à puces ! ». Mais entre eux les gardiens conviennent que cette prescription du médecin les laisse sceptiques : promener un fiévreux à la fraîche — six heures du matin ! ; obliger un anémique à prendre une heure d'exercice avec l'estomac vide (c'est pourtant bien ce qu'il y a d'écrit sur le papier) ; tout cela passe leur entendement : « Si j'étais toi, suggère Gomin à l'abri derrière son chef, la prochaine fois je dirais au docteur : "Sauf ton respect, citoyen, pour la promenade je n'y comprends rien !" Dis-lui, allez, faut pas avoir peur, dis-lui la prochaine fois. »

Il n'y eut pas de prochaine fois.

L'enfant resta plus d'une semaine sans médecin. Au début, ni mieux ni moins bien. Puis de nouveau, et tout à coup, très abattu. Mais jamais alité. Ah non, jamais ! Interdit de lit : les gardiens, respectueux de l'ordonnance du défunt, y veillaient soigneusement. Chaque matin, leur petit malade fut lavé à l'eau froide et habillé dès six heures, « et change de place, remue-toi ! Assez de ce foutu tabouret ! Mets-toi dans le fauteuil. Tiens-toi droit ! ». Ce qu'on lui inflige là, est-ce un martyre ? Ou est-il en état de le supporter ? Quel est le microbe qui attaque cet organisme affaibli ? À quelle sauce la mort va-t-elle manger cette petite, si petite boule de vie ? Bacille de Koch, ou germe plus banal ? Son genou, son poignet : abcès froids d'une tuberculose osseuse, ou arthrite infectieuse ? Cette dysenterie qui l'épuise depuis un mois : complication intestinale d'origine bacillaire ou streptococcique ? Ce n'est pas le docteur Pelletan, désigné par le Comité pour remplacer le pauvre Desault, qui — en l'état de ses connaissances et de la pharmacopée — va pouvoir trancher ce débat ni sauver le malade. S'il s'agit de tuberculose, l'enfant est sans doute souffrant depuis longtemps ; à petit bruit, certes, mais l'issue fatale est inévitable ; de bons soins, des soins meilleurs ne pourraient, au mieux, que la différer. S'il n'est question en revanche que d'un streptocoque baladeur, ce « baladeur » peut encore se balader de longues années ; quelquefois même, la nature, la bonne nature reprend le dessus. À condition d'y être aidée...

Le 6 juin, le docteur Pelletan — choisi la veille *« pour donner des soins au fils Capet et je te préviens, citoyen, que l'enfant en a le plus grand besoin »* — examine pour la première fois son jeune patient : plutôt grand pour son âge ; mais très maigre ; peu causant ; quasi muet ; ventre ballonné ; articulations douloureuses ; teint livide ; peau desséchée. Mal en point. Il n'a de vraiment vivant que les cheveux, et de vraiment joli que les cils — des cils d'une longueur exceptionnelle, qu'on voit d'autant mieux qu'il garde souvent les yeux fermés. « Il me semble que ses forces diminuent », risque le plus grand des deux gardiens. Moue dubitative du médecin : ces gens-là n'y connaissent rien... Après tout, cet enfant tient debout, il reste conscient : ne jetons pas le manche après la cognée ! Le médecin se déclare réservé. Sans plus. Réservé : une attitude de mise dans son métier. Plus tard, vingt ans plus tard, il assurera avoir tout de suite jugé que ses « secours étaient trop tardifs : l'enfant était dans le dernier degré de faiblesse par l'effet d'une diarrhée chronique ; j'annonçais officiellement à mes commettants qu'on ne pouvait rien espérer que la fin prochaine de ses souffrances ». Mensonge éhonté : il suffit de consulter ses ordonnances et sa correspondance pour constater qu'il était loin de prévoir un dénouement si rapide. Sur le moment, il se borne à modifier les prescriptions du docteur Desault : puisque la diarrhée n'a pas cédé aux tisanes de houblon, il les remplace par une « décoction blanche » à base de corne de cerf en poudre. Il y ajoute six grains de rhubarbe, et, contre la fièvre, quatre grains de quinine — « Attention, ceci est un médicament » : la quinine, oui, est un médicament, un vrai, et le seul jusqu'ici qui ait été prescrit au petit... Comme il faut qu'un nouveau médecin se démarque de ses prédécesseurs, surtout lorsqu'ils ont échoué, Pelletan supprime les promenades (non sans bon sens, avouons-le), interdit le vin (« Vous voulez le tuer ! »), et ne recommande pas, mais alors là vraiment pas, le chocolat : du bouillon de poule, voilà ce qu'il faut à cet enfant, à condition, encore, que le bouillon ne soit pas trop âcre, « veillez-y » ! Il ne rejoint le docteur Desault que sur un point : la nécessité de procurer à son patient un air plus salubre et du soleil — une autre chambre.

Quoiqu'il se dise « charmé de la propreté et de la commodité de cet appartement » (ce même appartement que les commissaires, entre eux, appellent « le chenil », « la crapaudière »), il exige, après avoir discuté de l'orientation des différentes parties de la maison, que les gardiens *« transportent le malade, pendant le jour, dans le salon du concierge qui donne sur des jardins »*. Ce qu'il désigne ainsi, c'est le salon bleu de la Petite Tour que Gomin, depuis l'arrivée de Lasne, a choisi pour chambre à coucher. Et justement, il fait une drôle de tête, le gardien-adjoint, à l'idée de devoir rapporter ses hardes et son matelas au rez-de-chaussée du donjon ! Il espère bien que son chef va résister, se retrancher derrière les consignes de sécurité, comme il l'avait fait face à Desault : une pièce sans barreaux, sans abat-jour, un escalier sans guichets, une porte sans verrous ni judas, impossible, n'est-ce pas ? Il n'a aucune envie d'abandonner son gai logis, Baptiste Gomin : orientation sud-est, excellent ensoleillement, boiseries à filets dorés, ameublement raffiné — que voulez-vous, dans le civil, lui ne faisait pas le soldat mais le tapissier, il a le goût des belles choses, des matières nobles, des coloris recherchés, de l'harmonie... Ce boudoir qu'il a choisi, sait-il qu'il avait abrité autrefois, et pendant plus de deux mois, la propre mère du petit ? Et le petit aussi, par le fait. Mais c'était il y a trois ans ; et plus personne ne s'en souvient. Pas même l'enfant. C'est devenu, pour tous, la chambre-à-Gomin « et cette chambre, camarade, tu vas la quitter tout de suite pour obéir au citoyen-médecin » : Lasne cède à Pelletan ce qu'il avait refusé au médecin précédent ; Lasne est inquiet, prêt à tout désormais pour que son prisonnier survive.

Un grand lit de tissu broché à fond blanc et fleurs bleues, *« quatre fauteuils de lampas bleu et blanc, et deux tabourets "en cœur" de même étoffe »*, trois cabriolets de velours chenillé, une table de trictrac avec des cases d'ivoire et d'ébène, et, de part et d'autre de l'immense fenêtre, des *« rideaux de taffetas bleu »* : une grâce, une unité, une clarté, qui faisaient singulièrement défaut à la chambre jaune et au donjon ! Le soleil entre à flots, et avec lui le chant d'une grive dorée : changement de saison. Changement de siècle : gravures galantes, fauteuils « à la reine », velours « prune de Monsieur », voilà le prisonnier ramené plusieurs années en arrière ; et le voilà aussi redescendu à la hauteur des oiseaux et des papillons... Mais pas au niveau des fleurs. Du reste, Pelletan s'est trompé : dans le jardin, depuis longtemps les lauriers sont coupés, comme les rosiers, les lilas et les marronniers. La « chambre azur » n'ouvre plus que sur une cour à l'abandon ; à gauche, le corps de garde de la chapelle ; au fond, le mur d'enceinte et, derrière, surplombant le rempart, quelques vieux immeubles du quartier dont les ouvertures, par précaution, ont été murées. N'importe, la vue est dégagée ; enfin presque. Bon, dégagée ou non, c'est une vue : il y a quelque chose au-delà des vitres... Mais se peut-il que l'enfant soit encore en état d'en profiter ?

Plus tard, la demoiselle du troisième, que Gomin aura renseignée, n'hésitera pas à l'affirmer : *« On fit descendre (mon frère) de sa chambre dans le petit salon, ce qui lui plut beaucoup parce qu'il aimait à changer de lieu. »* Pelletan confirmera : « Le succès de cette translation fut tel qu'on me témoigna que l'enfant avait eu de la gaîté et s'était plus livré à l'intérêt que l'on prenait à lui. » Admettons : trois mois plus tôt il était dépressif, mutique, quasi autiste, mais voilà qu'il commence à toucher les « bénéfices secondaires » de la maladie ; maintenant que c'est grave (et avec un peu de chance c'est très grave, ça va durer très longtemps, il est content), on est obligé de s'occuper de lui — s'inquiéter de son corps, le bouchonner, le bichonner, le frictionner, l'oindre, et lui parler avec douceur, avec remords, lui sourire, lui apporter des cerises, ouvrir les fenêtres... Avec tous ces docteurs et commissaires qui se succèdent pour lui tenir compagnie (il ne se soucie pas plus qu'avant de leur nom, de leur visage, de leur fonction), avec ces gens à chapeaux qui parlent à mi-voix et accourent aussitôt qu'il bouge, se penchent avec des tasses et des flacons, lui présentent du petit-lait, du bouillon, il a retrouvé un public comme lorsqu'il était prince, colonel, jardinier, ou qu'en bon républicain il chantait des carmagnoles à longueur de journée. Non coupable. Approuvé : « Bravo, encore une cuillerée ! » Acclamé. Pardonné : après trois ans de prison, dont dix-huit mois d'isolement (« quartier de haute sécurité » pour enfant de huit ans), le voilà absous ! Pas libéré, non, ne rêvons pas, mais il n'est plus accusé, plus banni...

Je le connais, cet enfant, presque autant que si j'étais lui : il est très capable, allez, de mourir rien que pour être aimé ! Dans l'après-midi du 6 juin, au milieu de la chambre azur, il est aussi heureux qu'un suicidé qui sort du coma pour découvrir au pied de son lit l'infidèle repentante, un suicidé qui revient de loin pour trouver enfin sa famille rassemblée autour de lui... L'enfant de la Tour n'a jamais fait de ces projets d'évasion chimériques qui sont, paraît-il, si bons pour le moral des prisonniers : il savait dans son corps, par son corps, qu'il partirait quand il voudrait et que « les autres », qui n'avaient pas voulu jouer avec lui, seraient bien attrapés ! Ah oui, quand il serait mort de froid, de peur, ou de faim comme dans les contes de fées, on le regretterait !

Hors de la chambre pourtant, hors du ventre-prison, de son cher-grand-fond, son sent-mauvais qui sent si bon, son chez-lui jaune et noir, doux comme un ventre d'abeille, le petit garçon a d'abord éprouvé un moment de panique ; mais ensuite, à son propre étonnement, il a connu six heures de bonheur. Après l'inquiétude (où l'emmenait-on ? pas sur les toits, non, s'il vous plaît !), après la douleur (quand Lasne le soulève, le porte sur son bras, il lui déchire le genou, et le chemin est long, où va-t-on ?, cent douze marches à descendre, puis le corridor creusé dans la muraille, et, dans la Petite Tour, deux étages à remonter), après cette torture du « déménagement », lorsqu'il repose enfin sur le fauteuil de lampas (car il reste interdit de lit, Pelletan a oublié de modifier l'emploi du temps établi par Desault — de six heures du matin à neuf heures du soir les gardiens zélés empêchent leur petit malade de se prélasser sous l'édredon), lorsqu'il est assis, au milieu de la chambre azur, dans le grand fauteuil broché ou sur son pot (dysenterie oblige, il passe plus de temps sur le pot que dans le fauteuil), il est heureux. Heureux par soustraction — il faut être jeune pour espérer se faire un bonheur avec des « plus », un bonheur par addition. Il est vieux depuis longtemps. Aussi est-il heureux modestement, avec des « sans » : il lui suffit d'un lieu sans ombre, sans froid, sans solitude, et sans serrures. Par la fenêtre Lasne observe la relève de la garde dans l'ancienne chapelle ; petit ballet d'uniformes ; il fredonne : « Et me feront mourir sans me fai-re souffrir. » Il y a deux ans que l'enfant n'a pas entendu de chansons, il est surpris, comblé. Parce qu'au fond, malgré ses infirmités, sa fièvre, sa lassitude, il reste un aventurier, un amateur de nouveautés...

Évidemment, ces chansons neuves, ce dépaysement, ce « bonheur-sans » ne durent pas : à neuf heures, pour ne pas déroger aux règles de prudence (la nuit, le salon bleu serait trop aisément accessible par le jardin), le gardien-chef a remonté le petit dans la chambre jaune pour le coucher ; et, conformément à l'usage, il l'a laissé seul, derrière des murs de trois mètres d'épaisseur et quatre portes verrouillées, à vingt mètres au-dessus de son plus proche voisin, le commissaire civil qui dort au rez-de-chaussée... Sans doute lui a-t-on donné de la lumière, mais peut-il encore se relever seul ? Marcher sans aide jusqu'aux « commodités », jusqu'au pot de chambre ? Lasne et Gomin ne sont pas des bourreaux, pas des nounous non plus — des agents publics bien notés, des fonctionnaires scrupuleux, rien de moins, rien de mieux.

En tout cas, quand le docteur Pelletan revient le 7 juin vers dix heures du matin, il retrouve l'enfant dans la Petite Tour, au milieu des draperies bleues, très propre sous son serre-tête de coton blanc, et commodément installé pour la journée : on a même placé le trictrac à sa portée... Gâteries de l'agonie : comme le Père Noël, la mort arrive chargée de cadeaux ; c'est le superbe, le très vanté « mieux de la fin ». Lasne se plaint seulement au médecin des difficultés qu'il rencontre pour faire avaler ses potions au « précieux gage » : le malade tourne la tête, serre les lèvres, il faut quelquefois lui pincer le nez pour arriver à enfourner ; et il refuse le pain de pur froment ordonné la veille, refuse même le bouillon... Il ne va plus à la selle depuis hier (un succès ?), mais son ventre semble dur, de plus en plus gonflé. La fièvre en revanche paraît tombée. Pelletan, qui, à l'hospice de l'Humanité, vit au milieu des plaies gangrenées, des amputés, des bassines de pus, et des agonisants entassés à trois par lit, se veut plutôt rassurant : cet enfant-là n'est pas bien vigoureux, certes, il n'empêche qu'il bénéficie d'une jolie chambre et de soins attentifs, il ne fait pas pitié.

C'est pourquoi le médecin s'énerve un peu quand vers onze heures du soir, ce jour-là, en rentrant de l'hôpital, il trouve un message des gardiens de la Tour déposé par un cavalier, un appel au secours : à l'heure où ils remontaient leur prisonnier dans le donjon, le petit a été pris de tremblements, de sueurs froides, deux fois il a vomi de la bile en jet, il souffre, il geint — ils ne savent pas quoi faire, si le docteur voulait bien se déranger... Sûrement pas ! Philippe Pelletan ne tourne pas plusieurs fois sa plume dans l'encrier : *« Citoyens, l'état du malade ne peut pas être rendu plus grave par les circonstances que vous me détaillez, et la nuit n'étant un temps favorable pour l'application d'aucune espèce de remède, je crois que vous devez vous en tenir à faire prendre au malade un demi-gros de diascordium* (antalgique à base d'opium, dangereux mais efficace). *Quoique je sois extrêmement fatigué de mes travaux du jour et qu'il soit onze heures du soir* (première mention du fait) *je me transporterais sur-le-champ auprès de l'enfant si je croyais pouvoir lui être de la moindre utilité.* » Il ajoute qu'il viendra le lendemain matin avec Jean-Baptiste Dumangin, médecin (petit médecin) de l'hôpital (petit hôpital) de l'Unité, et recommande, « *en attendant cette visite, de faire prendre au malade son "eau blanche" et ce soir le demi-gros de diascordium. Ce 19 prairial, onze heures du soir* (seconde mention, exaspérée), *Salut et fraternité* ».

Après une lettre comme celle-là, Lasne ne fait pas le fier. Il envoie le cavalier de la garnison réveiller un apothicaire pour obtenir le diascordium, administre le remède (non sans peine, d'ailleurs ! quelle comédie maintenant pour la moindre cuillerée !), puis quand le petit, assommé par l'opium, s'est endormi, il redescend ; puisque le médecin assure que l'état du malade ne s'est pas aggravé...

C'est la dernière nuit. J'aimerais que l'enfant ait la fièvre, que la fièvre lui tienne chaud, qu'elle lui tienne compagnie quand la douleur le réveille : il suffirait d'une lueur (le reflet de la lune ou du « réverbère » sur le marbre blanc de la cheminée ou dans le grand miroir au-dessus), il suffirait d'une lueur pour qu'avec la fièvre tout change, que la chambre, comme un décor à transformations, devienne fleuve, forêt, grotte, palais — il voyagerait...

Dernier jour. Il ne reverra jamais le salon azur. Peut-être est-ce d'ailleurs parce qu'on l'y a mené, qu'on l'a sorti, « remis en contact », et qu'il y a pris plaisir — un petit plaisir mais un plaisir quand même — qu'aujourd'hui il se meurt ? Il ne fallait pas trahir la chambre, respirer l'air du dehors, aller voir ailleurs... Dès l'aube du 8 juin, il a eu « *plusieurs évacuations vertes et bilieuses* », des évacuations par le haut. Son ventre gonfle comme une outre, lui comprime les poumons. Il étouffe. Il a l'impression qu'on a poussé une table contre son ventre, impression qu'il est coincé derrière une table, debout dans une pièce étroite, pleine de monde, et il fait chaud, trop chaud, il n'y a plus d'air... C'était l'été, il y a quatre ans, l'été comme maintenant, il y a quatre ans, mais il n'a pas vu le temps passer ; on lui avait mis sur la tête le même bonnet qu'à son père, un bonnet trop grand pour lui, qui lui cachait les yeux, lui tombait sur le nez, l'empêchait de respirer — garçon de six ans sous le bonnet d'un géant, petit Poucet coiffé du bonnet de l'ogre... Son corps se souvient : la foule était si dense qu'elle poussait la table contre son ventre, sa poitrine ; il a mal, n'ose pas crier, ses cheveux sous le bonnet collent à son front, la foule gronde. Sa mère est là, emprisonnée derrière la table elle aussi, il la sent tout près, mais elle ne voit pas que son fils suffoque, elle le laisse s'asphyxier. Soudain, une odeur de bière, une voix puissante : « Vous voyez pas que le marmot étouffe ? Ôtez-lui ce bonnet ! Et tirez la table ! Allez, reculez, reculez ! » D'un coup, tout lui avait été rendu : l'air, qu'il avait bu à grandes lampées, et la vue. La vue sur son sauveur : un grand bonhomme en veste courte, qui portait deux cocardes à son chapeau et un foulard autour du cou. Mais Maman ? Pourquoi Maman n'avait-elle pas bougé ?... Et de nouveau, aujourd'hui, c'est la grande table appuyée contre ses côtes, la douleur, le souffle court, l'air rare, l'air brûlant, et les cheveux mouillés de sueur, les yeux aveugles, avec soudain l'odeur amère de houblon, de bière : « Vous voyez donc pas qu'il étouffe ? Ôtez-lui ce bonnet ! Ce bonnet que la mort lui met ! » Par deux fois il perd connaissance dans les bras de ses gardiens, qui renoncent à le laver, l'habiller, le transférer. Gomin, qui craint les agonies, n'en mène pas large ; heureusement qu'il a de bonnes raisons pour quitter « le chenil » : d'abord ses trois visites par jour à la jeune fille d'au-dessus qui ignore — c'est le règlement — que son frère est si près d'elle et si malade ; et puis il y a l'autre prisonnier, celui dont on ne parle jamais, Tison, l'ancien valet, un demi-fou, enfermé depuis plus de deux ans dans un réduit de la Petite Tour, personne ne sait pourquoi : « Le vrai Masque de fer, a dit un jour un commissaire en rigolant, c'est sûrement ce gars-là ! »

Dernier jour. Les deux médecins ne sont arrivés qu'en fin de matinée après une heure de formalités, de guichet en guichet. De toute façon, ils n'avaient pas l'air pressés. Mais quand « L'Unité » et « L'Humanité » ont daigné se pencher sur le lit du malade, si Lasne avait voulu triompher il l'aurait pu ! Plus blancs qu'un linge tout à coup, ces messieurs, et effarés par ce qu'ils constatent ! Aussitôt ils consignent leurs observations sur le registre d'en bas pour qu'elles soient transmises au Comité : *« Onze heures du matin. Nous avons trouvé le fils de Capet ayant le pouls déprimé, le ventre tendu et météorisé. Il avait eu dans la nuit, et encore ce matin, plusieurs évacuations vertes et bilieuses. Cet état nous ayant paru très grave, nous avons décidé de revoir l'enfant, après avoir prescrit ce que nous avons jugé convenable. Nota : il est indispensable de mettre auprès de l'enfant une garde-malade intelligente.* » Remarquez « intelligente ». Une petite vengeance. Sans doute les vieux garçons qui soignent l'enfant depuis un mois et demi ne sont-ils ni très compétents ni bien dégourdis, mais surtout ils ont eu le tort de diagnostiquer la veille une dégradation de l'état du patient que le médecin jugeait impensable... Comment Pelletan, professeur de « clinique externe » depuis vingt-quatre ans, orateur si brillant que ses élèves l'ont surnommé le Chrysostome des chirurgiens, supporterait-il d'en avoir su moins long que deux ignorants ? L'infatuation péremptoire restera, tout au long de sa vie, un trait de son caractère : il faut qu'il ait raison, surtout quand il a tort, et qu'il fasse connaître hautement qu'il a raison, surtout quand il ment. Voici comment, après Waterloo, il exposera les joutes qui, selon lui, l'opposèrent au Premier consul au sein de l'Institut : *« Il me fallait l'évidence pour m'engager à prendre la parole mais je n'ai jamais manqué de sortir victorieux de la discussion.* » Fichtre, quel courage ! Voyons maintenant ce qu'avant Waterloo il faisait lui-même imprimer sur son passage à l'Institut : *« Puis-je oublier l'honneur insigne d'y avoir siégé auprès du Premier consul, ce grand homme ? Je l'admirais en silence* (ah, ce silence du vigoureux débatteur !) *; aujourd'hui l'humanité entière célèbre sa gloire, puisse son heureuse postérité égaler en nombre les étoiles du firmament* », etc.

Pelletan... Encore un qui a tenté de survivre à des naufrages successifs ! Il a surnagé, sans réussir aussi bien qu'il l'espérait. À la fin de sa vie, fantôme à demi, il hantait encore les antichambres en espérant de l'avancement... Il tournait à l'aigre, d'autant plus vantard qu'il n'avait plus de quoi se vanter, et toujours menteur. Pas si faux, cependant, que, pour trouver le vrai, il faille prendre systématiquement le contre-pied de ce qu'il affirme...

« Approchez, docteur Pelletan. Vous avez sûrement l'habitude de déposer en justice, vous avez pratiqué tant d'autopsies ! Avant de nous dire ce que vous avez vu en juin 95 comme médecin traitant, puis comme médecin légiste, je voudrais que vous nous rappeliez les étapes de votre brillante carrière (avec les spectres je suis toujours un peu faux jeton, j'ai tellement peur qu'ils aient froid...).

— À deux siècles de distance, ma brillante carrière peut être résumée d'une phrase : parti de rien pour n'arriver à rien... Après cinquante années de pratique, et trente d'enseignement supérieur, j'étais redevenu en 1829 aussi pauvre qu'au début de mes études ! Je suis mort déshérité, dépouillé de toutes les places que j'avais conquises ! La politique... Dans la médecine des hôpitaux, les appuis sont déterminants : je retournais ma veste aussi souvent qu'il le fallait, mais toujours sans élégance. Je n'ai jamais bien possédé que l'art de déplaire : j'en faisais trop — trop sec dans la critique, trop oriental dans le compliment... Mais savez-vous la cause de ces maladresses ? L'injustice suprême : la modestie de mes origines ! Fils de barbier, il m'a manqué cette aisance, ce détachement, sans lesquels il n'y a pas de réussite, même au pays de l'Égalité ! Je n'étais qu'un parvenu. On me l'a fait payer. Dès le début d'ailleurs : j'avais été comme professeur le suppléant du grand Tenon, et à l'Hôtel-Dieu le second du "patron" ; à sa mort j'aurais dû lui succéder ; eh bien non, on m'a préféré ce brave Desault — politiquement assez suspect et, comme professeur, tout sauf un Saint-Jean bouche d'or ! Mais en 95, la chance tourne : Desault meurt d'une fièvre maligne en trois jours ! Cette fois, j'ai le poste. Médecin-chef ! Je triomphe. Me voilà dévoué à tout le monde, et sous tous les régimes. Pas un jour de vacances, jamais ! Va te faire fiche : bientôt les chefs d'hospice et leurs adjoints sont promus officiers ou commandeurs de la Légion d'honneur, un seul en reste au petit ruban — votre serviteur ! On les fait tous barons d'empire, un seul n'est que chevalier, devinez qui ?

— Chevalier certes, mais avec de belles armoiries : "De sable au palmier d'argent fruité de sinople, à la champagne de gueules"... Cela ne faisait-il pas rêver un peu le fils du barbier ?

— On ne m'attrape pas avec ces hochets ! J'aimais la médecine, la chirurgie, comprenez-vous ? J'ambitionnais d'y être le meilleur, reconnu comme le meilleur !... Là-dessus, je repère parmi mes élèves deux étudiants excellents — Corvisart, Dupuytren ; je les forme, les pousse. Et qui devient premier chirurgien de l'Empereur ? Moi, qui étais en possession du premier grade de ma profession ? Non pas : mon élève ! Corvisart me souffle la place sous le nez ! Peut-être parce que je ne l'avais pas demandée... Mais elle me revenait de droit, de droit !

Bon, il me restait Dupuytren : je le fais monter dans la hiérarchie, le comble de bienfaits, me démène pour en faire un chirurgien en second, puis un chef-adjoint, presque mon égal... Occupé depuis six heures du matin à faire les pansements, donner mes consultations, ouvrir les cadavres, professer, je ne vois pas mon protégé intriguer dans l'ombre. Il passe par les extérieurs, ce renard : la clientèle privée, de préférence dans l'aristocratie... Nouveau changement de régime : j'ai beau ne pas fréquenter les salons ni les chambres des duchesses, je retourne encore ma veste, et presque aussi vite que lui. Le voilà bien attrapé, la charogne ! Car je commençais à comprendre quel serpent j'avais nourri... Mais on nous fait bisser l'exercice, le trisser même : deux autres changements de "maîtres", en trois mois ! Je me retourne trop, je me retourne mal, je manque de souplesse : j'ai soixante-huit ans... Dupuytren en profite pour me poignarder : appuyé sur l'équipe gagnante et sur la calomnie, le 6 septembre 1815 il me fait renvoyer de l'Hôtel-Dieu — renvoyer, vous m'entendez, sans même une petite pension, un poste subalterne, "consultant", "honoraire", que sais-je, renvoyer comme un malpropre ! Et, bien entendu, il prend ma place... Quelque temps après, comme je n'ai plus de service hospitalier, on me retire mon titre de professeur de faculté. Et peu à peu les malades me quittent comme les emplois... Je finis dans la misère, au fond d'un petit logement de banlieue, avec ma dernière fille que je n'ai jamais pu doter... Tous mes rivaux l'ont emporté, tous mes émules m'ont trahi : non, ah non, qu'on ne me parle plus de la vie !

— Je comprends. Je comprends aussi que dans une existence si difficile, si instable et si remplie, les quelques jours passés à soigner l'enfant n'aient pas énormément compté...

— D'autant, chère madame, qu'au temps de ma gloire j'ai traité plus d'un mort célèbre ! Tenez, par exemple, Marat : c'est moi qu'on avait appelé au chevet de sa baignoire pour ôter le couteau que la criminelle lui avait planté dans le cœur... Ah oui, de beaux cadavres, procès ou pas, je peux dire que j'en ai vus ! J'aurai au moins eu cette satisfaction...

— Néanmoins, après 1815, vous rédigez mémoire sur mémoire pour rappeler quand et comment vous avez été médecin de l'enfant. Est-ce pour vous donner de l'importance à un moment où vous n'en avez plus beaucoup ? Vous allez même jusqu'à prétendre vous être occupé du petit malade pendant quinze jours, du vivant de Desault, à la place de Desault. C'est faux, bien sûr : on n'entrait pas comme ça dans la Tour ! Nous possédons votre arrêté de nomination, du 6 juin seulement, la lettre du secrétaire du Comité vous informant, à la même date, du dernier état de l'enfant, enfin l'ordre expédié à la Tour pour vous *"admettre dans la maison et vous faire parvenir auprès de l'enfant"*. Sans ce laissez-passer, cher professeur, vous n'auriez jamais franchi le premier guichet ! Concluons : vous n'avez visité l'enfant que les 6, 7 et 8 juin. Quant à votre comportement pendant ces trois journées, inutile de chercher à nous émerveiller par vos diagnostics rétrospectifs, ni à nous attendrir sur vos apitoiements, du genre "à ma demande, l'enfant me tendit la main sur laquelle je posai mes lèvres avec tendresse et respect, ce fut son dernier adieu"... Votre confrère Dumangin, en découvrant ce "plaidoyer" tardif, ne vous a pas ménagé : "Si j'eusse été présent lors de la déclaration que j'ai sous les yeux, vous auriez eu grand embarras à détailler vos reproches aux gardiens, vos discours, et le baiser que je ne vous ai pas vu poser sur la main du mourant !" Passons... L'Histoire n'a pas besoin du poète des "derniers instants" et des voix célestes, elle n'a besoin que du médecin : en tant qu'homme on vous disait décousu, opportuniste et maladroit, mais je vous crois bon praticien. Contentez-vous de répondre à mes questions. Le 6 juin, quelle fut votre impression sur l'état de l'enfant ?

— Marasme. C'était le terme que nous utilisions à l'époque pour désigner un amaigrissement et une fatigue généralisée.

— La cause de cette cachexie ?

— La dysenterie. Manque d'appétit, déshydratation — la peau qui garde le pli quand on la pince.

— Et le 7 juin ?

— Je suis passé deux fois. L'enfant semblait plus tonique. Il buvait. Je crois même avoir entendu le son de sa voix... Il était sans fièvre, parfaitement conscient, exécutait tous les mouvements que je lui demandais. Sauf la marche : d'un enfant qui a, entre les muscles du genou et le périoste, un abcès gros comme un œuf de pigeon, on ne peut exiger qu'il danse la gigue ! La marche devait lui être un supplice — quand je pense que cet âne de Desault voulait qu'il se promène !

— Le malade présentait-il alors les signes de ce “vice scrofuleux” dont, après sa mort, vous l’avez déclaré atteint ?

— Écrouelles ? Non. Pas d’inflammation des ganglions, aucune lésion cutanée. Si j’ai parlé, à l’autopsie, de la scrofule dont l’enfant aurait souffert depuis longtemps, c’était pour satisfaire le gouvernement : il fallait supposer le petit prisonnier atteint d’une maladie antérieure à sa captivité. Un vice congénital de préférence : il y a des scrofules syphilitiques... Mais, vingt ans plus tard, je me suis solennellement démenti : j’ai renié mon explication de 95 et assuré que la maladie à laquelle l’auguste enfant avait succombé n’était que le résultat des mauvais traitements auxquels il avait été exposé.

— En effet. Et, de la sorte, c’est au nouveau gouvernement que vous plaisiez... Quand cessiez-vous, Pelletan, de vouloir plaire aux puissants ? De grimper en rampant ? Contentez-vous de me décrire les dernières heures...

— Dans la nuit du 7 au 8 juin, l’état du malade s’aggrava brusquement. Je reconnais n’avoir pas cru à cette aggravation ; j’ai été surpris le 8 au matin de le trouver si faible : son pouls était presque imperceptible ; le ventre dur comme du bois ; et il n’évacuait plus que par le haut. Nous avons pensé, Dumangin et moi, à une occlusion de l’intestin. Au cas où cette occlusion aurait été provoquée par un encombrement de matières, on pouvait espérer en venir à bout en purgeant : nous avons ordonné trois lavements successifs par quarts de seringue — ce qui passait par la bouche étant rejeté, la purgation n’était possible que par voie basse.

— L’enfant était-il conscient ?

— Absolument. Et docile, vous diriez même “coopératif”. C’est ce qui donnait de l’espérance à Dumangin. En quittant la Tour pour aller manger en ville, nous en discutions tous deux : je pensais, pour ma part, que l’auguste enfant...

— Nous ne sommes pas en 1815, Pelletan ! Dites simplement “le petit” ou, comme vous le disiez en 1795 à Dumangin, “le fils du Tyran”.

— Je pensais que le petit finirait le lendemain — ce furent mes mots : “Il finira demain.” Ah oui, j’ai pris le pari ! Mais Dumangin, moins expérimenté que moi, était plus optimiste...

— En fin de compte, ce n’était pas d’occlusion que votre

malade souffrait, mais de péritonite. Un litre de pus dans le ventre...

--Et comment l'aurions-nous deviné ? À l'époque, pour savoir ce qu'un malade avait dans le ventre, il fallait l'ouvrir, et pour l'ouvrir il fallait le tuer !

— Je ne vous reproche rien, docteur Pelletan. D'ailleurs, en ce temps-là, contre une péritonite vous n'aviez aucun moyen d'agir... Après votre départ, l'état de l'enfant empira donc rapidement mais, selon sa sœur qui tenait ce renseignement de Gomin, il serait mort sans souffrir : *"C'était plutôt*, écrit-elle, *un abattement que des douleurs vives... Il expira doucement, sans agonie."*

— Vous plaisantez ? Une péritonite sans "douleurs vives" ? Le coup de la chandelle qui s'éteint ? Vous voulez rire ! Ah, pour une partie de plaisir, c'est une sacrée partie de plaisir, la péritonite !... Il est probable que, pour ne pas affliger la demoiselle, Gomin a menti sur la dernière journée de son auguste frère. Mais je puis vous assurer, moi, que ce petit a souffert, qu'il se plaignait. Quand nous l'avons vu, il avait la bouche si sèche qu'il ne pouvait plus prononcer un mot, la langue lui collait au palais, mais il gémissait. Dumangin, mon confrère, parle dans son témoignage "d'un enfant qui au milieu de ses souffrances", je souligne, "a conservé jusqu'à la fin sa connaissance". Damont, un pâtissier qui se trouvait de service ce jour-là comme commissaire municipal, a attesté qu'en fin de matinée, Gomin étant parti pour les Tuileries solliciter du Comité de sûreté générale la désignation d'une garde-malade, "le sieur Lasne resta seul avec (lui) auprès du malade qui avait encore assez de connaissance pour se plaindre". Quant aux registres de l'établissement, les gardiens y avaient mentionné, à deux heures de l'après-midi, *"des sueurs froides"*, des *"espèces de râles"* et des coliques violentes... Je pense qu'il n'y a pas eu de coma. Malheureusement... À trois heures, l'enfant qui suffoquait sur son lit a encore trouvé la force de s'accrocher au bras du gardien pour se soulever — on a cru *"qu'un besoin le tourmentait"* — et il a expiré entre les bras du chef de bataillon ahuri.

— Ahuri ? N'exagérons rien ! À en juger par les pièces du dossier, je lui trouve au contraire beaucoup de sang-froid, à ce soldat ! Sur-le-champ, pour éviter que l'affaire ne s'ébruite, il consigne dans la maison tous ceux qui sont au courant ; le porte-clés lui-même est mis sous les verrous !

— C'est vrai... Et quand j'arrive, moi, à quatre heures et demie pour ma visite de l'après-midi et que je constate le décès, cet imbécile m'enferme aussi ! Il paraît que, pour bouger, je devais attendre les instructions du Comité, auquel on avait une fois de plus dépêché Gomin. Ce pauvre petit tapissier ne faisait qu'aller et venir !

— Lasne était un homme prudent, docteur. Un modèle de fonctionnaire. C'est ce qui l'avait sauvé le 9-Thermidor : pas d'initiative sans ordres exprès des supérieurs. Le prisonnier pouvait bien être mort, ce détail ne changerait rien à sa vie de prisonnier : comme ce gardien exemplaire l'écrivit lui-même sur le registre du rez-de-chaussée, *"pour écarter tout soupçon, le service continuerait pour l'enfant comme avant l'événement, on irait chercher chez l'apothicaire les médicaments commandés, et à la cuisine les bouillons que nous aurions soin de porter nous-mêmes afin que les employés n'aient aucun accès près de l'appartement du défunt". Perinde ac cadaver*, c'est le cas de le dire ! Consigné jusqu'au retour de Gomin dans cet appartement si commode — selon les termes de vos mémoires —, vous auriez, paraît-il, protesté avec fureur...

— Et comment ! J'avais beau avoir trouvé la chambre très propre, en effet, et ne pas craindre la compagnie des cadavres, j'avais mieux à faire qu'à veiller un mort ! Des enfants vivants m'attendaient à l'hôpital, des vivants que j'aurais pu sauver, eux, et qui allaient mourir à cause de ce mort-là, parce que ce mort était illustre, parce que c'était un "mort d'État" — assez de privilèges, assez de passe-droits !

— Qu'a dit Lasne ?

— Que si j'avais à me plaindre, je n'avais qu'à écrire au Comité ! Il restait très calme, vous avez raison. Ni atterré ni affolé. Il s'était installé à califourchon sur une chaise, juste devant la porte, pour barrer le passage. Le pâtissier Damont, debout près de la fenêtre, faisait rouler sans cesse les boules du petit billard. Moi, je m'étais mis près du gros poêle pour voir l'antichambre par la lucarne : je guettais le retour du gardien-adjoint. De demi-heure en demi-heure, je sortais ma montre de mon gousset, et je pestais ! Lasne, imperturbable : "Je comprends ta position, citoyen. Si j'avais pu envoyer un cavalier au Comité, nous y aurions gagné du temps, mais je ne veux pas alerter la garnison. Espérons que Gomin aura trouvé un fiacre..." Par la lucarne à barreaux de l'antichambre, je voyais la grande affiche sur le mur opposé ; une affiche ornée de deux belles femmes, ma foi, et d'un gros œil bleu ; n'ayant rien d'autre à lire, je l'ai bien lue dix fois cette affiche-là : c'était la Déclaration des droits de l'homme. Plus celle de 1789 : celle de 93, qu'on n'avait pas encore ôtée bien qu'elle fût signée de Collot d'Herbois, qu'on venait de condamner à la déportation — les choses allaient si vite ! En tout cas, cette Déclaration déjà dépassée, je lui en ai lu des extraits bien choisis, au citoyen Lasne ! *"Nul ne doit être détenu que dans les cas déterminés par la loi. Tout acte exercé contre un homme hors des cas que la loi détermine est arbitraire et tyrannique ; celui contre lequel on voudrait l'exécuter par la violence a le droit de le repousser par la force"*... "Repousse-moi par la force", a dit Lasne en ricanant ; évidemment il ne craignait rien : il devait mesurer près de six pieds — un mètre quatre-vingt-dix selon le système de mesures qu'avait adopté l'Assemblée... Ma détention arbitraire a duré trois heures !

— Celle de l'enfant avait duré trois ans...

— Ce n'est pas le sujet ! Ils m'ont relâché le soir en m'enjoignant de revenir le lendemain, avec Dumangin et deux autres médecins, pour pratiquer l'autopsie.

— Ne nous attardons pas sur cet épisode : tout le monde sait aujourd'hui qu'au cours de l'autopsie, profitant d'un moment d'inattention des gardiens, vous avez réussi à dérober le cœur du cadavre...

— Tout le monde le sait, mais quand je l'ai raconté en 1816 tout le monde a dit que je mentais ! Lasne a même assuré qu'il ne m'avait pas quitté des yeux un seul instant et que je n'avais rien emporté. Vous voyez bien qu'il n'y a pas que moi qui fabule ! Et ce viscère-là, j'avais beau le proposer partout, au nouveau gouvernement, à la sœur du petit, à l'archevêché, personne n'en voulait ! Comme si c'était un cœur de chien ! Alors que même pour revenir en grâce je n'aurais jamais osé inventé une histoire pareille : c'était mal connaître ma probité de médecin !

— La science vient de prouver que vous aviez raison. Fin d'un de ces pseudo-mystères dont s'encombrent les esprits faibles pour ne pas voir la mort en face... Ce que vous avez fait le 9 juin 1795 est d'ailleurs sans importance pour l'histoire de l'enfant, laquelle s'achève le 8 à trois heures de l'après-midi. Le jour de la "Sainte"-Fourche, lendemain de la "Saint"-Tilleul. Une question, tout de même : qu'est-ce qui vous a poussé à commettre ce que vous appellerez, vingt ans plus tard, "un pieux larcin" ?

— Je voulais conserver ce cœur comme un objet particulier de vénération...

— À d'autres ! Deux siècles ont passé, tout le monde est aussi républicain que vous l'étiez vous-même ! D'ailleurs, une fois ce cœur desséché, vous l'avez fichu dans un tiroir, sans même l'envelopper, puis vous vous l'êtes laissé voler par un élève, vous l'avez récupéré dans des conditions rocambolesques, bref, pour un objet de culte, vous le traitiez négligemment, le "précieux reste" du "précieux dépôt" !... Allons, Pelletan, "chevalier Pelletan", un petit effort : qu'est-ce qui vous a conduit à un vol si dangereux ? Il faut une raison bien forte pour risquer la perte de son emploi, l'arrestation, la prison. Était-ce le désir de disposer d'un alibi en cas de changement de régime ? Une sage — quoique imprudente — précaution ?

— Non, ça non ! Je n'avais rien d'un fin politique ! Non, c'était... c'était pour ma collection. Voyez-vous, nous avions tous alors — chirurgiens, anatomistes — nos pièces rares, nos cabinets de curiosités. Curiosités de la Nature, curiosités de l'Histoire : des fœtus monstrueux dans des bocaux, des cervelles d'assassins conservées dans de l'esprit-de-vin, des chevelures de courtisanes, des tibias romains, des dents célèbres, de glorieuses entrailles... Ce qui m'a jeté sur ce petit cœur, c'est... une fringale. Un appétit de collectionneur. »

Les murs de la chambre jaune se referment sur lui : il est pris dans une mâchoire. Sa nourrice le mange.

Les murs s'approchent, sa mère l'étreint, sa mère l'étouffe. Le plafond tombe sur sa poitrine. Pourquoi se couche-t-on sur lui ? Il suffoque, la chambre l'asphyxie. Au secours !

Mais non, mon petit, ouvre les yeux : ce plafond-là n'est qu'une toile, toile tendue, toile d'araignée, elle ne peut pas t'écraser. Ta chambre est grande, les murs sont souples, spongieux, la pierre t'aime, la pierre si tendre. Respire encore, respire, lentement.

Il aspire, lèvres sèches, langue gonflée. L'air lui pèse. Soleil de midi, odeur de cheval mort et de fruit pourri.

Son lit fait face à la lucarne découpée dans la niche de briques, au-dessus du poêle : quand il ouvre les yeux il voit l'Œil de l'affiche. Un œil rond. Un œil rond inscrit dans un triangle, à l'intérieur d'une couronne de lauriers. Trop de symboles pour un si petit garçon, de symboles qu'il n'a jamais compris. Ce regard-là lui échappe, il ne perçoit rien au-delà des barreaux. L'Œil l'a fui. Il est myope de toute façon. Affiche lointaine, enfant aveugle ; il échappe au regard, les regards lui échappent. Captif las, mourant distrait — distrait par ces mains toutes proches, ces morceaux de bras qui apparaissent, armés de cuillères, armés de clystères. Violé par en haut, par en bas. Le corps réduit aux orifices. Naissance ? Agonie ?

La chambre l'enserre, le presse. Les murs reviennent. Ils avancent en ondulant, se plient comme les feuilles d'un paravent. Ils se contractent, puis se dilatent, progressent sans cesse en zigzaguant, encoignure et renfoncement, angle saillant, angle rentrant. Les murs l'assiègent, les murs le bloquent — bras, jambes, poumons ; ils le prennent dans leurs tenailles, « pour mieux t'embrasser, mon enfant ». Sa mère l'étreint, sa mère l'étouffe, sa mère le broie.

29

« On ne fait pas de bruit dans la chambre des morts, on lève la bougie et les voit s'éloigner »... On fit peu de bruit, en effet, lorsqu'il partit. Brèves oraisons funèbres. À l'Assemblée, lecture par un représentant du Comité de sûreté générale d'un court communiqué (dates, noms des médecins). Il n'y eut qu'un seul commentaire, celui du député Merlin de Douai, dit « Merlin Suspect » parce qu'il avait été l'auteur de la fameuse loi qui, en dix mois, avait privé de liberté plus de trois cent mille Français. Merlin de Douai qui, de reconversion en reconversion (ministre de Thermidor, directeur du Directoire), allait finir procureur général de la Cour de Cassation, comte d'empire, et thuriféraire d'un autre petit prince, cousin du défunt, Merlin s'exclama : *« Il a succombé sous son rachitisme... Cela rafraîchit les âmes républicaines. »* On passa à l'ordre du jour.

La mort de l'enfant ne fut connue de sa sœur que plusieurs semaines après. Elle ne l'avait pas revu depuis le jour de leur confrontation, ce jour où il avait obstinément accusé d'inceste et d'attouchements sa mère, sa tante et sa sœur. Après avoir déploré la *« barbarie inouïe »* dont *« le malheureux enfant »* avait été la victime, l'abandon et la malpropreté dans lesquels on l'avait laissé croupir, elle ne put s'empêcher — en sœur aînée donneuse de leçons, et, du reste, à jamais blessée par le souvenir de la trahison — d'ajouter un soupçon de vinaigre à sa compassion : *« Il est vrai que de son naturel mon frère était sale et paresseux, car il aurait pu avoir plus de soins de sa personne, et se laver au moins puisqu'on lui mettait une cruche d'eau. »* Quant à l'épitaphe elle la fit sèche : *« Il avait eu beaucoup d'esprit, mais la prison et les horreurs dont il avait été la victime l'avaient bien changé ; et s'il eût vécu, il y aurait eu à craindre qu'il ne devînt imbécile.* » N'appartient plus à la famille, ce mouton noir, exclu des gravures et des généalogies ! C'est triste à dire mais elle le dit, la grande sœur : ce gamin était un cochon, et, sur la fin, un crétin !

Dans le même récit, rédigé dans les dernières semaines de sa captivité alors qu'on lui avait rendu ses crayons et qu'en vue de sa libération le gouvernement lui faisait refaire un trousseau, la jeune fille signala pourtant le chagrin des gardiens tel qu'après coup eux-mêmes le lui avaient peint : « *Les commissaires pleurèrent (mon frère) amèrement, tant il s'était fait aimer d'eux par ses qualités aimables.* » Sur ce thème des geôliers inconsolables, Gomin devait, quarante ans plus tard, tenir des propos romantiques, dans le goût du moment : « Une heure s'écoula, pendant laquelle, haletant, les yeux fixes, sans voix, je demeurai près de la dépouille... Je suffoquais. Je songeai à monter sur la plateforme pour respirer. Je voulus franchir deux à deux les degrés de l'escalier. Je ne pus... Mes forces étaient brisées », etc. Sur l'instant pourtant, occupés par le va-et-vient incessant entre la Tour et l'Assemblée, le maintien de l'ordre dans l'enceinte, l'organisation de l'autopsie, puis de l'enterrement, le séide de l'Incorruptible et l'officier discipliné ne se laissèrent pas aveugler par les larmes. Par la suite non plus ; leurs préoccupations restèrent plus terre à terre ; à preuve cette lettre qu'ils adressèrent conjointement au gouvernement : « *Il existe dans une armoire de la petite tourelle* (la tourelle aux pigeons) *quelques effets provenant du défunt Louis Capet ainsi que la petite garde-robe du fils de Louis Capet, toutes choses qui ne peuvent être utiles à la fille de Louis Capet. Nous prions le Comité de nous autoriser à les en retirer. Nous croyons pouvoir réclamer de votre justice cette petite gratification en vous exposant que l'un de nous, placé depuis près d'un an à ce poste* (c'est Gomin), *n'a touché que les premiers jours de ce mois les appointements que le Comité lui a accordés ; que l'autre* (c'est Lasne) *a essuyé une maladie qu'il a gagnée en soignant le petit Capet et dont il n'est pas encore entièrement rétabli* (il vivra quatre-vingt-quatre ans) *; que nous n'avons reçu aucune des augmentations ni indemnités accordées aux fonctionnaires publics... Nous espérons de vos bontés que vous voudrez bien prendre en considération notre demande.* » Signé « Lasne et Gomin ». Oraison funèbre. Concrète, concise, et bien tournée.

Comprenons-les, ces affligés : la Tour est si proche du Carreau, le fameux Carreau où se rassemblent tous les fripiers de Paris ; les derniers costumes de l'enfant sont usés, tachés, mais ceux d'avant, les jolies redingotes qu'il portait du temps de sa maman et qui étaient devenues trop courtes, sans parler de ces beaux vêtements de deuil qu'il n'a presque pas mis, tous ces habits enfermés dans la tourelle depuis deux ans se revendront à très bon prix chez les fripiers d'à côté. « Ils joueront mes vêtements aux dés » : cette histoire est aussi vieille que le pauvre monde — les soldats, les traîne-misère, les gagne-petit, dépouillent les morts pour se nipper, ou tirer de leurs hardes de quoi manger. Que les morts nourrissent les vivants, c'est mieux que l'inverse, non ? Sauf que Lasne et Gomin, agents publics appointés et bons artisans, ne sont pas vraiment dans le besoin — Lasne, marié sur le tard, laissera une petite fortune à sa fille unique. Bon, on ne va pas chicaner...

Quelque temps après, le gardien-chef récupérera aussi quatre ou cinq meubles de la Petite Tour, qu'il fera transporter chez lui. Sans doute profitera-t-il, pour ce déménagement, de l'absence de son compagnon ? Peut-être est-ce même pour se dédommager de cette absence qu'il fera main basse sur des broutilles ? Car il n'a eu droit à rien, Lasne, quand les autres — Gomin, Marin Baron le porte-clés, et jusqu'à Meunier, ce calamiteux cuisinier — ont gagné un beau voyage, très beau même. Au mois de décembre, ils ont été choisis pour accompagner la jeune fille à Bâle : échange d'otages ; les députés et officiers français que Dumouriez avait livrés à l'ennemi croisent dans la nuit, quelque part sur la frontière, la demoiselle qu'on rend à l'Autriche... Mais quand les hommes du Temple rebroussent chemin avec les députés français, savez-vous qui reste dans la seconde voiture, poursuivant sa route derrière le carrosse à huit chevaux qui emporte vers Vienne la princesse et ses dames de compagnie ? Qui suit, coincé entre les malles et les valets ? Je vous le donne en mille ! Coco !

Oui, Coco ! Cette histoire-là n'est pas un conte ! Et les fées n'y sont pour rien ! Quand au début de l'automne, ses conditions de détention s'étant relâchées, Marie-Thérèse eut la permission de descendre dans la cour et même de pousser au-delà du rempart neuf, dans ce qu'il restait de l'ancien jardin du palais (trois plates-bandes, un bout de potager), souvent un chien maigre la suivait, *« un faux épagneul roux et de fort laide figure »*. Gomin — qui tenait le renseignement de Christophe Laurent — expliqua à la jeune captive que, d'après les gens du « village », de leur petit casernement, cette vilaine bête aurait appartenu à l'enfant lorsqu'il était gardé par les Simon. Le dernier porte-clés, ci-devant frotteur chez le ci-devant d'Artois, et Angot, le balayeur-argentier, confirmèrent le fait : après la disparition du vieux couple personne n'avait osé se débarrasser de l'animal, quoiqu'il eût importuné tout le monde, et sous tous les gouvernements — « mais si la citoyenne Capet désire maintenant qu'on l'en délivre »... Non, surtout pas : au galeux elle apportait toujours un petit morceau de pain en descendant ; il s'habitua à l'attendre au pied de l'escalier ; elle crut voir dans cette assiduité une preuve de fidélité à sa famille, à son frère, à leurs malheurs ; elle l'imagina suivant tristement le petit cercueil quand les hommes avaient fait traverser la cour au cadavre. Dès que le chien geignait, elle se figurait qu'il pleurait : il regrettait un enfant dont le souvenir la gênait, elle lui en fut reconnaissante ; elle le caressa pour l'apaiser ; il s'enhardit et monta jusqu'à sa chambre ; elle n'eut pas le cœur de l'en chasser. Enfin, elle prit l'attachement de Coco à la vie pour un attachement à sa personne : elle le mit dans ses bagages...

L'économe Liénard avait tort, chaque fois que son estomac le dérangeait, de s'interroger sur l'utilité des souffrances que tous avaient endurées : sans « les événements », quelle chance aurait eu un chien bâtard, né dans un des plus misérables quartiers de Paris, de finir ses jours dans la soie et le velours, servi dans des gamelles d'argent, chez les souverains du Saint Empire, à Schönbrunn ?

30

Rose s'en va-t-à la rivière... On dirait le début d'une chanson ancienne. Mais si c'est une chanson, c'est une rengaine car tous les jours Blanche-Rose va à la rivière. Avec sa hotte sur le dos et ses ballots de linge à laver.

Cette année, l'hiver a commencé tôt. Rose Fauchery ne se souvient pas qu'il y ait eu un été. On n'est qu'à la fin décembre — Nivôse — mais déjà, par deux fois, la Seine a gelé, et on a bien failli chômer...

Les mains dans l'eau glacée, Blanche-Rose a froid. Elle frotte des bas de soie : quand on a des engelures, on peine moins avec la soie qu'avec le drap. Ce sont les bas de son « savant » ; si elle y regardait mieux, elle distinguerait sur le pied quelques mouchetures qui montrent que le vieux a recommencé à sortir, à marcher — depuis l'adoption de la nouvelle constitution il a choisi de ressusciter, il vient même de se présenter aux élections, député au Conseil des Anciens... Mais Rose ne voit pas les taches de boue, les taches de vie : elle frotte sans y penser, si distraite même qu'elle arrache la soie — et voilà des bas gâtés ! Un jour sa patronne se lassera de ses sottises, sa patronne la renverra ; c'est ce que craint Fanchon, sa vieille voisine de lavoir, qui la surveille du coin de l'œil et tente de l'intéresser : « Tiens, on dirait que cette semaine t'as plus rien reçu de ta demoiselle. M'est avis que ces temps derniers elle s'apprêtait à voyager... Dans tous les cas, elle s'était joliment renippée. Et diablement remplumée ! Vingt contre un qu'on la marie ! C'est son petit frère qui sera content d'être de noces ! » Blanche-Rose hausse les épaules ; avec indifférence elle attaque le paquet suivant : jupons roses de taffetas d'Italie, camisoles de mousseline brodée, tours de gorge en dentelles — « Ça se voit que les rupins sont de retour ! » ricane Fanchon qui, tout en jouant du battoir, commente ce qui sort du ballot d'à côté, avec l'espoir que Rose finira par rendre un peu d'attention à ce qui lui passe entre les mains. Comme Fanchon se trouve plus bas que la Rose Fauchery dans le courant, elle peut aussi rattraper les pièces de linge que l'autre laisse échapper ; elle les lui rend avec un petit commentaire piquant, histoire de la « réveiller » : « Eh ben, ma pauvre Rose, si j'avais pas été là, comment que tu l'aurais laissée filer, ta chemise à rabat ! Droit vers la mer ! Cette garce de Clouet aurait pas manqué de te la faire payer, va ! Faut dire que, d'un autre côté, fut un temps où tu fricotais trop avec les patronnes... Comme si on pouvait mélanger les torchons et les serviettes, hein ? À propos de beau linge, ça me rappelle que, des chemises à grand col comme celle que tu décrasses, le petit frère de ta future mariée en portait, au début : te souviens-tu comme tu nous as fatiguées, avec cette bon Dieu de famille ? Tu te figurais qu'on les avait assassinés ! Même le galopin ! » Rose ne dit rien ; elle a mal aux mains ; ce soir, ses crevasses vont encore saigner. Elle sait bien que par ce temps il faudrait les graisser, Fanchon le lui répète tous les jours en la raccompagnant, Fanchon qui veille sur elle comme une mère et l'assourdit de paroles comme un moulin : « Et voilà-t-il pas qu'après des mois, peut-être même un an, le linge du galopin réapparaît dans les paquets de sa sœur ! Te rappelles-tu ? Ah, sur le coup ça t'avait étonnée ! Note que ce linge-là a redisparu dans l'été... Mais si : je te l'ai fait remarquer ! C'était en prairial. Ou en messidor. Cet été, quoi ! — Quel été ? finit par murmurer Rose, distraite. Où donc que t'as vu un été, toi ? — J'ai vu un été quand y a eu un été, fait l'autre, agacée. En juillet on crevait de chaud jusqu'au bord de l'eau ! Ma pauvre Rose... Bon, pour revenir à la petite famille qui t'intéressait, j'ai mon idée : ces gens-là demeurent en province. Le père est pas mort, penses-tu, un homme de ce gabarit ! La mère et la tante non plus : seulement, faute d'argent, ils se sont retirés à la campagne, tous ensemble. À Paris, ils ont juste laissé leur demoiselle, dans quelque pension, à l'économie, le temps de lui trouver un joli mari. Et de fois à autres, pour l'amuser, ils lui ramènent le petit. Ah, c'est vrai que, quand le marmot est en ville, sa sœur le tient mal ! Rappelle-toi ce qu'on avait compté au début de l'année, enfin de l'ancienne année : en janvier, dix fois moins de linge à laver pour elle que pour lui ! Et cette décade de février où elle nous en donnait pour trois cents livres, et lui, le guenillou, rien qu'un mouchoir et un bonnet ! Mais ça me surprend pas, tu sais : ces mijaurées, ça pense qu'à soi ! Il leur faut des affûtiaux, des boucles, des rubans, des devantiaux, sans seulement se demander si le frérot a un caleçon propre ! Qu'est-ce que t'en dis ? J'ai pas raison ? — Je ne comprends pas », dit Rose en secouant la tête ; et elle lève vers sa voisine de grands yeux pleins de larmes, « Je ne comprends plus », et Fanchon voit que Rose ne la voit pas, ne voit que le pont : il y a longtemps qu'elle a demandé au propriétaire du bateau-lavoir de changer leurs places, de les mettre contre la paroi de bois à l'entrée pour que Rose ne voie plus ce grand pont où, toujours, elle cherche son garçon. Inquiète, inquiète...

« Je ne comprends pas. » Elle a cessé de taper, se redresse et regarde le parapet. Dans ces moment-là, si l'on n'y veille pas, elle peut tout lâcher — linge, savon, battoir... « J'ai froid. Pour un été, c'est un drôle d'été. Je ne sais pas, moi. Non... Tu causes, Fanchon, tu parles tout le temps, mais je ne sais pas. Drôle d'été... Je ne comprends pas. J'ai froid. On dirait qu'il va neiger... Messidor, tu dis ? En voilà, un nom ! Allez, il se fait tard, je vais me rentrer... — C'est pas l'heure, Rose. Finis ton ouvrage. Rien que de la dentelle : t'es la meilleure laveuse de chez Clouet. » L'autre s'est levée, balaie des yeux le parapet. Fanchon la tire par la jupe : « À genoux, ma fille ! Faut trimer, peiner, besogner — gagner notre pain de misère, puisqu'y a plus de "pain de l'Égalité" ! » Rose Fauchery s'est calmée, mais Fanchon pense, à part elle, qu'il aurait mieux valu que ce pauvre Pierrot tombe à l'eau comme toutes les blanchisseuses du bateau l'en menaçaient à longueur de journée : au moins ç'aurait été vite fait.

Ce qui ronge la Fauchery, de l'avis de ses compagnes de lavoir, c'est de penser que si elle avait mis son petit en apprentissage chez un cloutier des faubourgs pour apprendre à faire des épingles, comme la Clouet le proposait, il aurait été à couvert. Ouvrier mais abrité. Loin de sa mère, mais protégé... Au lieu de ça, décrotteur ! « Mon commerce », qu'il disait ! Et sa mère, fallait voir ! Elle le regardait là-haut, sur son pont, comme le bon Dieu sur un autel ! Trop gâté, cet enfant, trop gâté...

En mars-avril il avait fait un temps à ne pas mettre un chien dehors, les gouttières déversaient des fleuves au milieu des rues, l'eau crevait les parasols de taffetas, déchaussait les pavés ; de la boue partout ; et mai ne s'annonçait pas meilleur — un floréal sans fleurs ! Ce sale printemps était pourtant un printemps de rêve pour un décrotteur : le travail ne manquait guère, et le petit, rieur comme jamais, faisait ses affaires. Seulement il les faisait tête nue, sans même un chapeau ciré ; il les faisait, trempé comme une soupe ; car, à ce qu'expliquait sa mère avec fierté, il aimait mieux « mettre de côté » que s'acheter un bon manteau : il voulait, sans quitter le Pont-Neuf et la vue des lavoirs, changer d'état avant la fin de l'année, ne plus travailler de ses bras, « s'élever » — il était en pourparlers pour reprendre l'éventaire et le fonds d'un marchand de médailles en plâtre installé contre le piédestal de l'ancienne statue d'Henri IV. À la place du bronze abattu, on avait monté une statue du Peuple tout en bois, du provisoire qui s'abîmait déjà, mais le socle en pierre restait bon, l'abri solide, et l'emplacement rentable. Au fond, songeait parfois Fanchon, c'est l'orgueil qui les a perdus, la Rose et son Pierrot, tout ça parce que ce petit gars avait joué pendant deux ou trois années avec la fille de la patronne, cette Francine Clouet qui se mistifrise maintenant comme une marchande de modes... Oui, les Fauchery ne savaient pas rester à leur place, choisir leur camp : Eux, Nous... Avec ça, trop collés l'un à l'autre, comme une vache et son veau ! N'empêche que la maladie du garnement avait été terrible parce qu'elle avait duré ; la Rose avait eu tout le temps de reprendre espoir, reprendre pied : une fluxion de poitrine, on peut s'en remettre — au lavoir, c'est ce que tout le monde lui disait.

Au début, comme la mère et l'enfant avaient épargné quelques sous, les sous du rêve (de quoi racheter quatre ou cinq médailles sur « l'éventaire d'Henri IV »), Rose, profitant de ce que le petit restait au lit, avait dépensé ce pécule pour le soigner : on lui avait parlé du bouillon de cuisses de grenouilles comme d'un remède universel, elle en commanda chez l'apothicaire ; puis ce fut un sirop pectoral de mou de veau délayé dans une infusion de sauge, « souverain contre les toux sèches et humides » — un charlatan en vendait, à six livres la bouteille, près de la fontaine de la Samaritaine ; elle acheta aussi, sur les conseils de la marchande de citrons qui tenait boutique à l'entrée du pont, de la gelée d'orange de Malte. Toute leur épargne y passa, sans résultat que d'alarmer l'enfant : il ne voulait pas toucher à la gelée d'orange, dont il soupçonnait le prix ; il gardait le pot sous sa couverture, comme un talisman, et le ressortait comme un reproche : « Tu dépenses ma besogne, Maman ! » Quand elle revendit sa sellette et sa brosse de décrotteur pour acheter à un crieur d'habits un bout de couvre-pied (il pleuvait sans cesse, il pleuvait toujours), Pierre n'était déjà plus en état de remarquer la disparition de son fonds de commerce : les joues rouges de fièvre, il délirait ; lorsqu'elle l'abandonnait pour descendre à la rivière, elle craignait de le trouver mort en rentrant. Elle se mit en tête d'appeler un médecin, un médecin le sauverait, elle parlait toute la journée de ce médecin, ce savant, un vrai savant, qui viendrait dans sa soupente... Fanchon et les autres hochaient la tête : une extravagance de rentière, où trouverait-elle les sous — à la loterie ? La Veuve Clouet, Catherine, qui remplaçait l'autre veuve du même nom (sa belle-sœur, Cécile, toujours emprisonnée), tint à Rose le même langage pour lui refuser l'avance qu'elle demandait : « Même si je vous aidais à trouver l'argent pour le docteur, ma pauvre fille, vous n'auriez pas assez pour les remèdes. » Puis, à mi-voix, car la religion n'était plus en odeur de sainteté : « Laissez donc faire le bon Dieu, il est notre meilleur médecin, priez-le. »

La plupart des maladies laissaient les médecins impuissants ; le « bon Dieu » fut un médecin comme un autre : Pierrot mourut après trois jours d'agonie. Les derniers temps, Rose était parvenue à le faire garder par une vieille couturière en chambre à qui elle avait promis le couvre-pied. On mit le petit corps à la fosse commune. C'était en floréal. Il pleuvait...

Deux semaines avant sa mort, dans un moment de mieux, le garçon avait fait jurer à Fanchon de prendre soin de Rose, « qu'est-ce que Maman deviendra quand je serai plus là ? », il répétait une formule toute faite, entendue ailleurs, Fanchon en fut quand même touchée : il avait onze ans. Depuis, elle tâchait de guider sa compagne, l'aidait à charger sa hotte, à traverser les passerelles, organisait son travail, tentait de la distraire.

Blanche-Rose n'avait pas vu l'été passer. Ni le contenu de ses ballots se modifier. Elle n'était plus la laveuse exceptionnelle qu'elle avait été, mais la face du monde n'en serait pas changée... Elle parlait peu, n'avait jamais beaucoup parlé. Simplement, à certaines phrases qu'elle disait, on remarquait que son esprit s'égarait. Elle ne parvenait plus à suivre une conversation, répétait : « Je ne comprends pas. » Même une question simple, un ordre bref, pouvaient la désarçonner : « Attention à ta brosse ! Ramasse-la ! Tu te la feras voler ! — Je ne comprends pas »...

« Je ne comprends pas » : qu'est-ce qu'il y avait à comprendre ? Que les enfants meurent ? En voilà une nouveauté ! Alors Fanchon jabotait pour deux, s'efforçant de détourner sa voisine de ses « visions ». Tout y passait — les amours des « jeunesses », le prix du pain, la mesquinerie des patrons, les nouvelles modes, et même la politique : « Tu te souviens qu'hier au soir la veuve m'a chargée de porter un paquet rue de la Montagne... Trois douzaines de cravates à godets, bien amidonnées. Rue de la Montagne : anciennement rue Neuve-Saint-Roch, tu la situes ? En y allant je suis passée auprès de l'église : eh ben, on peut dire qu'ils se sont rudement canardés là-devant ! Paraît qu'on y a même tiré au canon ! Sur les marches et la façade j'ai vu les trous des boulets, une sacrée mitraille ! Ça a dû saigner ! Des conspirateurs, qu'ils ont détruits... Quelle sorte de conspirateurs ? Des jacobins peut-être ? Ou des muscadins, je sais pas. Faut pas trop m'en demander. »

Rose ne demandait rien. Bientôt, les yeux dans le vague, elle redirait doucement : « Je ne comprends pas... »

31

« Je ne comprends pas... » Qu'y avait-il au commencement ? Avant la naissance de Pierrot mort et du cadavre de la Tour, avant la naissance de leurs ancêtres et des ancêtres de leurs ancêtres : au commencement du commencement, qu'y avait-il ? Le Verbe ? « Au commencement était le Verbe » ; mais le Verbe se taisait. Au commencement était l'Œil ; mais l'œil restait fermé. Au commencement était le Père, il nous avait rejetés...

Comme la chambre de l'enfant, notre chambre est sombre ; pourtant, on ne pourrait pas la décrire en noir et blanc . il y faut beaucoup de couleurs, toute la palette. Notre chambre est vaste, on y cherche sa route : ce n'est jamais le bon chemin, les lumières s'éloignent, on ne trouve plus la porte, y a-t-il une fenêtre ? Par où sommes-nous entrés ? Certains ont cessé de s'agiter, ils se sont arrangé un abri, une petite chambre à l'intérieur de la grande ; ont tapissé les murs avec leurs rêves, bâti des cloisons avec des livres, des tableaux, des lignes de fuite, de fausses perspectives...

Chambre obscure, chambre immense : en Afrique, au pied d'un arbre sec, d'autres reclus tressent une corde. Ce sont des vieillards, ils chantent : « Ayons pitié des hommes, des hommes qui n'ont pas de mère pour leur donner du lait, ayons pitié des morts, des morts et des nouveau-nés, ayons pitié des orphelins. » Les vieillards de la tribu M'Bambé tressent une corde en chantant ; avec quelques brins de sisal, des fils de coton, ils nous fabriquent une origine : si on les interroge, ils disent qu'ils tressent un cordon pour le placenta du monde.

Ils attendent sans tristesse la fin d'une histoire qui n'a pas de commencement.

POSTFACE

On ne trouve pas dans ce livre les mots « roi », « Révolution », « république », « monarchie », « aristocrate », « Convention », « Montagnards », « Varennes », « prison du Temple », « guillotine » ou « Ça ira ».

« Émigré », « ci-devant » ou « Comité de salut public » n'apparaissent que tardivement et progressivement, tout comme les patronymes ou prénoms connus.

C'est un choix, bien sûr, et presque une gageure. Pourquoi ce parti ? Pour éviter les images toutes faites associées à certaines syllabes ; mais aussi, et surtout, parce que l'Histoire, pour qui l'étudie, est un champ de perpétuelles tensions entre l'universel et le particulier : il ne faut pas, dans un récit, que l'universel dissimule l'unique, mais, non plus, que l'exotisme cache la permanence. L'« aventure » qui fait l'objet de ce livre — si on la regarde du point de vue du jeune otage et de ses gardiens successifs, qui est ici le point de vue adopté — aurait pu se dérouler dans d'autres époques et d'autres lieux : la Russie stalinienne, l'Argentine des généraux, le Maroc des années 1970, le Liban de la guerre civile.

J'avais d'abord pensé la transposer dans un temps plus proche de nous et un pays plus éloigné. J'y aurais gagné en liberté romanesque, en liberté politique aussi, car nombreux sont ceux parmi mes amis qui continuent à considérer la Révolution comme un bloc et 1794 comme le prolongement nécessaire de 89 : nous revisitons, avec une lucidité croissante, les périodes sanglantes de notre Histoire, mais curieusement, pour certains et malgré les travaux des historiens contemporains[1]*, la Terreur reste taboue.*

1. Ceux, notamment, de François Furet : *Penser la Révolution française*, Gallimard, 1978 ; *La Révolution, de Turgot à Jules Ferry*, Hachette, 1988 ; et, en collaboration avec Mona Ozouf, *Dictionnaire critique de la Révolution française*, Flammarion, 1988.

Si j'ai néanmoins renoncé au confort du travestissement, c'est que cette affaire, en la prenant telle qu'elle fut, n'a jamais suscité en France de véritable intérêt littéraire, rien de comparable à l'élan poétique que des drames similaires avaient provoqué dans des pays étrangers : en Russie, en Angleterre, plusieurs tragédies, romans, opéra, sont nés de l'assassinat, sous la régence de Boris Godounov, d'un prince de sept ans, Dimitri, ou du meurtre des « enfants d'Édouard » par Richard III[1]*. À s'en tenir à la France même, il est curieux de constater que, si, de Barthélemy à Rostand en passant par Hugo et Béranger, le sort de l'Aiglon a inspiré plusieurs écrivains, il n'en a pas été de même de « l'orphelin du Temple » : l'attention semble s'être, dès l'origine, focalisée sur « le mystère » (il n'y a plus de mystère) et elle fut, à quelques exceptions près, le fait d'historiens amateurs.*

Cela dit, la séquestration et la maltraitance d'un enfant de huit ans est plus proche, à beaucoup d'égards, d'un fait divers que d'un événement politique majeur : « la pièce n'en aurait pas moins été jouée s'il était demeuré derrière le théâtre »... Pour donner à ce fait divers une autre dimension, il faut, comme le fit autrefois Pierre Goubert avec son Louis XIV et vingt millions de Français, *replacer l'individu dans un destin collectif. En l'espèce, c'est d'autant plus aisé que ce petit garçon s'est trouvé au cœur d'une énorme machine administrative et en liaison directe, ou médiate, avec un grand nombre d'hommes et de femmes de toutes conditions. « Louis XVII et trente millions de Français » : j'ai pensé que cette approche pourrait permettre de jeter un jour neuf sur une vieille histoire.*

Considérer les choses sous cet angle autorisait aussi une construction romanesque particulière : au centre, immobiles comme l'axe d'une roue, la chambre et l'enfant. Autour, le moyeu : la garde rapprochée. Puis de multiples rayons pour rejoindre le cercle extérieur formé par ceux qui ne verront jamais le captif mais travailleront un moment pour lui, parleront de lui, décideront pour lui. Le centre ne bouge pas, mais la roue tourne — et à quelle vitesse !

Des nombreux personnages nommés dans ce livre, tous, à l'exception de Joseph Belin, Quiquincourt, et Blanche-Rose Fauchery, ont existé. Même les artisans occasionnels, les « septembriseurs » incidem-

1. Mentionnons, entre autres, les œuvres de Pouchkine, Moussorgski, Shakespeare, John Ford, Ainsworth, même si la plupart d'entre eux s'intéressent davantage à la personnalité des criminels qu'à leur crime.

ment mentionnés[1]*, Francine Clouet, Bertrand Arnaud, Bernard Lorinet, le chien Coco, ou mon aïeul Charles-François, dit « Bengale », dit « Chandernagor », esclave affranchi et cuisinier, dont j'ai seulement imaginé, puisqu'il avait par hasard servi pendant deux jours le comte d'Artois, qu'il aurait pu (à un moment où il est sans emploi) se retrouver domestique intérimaire dans les cuisines de l'ancien palais du prince : disposant des factures du chef cuisinier*[2] *et du témoignage d'un garçon d'office en fonction jusqu'en octobre 1793*[3]*, je ne voulais pas rater une occasion supplémentaire de voir la scène du monde par les coulisses — le monte-charge, le passe-plat... Pour tous ces personnages, j'ai rapporté aussi fidèlement que possible les circonstances de leur vie dans la mesure où celle-ci pouvait nous être connue et interférait avec la vie du « héros » : chaque fois que l'Histoire s'est présentée avec un cortège de preuves suffisant, je lui ai cédé la priorité ; c'est bien le moins... Reste que ces personnages sont aussi des personnages de roman et que ce livre est d'abord une œuvre de fiction : je ne cherchais pas seulement à peindre « la vie quotidienne au Temple ». En entreprenant ce roman, je voulais parler du mal — le mal ordinaire, celui que commettent distraitement, presque innocemment, des hommes « comme tout le monde » — et parler des chambres : nos murs, nos haines, nos solitudes, nos tombeaux.*

---

1. *Mémoires sur les journées de Septembre* de Saint-Méard, Sicard, Jourdan, etc. (Paris, 1823), et minutes du Tribunal criminel citées dans Georges Lenotre, *Les massacres de Septembre* (Paris, 1938).

2. Archives nationales — voir *infra*.

3. « Relation sur la captivité de la famille royale », Turgy, *in* Eckard, *Mémoires historiques*, Paris, 1817.

SOURCES

Sur les premières années de l'enfant, les témoignages sont multiples (courtisans, valets, gouvernante, etc.)[1] ; bien qu'hagiographiques, ils paraissent globalement fiables : ils n'ont nourri, dans ce livre, que des flash-back — les souvenirs du petit prisonnier, parmi lesquels on trouvera, dans le désordre et à hauteur d'enfant, quelques épisodes célèbres de la grande histoire révolutionnaire. Sur la période de l'isolement, en revanche, nous ne disposons que de témoignages tardifs, contradictoires ou indirects. À partir de ce moment-là, je n'ai regardé comme sûres que les archives du Temple (restées importantes, malgré des destructions dommageables)[2], les archives du Conseil général de la Commune, celles des Comités de salut public et de sûreté générale[3], ainsi que les collections du musée Carnavalet[4] ; j'ai pris en compte également les témoignages contemporains des faits ou de très peu postérieurs (je range dans cette catégorie le « Mémoire » de Marie-Thérèse, future duchesse d'Angoulême, dont la rédaction fut entreprise avant même

1. Citons seulement, pour faire court, le *Journal de Cléry, valet de chambre du roi* (Londres, 1798, et Paris, 1823), les *Mémoires de la duchesse de Tourzel, gouvernante des enfants de France* (Paris, 1883), les *Souvenirs* du baron Hue (Paris, 1903), et les *Souvenirs de quarante ans* de Pauline de Béarn (Paris, 1868).

2. Celle, en particulier, du journal-registre des commissaires que Mme de Tourzel avait feuilleté et dont Lasne avait, le 8 avril 1796, remis quatre volumes au ministre de l'Intérieur du Directoire. En septembre 1817, le nouveau ministre de l'Intérieur écrivit au comte de Pradel, directeur de la maison de Louis XVIII, qu'il avait fait « rechercher dans les archives du ministère les registres, cartons, et cachets dont le ministre Benezech avait expédié un reçu le 19 germinal an IV : ces recherches ont été infructueuses ». Les recherches du Garde général des Archives du royaume, M. de La Rüe, furent également vaines.

3. Archives nationales. Voir notamment F 4 1308 à 1321 (pour des factures et ordonnancements de paiement), F 7 4391 à 4393 (pour les délibérations du Conseil général de la Commune, les noms et tours de garde des commissaires municipaux, l'inventaire du mobilier du deuxième étage, les subventions pour travaux, etc.), F 7 4432, F 7 4774, F 13 733, F 16 581, BB 30 964.

4. C'est dans ces collections qu'on trouve, par exemple, les modèles d'écriture du dauphin que j'ai utilisés.

sa libération[1]), et les correspondances, almanachs nationaux (de l'an I à l'an III), articles de journaux, comptes rendus de la Société des Jacobins de Paris[2], chants[3], débats des Assemblées, décrets, etc. Les phrases tirées de textes d'époque (parfois abrégées) figurent en italiques dans le roman ; j'ai laissé entre guillemets mais sans italiques celles que je tirais — plus rarement — de témoignages ultérieurs.

Je reste en effet sceptique sur les récits produits vingt, trente ou cinquante ans après les événements, notamment ceux d'anciens commissaires ou d'anciens conventionnels. Outre que ces récits, à visées justificatrices, sont contredits sur bien des points par les archives lorsqu'elles existent, il est clair que, rédigés après la publication d'autres relations ou documents, ils s'en inspirent. Ainsi les récits de Barras[4] ou d'Harmand de la Meuse[5] se calent-ils, à l'évidence, sur le rapport d'autopsie de l'enfant, depuis longtemps connu et publié[6].

Les choses sont plus délicates encore lorsque les témoignages ne nous sont parvenus que par personnes interposées. Trop d'ouvrages de seconde main consacrés au sujet s'appuient sur des traditions orales douteuses. Un exemple : la relation par le docteur Desault de sa première visite au Temple ; ce prétendu récit, mentionné pour la première fois en 1954 par Louis Hastier et souvent repris aujourd'hui, aurait été fait verbalement à la comtesse d'Armaillé, qui en aurait parlé plus tard à l'épouse de son petit-fils, laquelle l'aurait redit à sa propre petite-fille, la comtesse de Pange, qui en aurait fait mention dans des souvenirs inédits... Auprès d'un « témoin » comme celui-là, l'homme qui a vu l'homme qui a vu l'ours est un spectateur direct[7] ! On est

---

1. *Mémoire écrit par Marie-Thérèse-Charlotte de France* (plusieurs éditions avec de légères variantes selon les copies d'origine — voir notamment Paris 1817, 1823, 1862, 1892, 1893, 1910, 1923, 1968, 1987).

2. *La société des Jacobins de Paris, recueil de documents* (6 volumes), éd. par Aulard, Paris, 1889.

3. *Chants de la Révolution française*, F. Monreau et E. Wahl, Paris, 1989.

4. *Mémoires de Paul-Jean Barras*, éd. par G. Duruy, Paris, 1895 (voir, notamment, dans le premier volume p. XII, à propos de la visite au Temple, le texte manuscrit laissé par Barras et le texte « rédigé » et publié par Rousselin de Saint-Albin, son exécuteur testamentaire). Voir aussi Lombard de Langres, *Mémoires anecdotiques pour servir à l'histoire de la Révolution*, Paris, 1823.

5. *Anecdotes relatives à plusieurs événements remarquables de la Révolution*, Paris, 1814.

6. En ce qui concerne la santé de l'enfant, le récit tardif de Barras est infirmé par un document authentique et contemporain des faits : le rapport adressé par Laurent, le nouveau gardien des enfants, au Comité de salut public trois jours après l'unique visite de Barras — « les prisonniers se portent bien ».

7. Précisons d'ailleurs que, postérieurement aux indications de Louis Hastier, la comtesse de Pange a publié des mémoires (*Comment j'ai vu 1900*, Grasset, 1962) dans lesquels elle se borne à indiquer que sa grand-mère, née Ségur, aurait voulu, à la fin de sa vie, écrire un livre sur le chirurgien Desault de même qu'elle avait écrit des ouvrages, couronnés par l'Académie française, sur de multiples personnages historiques — notamment Madame Élisabeth et Marie-Antoinette. Cette grand-mère, comtesse d'Armaillé, a elle-même laissé des souvenirs, publiés en 1934 (*Quand on savait vivre heureux*, Plon), où ne figure aucune indication relative à la

obligé de traiter avec la même circonspection une bonne partie des souvenirs qu'en 1852 Alcide de Beauchesne, premier vrai biographe de Louis XVII[1], déclara avoir recueillis de Gomin, l'un des deux derniers gardiens de la Tour. Certes, Beauchesne apporte la preuve qu'il a effectivement rencontré Lasne et Gomin, alors très âgés, mais dans les souvenirs que, longtemps après leur mort, il leur a prêtés — souvenirs indirects trop précis pour être honnêtes et trop beaux pour être vrais — il y a peu à prendre et beaucoup à laisser...

Quand le mode du récit m'a contrainte à opter pour une hypothèse plutôt qu'une autre, je ne l'ai jamais fait « pour les besoins de l'intrigue » — comme l'avouent ingénument certains auteurs de films ou de romans « historiques » —, je l'ai fait parce qu'à l'analyse elle m'apparaissait comme la plus probable. Cela va de circonstances infimes jusqu'à des faits plus décisifs. Dans la catégorie des détails minuscules, je ne prendrai qu'un exemple — le nom du chien offert à l'enfant et qui finit sa vie à la cour d'Autriche : selon des sources du dix-neuvième siècle, il s'appelait « Mouflet » (c'est peu vraisemblable : en 1793, le mot n'existait même pas) ; selon ce que déclara Marie-Jeanne Simon à la fin de sa vie, et que Lenotre a repris, il se serait appelé « Castor », mais Marie-Jeanne n'avait plus toute sa tête et elle a bien assuré aussi que son Charles, devenu adulte, lui avait rendu visite dans son hospice, accompagné d'un grand Noir... Reste « Coco », qui est attesté deux fois : directement par François Hue, ancien premier valet du dauphin[2] qui, après avoir été renvoyé du Temple et emprisonné, obtint d'accompagner Marie-Thérèse, future duchesse d'Angoulême, à Vienne, et reçut d'elle, ultérieurement, une miniature représentant « le chien Coco » ; indirectement par Gomin, qui donne de nombreuses précisions sur les conditions du voyage du « chien roux » vers l'Autriche (dans la seconde voiture, en compagnie du porte-clés Baron et du cuisinier Meunier, puis, après Huningue, du seul François Hue). J'ai donc, pour la couleur du chien et son nom, choisi de suivre ces deux témoignages.

---

maladie de Louis XVII. Ajoutons que la comtesse, mariée en 1851, n'a jamais connu les grands-parents de son mari, et que sa mère, née en 1789, aurait été beaucoup trop jeune pour recevoir, en 1795, d'hypothétiques confidences de Desault. Si je suis remontée aussi haut à propos d'une anecdote insignifiante, c'est pour montrer le degré de fiabilité des on-dit répétés sans être vérifiés.

1. *Louis XVII, sa vie, son agonie, sa mort* (2 vol. accompagnés de documents et pièces justificatives), Plon, 1852. Le premier volume est de qualité ; le second vaut plus par ses notes, fac-similés, et documents annexes, que par le texte lui-même, truffé d'erreurs, très romancé et mal romancé. Un exemple, un seul, des « approximations » de Beauchesne : le paragraphe où il présente Jacques-Christophe Laurent comme « né à Saint-Domingue où il possédait des terres », « âgé de trente-cinq ans » et « vivant (à Paris) avec sa mère ». Or, Laurent était né à la Martinique dans une famille de marchands bordelais, il ne possédait rien, il avait vingt-quatre ans, et sa mère était morte depuis dix-neuf ans. J'ajoute que Beauchesne ayant, selon ce qu'il affirme, reçu des confidences détaillées de Gomin dans les années 1830, on est surpris qu'il ne les publie qu'en 1852 — non seulement après la disparition de son « précieux informateur », mais un an après celle de l'autre dernier témoin direct, Marie-Thérèse, duchesse d'Angoulême, morte en 1851 : craignait-il des démentis ?

2. *Souvenirs du baron Hue sur les dernières années de Louis XVI*, publiés en 1806 et republiés et commentés par son petit-fils, le baron de Maricourt, Paris, 1903.

Les difficultés qu'on trouve à éclaircir un détail comme celui-ci donnent une idée des incertitudes qui peuvent subsister sur des aspects plus importants de la détention de l'enfant. Là encore, je choisirai un seul exemple : le jeune prisonnier fut-il, comme certains l'ont prétendu, totalement emmuré sous la Terreur pendant une dizaine de mois, ou resta-t-il « simplement » sous les verrous ? J'ai opté, dans ce récit, pour une solution intermédiaire, non parce qu'elle est intermédiaire mais parce qu'elle me paraît quasi certaine : cet otage de huit ans, bien que totalement isolé et apparemment privé de soins (à l'exception de la nourriture), pouvait encore être « visité ». Certes, le réaménagement de l'appartement du deuxième étage après le départ des Simon rendait difficile l'accès à sa chambre-cellule (dont on s'accorde aujourd'hui pour considérer qu'il s'agissait de l'ancienne chambre de son père) : la porte principale de cette chambre, une porte à deux battants directement ouverte sur l'antichambre et l'escalier, fut murée pour y placer un poêle « à l'allemande », et le placer de telle manière que l'enfant ne puisse pas jouer avec le feu. Sur le « pourquoi », nous disposons du témoignage d'un conventionnel, et, sur le « comment », des plans très clairs établis en mai 1796, peu après la mort du prisonnier, par l'architecte Duhameau à la demande du ministre de l'Intérieur[1]. Certains auteurs s'obstinent à chercher encore la facture d'un entrepreneur de maçonnerie, Blaise Santot[2] ou Pierre-François Palloy. Cette facture n'a sans doute jamais existé : ainsi que le montre une analyse attentive de la comptabilité de l'entreprise de fumisterie Margueritte et Firino (qui a fourni et posé le nouveau poêle), quand il fallait placer un poêle à cheval entre deux cloisons pour chauffer deux pièces, doubler, par sécurité, un mur derrière un des appareils de chauffage, ou ménager une niche, c'était souvent un ouvrier du fumiste qui intervenait ; le petit travail de démolition ou de construction nécessaire (toujours réalisé en briques), de même que l'évacuation des gravats, entraient alors dans les frais de main-d'œuvre de la maison Margueritte et Firino[3]. Comme, une fois les portes ôtées de leurs gonds, la brique, ici, devait relier entre elles deux cloisons de bois, on a dû, pour rendre l'ensemble solidaire, enfoncer, au-dessus de chaque rang de briques, de longs clous, partie dans l'huisserie, partie dans le mortier : il s'agit des clous facturés dès le lendemain par Durand ; n'importe quel homme de l'art peut, au vu des factures, décrire le procédé utilisé, de même qu'il mentionnera la nécessité de placer une traverse

1. Fonds du musée des Archives nationales (1796, AE II 2427).

2. J'ai choisi cette graphie mais on trouve aussi, dans les documents d'époque, Sautot ; même chose pour Firino, graphie la plus fréquente, qui coexiste cependant avec Ferino et Serino.

3. Voir, par exemple, dans les fonds A.N. précités, en mars 1793 « dans la tour au 3e étage... la construction d'un mur de briques », en juin la pose, chez le portier, « dans l'épaisseur du gros œuvre » (démolition, déblaiement et ragréage) « d'un poêle destiné à chauffer deux pièces », ou en octobre, « dans la salle à côté du citoyen Fontaine », la construction « d'un mur en briques pour éviter le danger du feu à cause qu'il y a le magasin à poudre derrière ». J'ajoute qu'il arrive même à Firino d'effectuer de petits travaux de menuiserie : c'est son entreprise par exemple qui, à la demande de Simon, démontera en octobre 1793 les abat-jour de deux des fenêtres de l'appartement du deuxième étage.

au-dessus du poêle pour éviter que la faïence n'ait à supporter le poids de la partie supérieure du mur — on trouve précisément, à la même date, une barre dite « de languette » fournie par le serrurier. Bien sûr, cet aménagement relève du bricolage plus que du travail soigné : il aurait mieux valu conserver la porte, remplacer la double cloison de planches par une cloison maçonnée et y inclure le poêle ; mais le temps manquait : entre la date prévue pour le départ des Simon[1] et la décision, venue d'en haut, de ne pas les remplacer[2], il ne restait, pour prendre les mesures de sécurité nécessaires, que deux jours, et de ces deux jours l'un était un décadi, jour chômé. On a donc paré au plus pressé, et ce provisoire est, comme souvent, devenu définitif...

L'enfant, qu'une lucarne (découpée dans la niche du poêle à hauteur d'homme) permettait de surveiller de l'extérieur, restait tout de même accessible — notamment pour les repas — mais au prix d'un allongement du parcours, devenu malcommode puisqu'il fallait emprunter l'étroit couloir des latrines après avoir franchi trois portes supplémentaires, dont deux sans doute étaient verrouillées : la porte de communication entre le corridor et l'ancienne chambre de Cléry (les gardiens la fermaient déjà chaque soir à l'époque où le Roi vivait à cet étage), et la porte même de la chambre, qui donnait sur ce corridor (de sorte que le prisonnier, qui avait déjà perdu la possibilité d'aller dans la « tourelle aux pigeons », perdit aussi l'accès à la seconde tourelle, celle des « lieux à l'anglaise » — d'où l'accumulation d'« ordures » dans sa chambre[3]). La libre circulation vers cette seconde tourelle ne fut, semble-t-il, rétablie qu'après Thermidor, lorsque, en même temps qu'il nettoie la chambre et l'enfant, Laurent fait remettre en état les latrines dont tous les carreaux, cassés, sont alors changés. Reste qu'on peut se demander pourquoi cette modification des circulations et le détour qu'elle impose ne sont pas mentionnés dans le témoignage (tardif) du conventionnel Harmand de la Meuse ni dans celui (tardif aussi) du docteur Pelletan, qui, tous deux, parlent de la chambre comme de « la seconde pièce de l'appartement » — ce qu'elle était topographiquement et même de visu (du fait de l'existence du

1. Démission donnée le 5 janvier pour le 19. Dès le 8 janvier, le Conseil général de la Commune consulte le Comité de salut public « sur le choix du citoyen qui doit remplacer le citoyen Simon pour la garde du petit Capet ».

2. C'est le 16 janvier seulement que le Comité de salut public informe le Conseil de la Commune qu'il regarde comme inutile la fonction de Simon et pense que les membres du Conseil doivent assurer seuls la surveillance des prisonniers du Temple (la mesure s'inscrit dans le cadre de restrictions budgétaires générales mais aussi d'un « serrage de vis » politique et délibéré : Robespierre et ses amis veulent faire plier la Commune insurrectionnelle, réduire à quia Chaumette, Hébert et leurs troupes). Selon toute vraisemblance, l'économe du Temple n'eut communication de ce changement de programme que le 17.

3. Cette malpropreté de la chambre n'est pas une légende ; outre les témoignages directs ou indirects (Barras, Marie-Thérèse, Gomin, ou, plus douteux, Gagnié), nous disposons de plusieurs éléments de preuve : la lettre, assez explicite quant à l'état des lieux, que Laurent adresse au Comité de salut public après la visite de Goupilleau de Fontenay pour obtenir l'autorisation de faire procéder à un nettoyage complet ; les factures ultérieures relatives à la lutte répétée contre « la vermine », apparemment bien incrustée ; le changement partiel du mobilier, etc.

regard de soixante centimètres de large et du poêle commun), mais qu'elle n'était plus fonctionnellement.

Je ne mentionnerai pas ici toutes les autres questions qui, compte tenu des incertitudes et des contradictions entre les sources disponibles, ont supposé des choix délicats : on a consacré bien des livres à ces sujets, je ne souhaite pas y ajouter. Je citerai seulement ceux de ces ouvrages que leur qualité recommande au lecteur curieux. En premier lieu, l'ouvrage de Philippe Delorme, *Louis XVII, la vérité*[1], qui retrace à la fois les tribulations du cœur dérobé le 9 juin 1795 par le docteur Pelletan et le résultat des recherches d'ADN menées sur cet organe deux cent cinq ans plus tard : seules la sagacité et l'obstination de Philippe Delorme ont permis de mettre un terme au prétendu « mystère » ; cette obstination fut d'autant plus méritoire en l'espèce que nombre d'éléments — tendance de Pelletan à fabuler, et destin plus que rocambolesque de l'organe subtilisé — pouvaient conduire à douter de l'identité entre le viscère desséché conservé à Saint-Denis et le cœur du petit cadavre autopsié en 1795 : Delorme fut véritablement le Schliemann de cette histoire.

C'est à la lumière de cette récente découverte que doivent être relus les ouvrages antérieurs : peu restent dignes d'intérêt. Parmi ceux-là, on doit distinguer, en dépit de quelques erreurs, le livre de Maurice Garçon, *Louis XVII ou la fausse énigme* (Paris, 1952).

Pour ce qui est de la personnalité et du destin des derniers gardiens de l'enfant (Laurent, Lasne et Gomin), on lira avec profit certains chapitres de Gustave Bord, *Autour du Temple 1792-1795* (Paris, Émile-Paul, 1912), et, à propos de quelques-uns des « visiteurs », le *Dictionnaire historique et biographique de la Révolution et de l'Empire* de Robinet, le *Dictionnaire des Parlementaires français* d'A. Robert[2], le *Dictionnaire de la Révolution française* de Jean Tulard, J.-F. Fayard et Alfred Fierro[3]. En ce qui concerne le peintre David, on peut ajouter aux articles biographiques relatifs à ses engagements révolutionnaires l'intéressante analyse d'Antoine Schnapper (*David*, RMN, 1989, chap. 4) et l'étude *Autour du portrait de Dominique-Vincent Ramel* d'Édouard Bouyé et Antoine Schnapper[4] ; pour les deux Goupilleau, on trouvera d'utiles indications complémentaires dans *La vie quotidienne au temps de la Révolution* de Jean Robiquet[5], *La guillotine et l'imaginaire de la Terreur* de Daniel Arasse[6], et *La Terreur et la Vendée* d'Alain Gérard[7].

À propos de la maladie et de la mort de l'enfant, signalons la très intéressante étude du docteur Pierre-Léon Thillaud, « Pathographie de Louis XVII au Temple »[8] ; néanmoins, en partant des mêmes éléments (ordonnances et procès-verbal d'autopsie), d'autres médecins, troublés par

1. Pygmalion, 2000.
2. Paris, 1891.
3. Laffont, 1987.
4. Pampelune, 1995.
5. Hachette, 1938.
6. Flammarion, 1987.
7. Fayard, 2001.
8. *Cahiers de la Rotonde*, n° 6, 1983.

l'absence de toute atteinte pulmonaire[1], doutent de l'hypothèse de tuberculose disséminée retenue par ce praticien comme origine de la péritonite qui emporta le prisonnier[2]. Comme sur ces questions médicales il est difficile d'y voir clair a posteriori, j'ai maintenu dans le récit un certain flou sur l'état général de l'enfant dans les derniers mois de sa vie et sur la cause indirecte de son décès.

En ce qui concerne les aspects de ce livre qui relèvent plus de la grande histoire que de la petite, je précise que les chiffres relatifs au nombre des exécutions provoquées par la Terreur résultent des études de Donald Greer[3], auxquelles s'ajoutent, pour la guerre de Vendée, les estimations des historiens contemporains[4] ; quant au nombre, plus extraordinaire, des « suspects » privés de liberté, il serait, en dix-huit mois, de 500 000 selon Donald Greer et J.-F. Fayard, et de 300 000 selon Mathiez (dont 90 000 emprisonnements, qui, selon Soboul, atteignirent à Paris une durée moyenne de huit mois et huit jours). Quant à l'éclairage psychanalytique jeté sur les acteurs de la Révolution, il est inspiré des travaux d'Ann Lynn, une historienne américaine, auteur du *Roman familial de la Révolution française*[5], ainsi que des travaux d'Antoine de Baecque[6].

1. L'autopsie du frère aîné de Louis XVII, le premier dauphin, mort en 1789 d'un mal de Pott, révèle au contraire, outre des « vertèbres carriées », des poumons très abîmés. Précisons en outre, pour ceux qui veulent établir un lien — assez artificiel — entre la fin des deux enfants à six ans de distance, que les deux frères n'avaient presque jamais été en contact : quand le tout jeune Louis-Charles grandissait à Versailles, son aîné Louis-Joseph, malade depuis l'âge de trois ans, vivait, pour des raisons de santé, à La Muette, puis à Meudon.

2. En tout cas, la maladie apparente fut brève, même en ce qui concerne l'abcès (ou la « tumeur blanche ») du genou : non seulement l'enfant fut déclaré en bonne santé par Lorinet, officier de santé, en janvier 1794, mais cette bonne santé fut de nouveau attestée par Laurent le 31 juillet de la même année, et, indirectement, par Lasne en avril 1795 lorsqu'il assura, dans une lettre au Comité de sûreté générale, que tout allait bien. Beauchesne, en 1852, prétendit que deux commissaires civils, Cazeaux et Debierne, auraient, dès janvier-février 1795, signalé aux autorités supérieures les « infirmités » de l'enfant ; je ne trouve rien de tel dans les archives. Madame de Tourzel, qui avait rencontré le docteur Thierry en juin 1793 alors que celui-ci venait de soigner l'enfant pour une pleurésie, en avait reçu l'assurance que le jeune garçon était complètement guéri. Marie-Thérèse, quant à elle, se borne à mentionner — à partir de ce que Gomin lui en a dit — un état d'asthénie et quelques fièvres au cours de l'hiver 94-95, mais il peut aussi bien s'agir de grippes ou d'angines : la Tour était si insalubre, surtout l'hiver, que tout le monde, gardiens compris, tombait malade.

3. *The Incidence of the Terror — a Statistical Interpretation*, 1935.

4. Ces estimations varient, pour les deux camps confondus et les quatre départements concernés, entre 117 000 morts (*Le génocide franco-français*, Reynald Secher, PUF, 1986) et 600 000 tués (ce qui est l'ordre de grandeur déjà retenu en 1795 par le général Hoche). La plupart des historiens d'aujourd'hui « visent » entre les deux (voir notamment R. Sédillot, *Le coût de la Révolution française*, Perrin, 1986). J'ai retenu, pour ma part, l'hypothèse basse.

5. Albin Michel, 1994.

6. *Le corps de l'Histoire — métaphores et politique*, Calmann-Lévy, 1993.

Je remercie le professeur Trèves, qui, à partir des documents dont nous disposons, a bien voulu m'éclairer sur l'évolution probable de la santé physique du jeune otage ainsi que sur la pharmacopée de l'époque ; Sylvie Mansour, psychothérapeute, qui a accepté de me donner son avis sur les sentiments et comportements possibles d'un petit garçon vivant dans les conditions où fut placé « l'enfant de la Tour » ; Chloé Martinez qui m'a assistée avec compétence et patience dans les recherches entreprises aux Archives nationales ; la direction des Archives départementales de la Savoie qui m'a fourni les éléments relatifs à la paroisse de Tignes et à la famille Arnaud.

Composition I.G.S. Charente-Photogravure
et impression Bussière Camedan Imprimeries
à Saint-Amand (Cher), le 4 septembre 2002.
Dépôt légal : septembre 2002.
Numéro d'imprimeur : 023883/4.
ISBN 2-07-076714-0./Imprimé en France.

14782